KU-130-056

Dictionnaire encyclopédique de l'histoire de France

Sous la direction de l'équipe de la Centrale d'achats Maxi-Livres

Direction
Alexandre Falco

Responsable des publications
Françoise Orlando-Trouvé

Responsable de la collection
Stéphanie Lascar

Fabrication
Antonio Sanchez
Guillaume Bogdanowicz

Charles Le Brun

Dictionnaire encyclopédique de l'histoire de France

Les grands personnages…
Les grands événements…
Plus de 650 entrées pour tout savoir sur 2000 ans d'histoire.

AVANT-PROPOS

L'histoire de France, habituellement, se raconte en gros livres, en doctes ouvrages soit chronologiques, soit thématiques et non événementiels. Ou, dans les collèges et lycées, sous forme de manuels qui découpent deux millénaires d'histoire en tranches plus ou moins artificielles : Moyen Âge, Renaissance, Temps modernes… Pour simplifier l'histoire – mais non pas la trahir –, pour la rendre plus accessible et mieux la raconter, nous avons imaginé ce *Dictionnaire encyclopédique de l'histoire de France*.

Il permet de connaître l'essentiel, de passer rapidement d'un roi à un traité, d'une guerre à un poète, d'une époque à une autre… grâce à des fiches aussi concises que complètes.

D'Abd el-Kader à Zola, de Vercingétorix à de Gaulle, de Notre-Dame de Paris à Versailles, de la bataille de Tolbiac à celle de Verdun, retrouvez les hommes et les événements qui ont fait la France, ceux qui ont contribué à son histoire et dont l'histoire a gardé la mémoire, rois et courtisanes, musiciens et soldats, hommes politiques et penseurs…

Un livre de référence nécessaire et utile, parce que, pour comprendre le présent, il faut connaître le passé, et son histoire.

ABD EL-KADER

Émir arabe né près de Mascara (Algérie) vers 1807, mort à Damas en 1883. Défenseur de l'Algérie, il affronta les Français qui en faisaient la conquête sous les ordres du général Bugeaud. La prise de sa smalah (camp où étaient regroupés sa famille et ses vassaux) par le duc d'Aumale (1843) le contraignit à se réfugier au Maroc dont il obtint l'appui (1844). Les combats reprirent jusqu'à la bataille d'Isly remportée par Bugeaud la même année. Abd el-Kader finit par se rendre au général Lamoricière en 1847. Interné en France avec sa famille, il fut libéré par Napoléon III au moment de la proclamation de l'Empire. Il vécut alors à Damas où il se fit le défenseur des chrétiens maronites lors des massacres de 1860.

ABÉLARD (PIERRE)

Théologien et philosophe scolastique français né à Saint-Pallet, près de Nantes, en 1079, mort en 1142, Pierre Abélard (dit aussi Abailard) fut l'un des plus grands savants et théologiens du Moyen Âge. Élève, puis rival de Roscelin et de Guillaume de Champeaux. Il cultiva toutes les sciences de son temps.

8 - ABÉLARD (PIERRE)

Professeur dès l'âge de 22 ans, il acquit une grande renommée et, après avoir enseigné à Meaux et à Corbeil, prit la direction de l'école Notre-Dame à Paris. C'est alors qu'il s'éprit de la nièce du chanoine Fulbert, Héloïse, son élève. Il avait 39 ans, elle en avait 17. Pour échapper au chanoine, le couple se maria secrètement et s'installa en Bretagne, où Héloïse mit au monde un enfant. Fulbert, pour se venger, fit castrer Abélard par des spadassins.

Abélard se retira alors comme moine à l'abbaye de Saint-Denis, et Héloïse prit le voile au couvent d'Argenteuil. Puis il fonda un ermitage, le Paraclet, à Nogent-sur-Seine, où Héloïse vint le rejoindre. Mais la haine des moines l'obligea à quitter le Paraclet. Il reprit ses cours sur la montagne Sainte-Geneviève, à Paris. Mais il professait des idées en avance sur l'Église de son temps, et eut à subir plusieurs condamnations. Parmi ses accusateurs, Bernard de Clairvaux, qui le fit sanctionner au concile de Sens (1140). L'un de ses ouvrages, *Introduction à la théologie*, fut livré aux flammes et Abélard fut enfermé dans un cloître.

Pierre le Vénérable, abbé de Cluny, le prit sous sa protection et lui permit de finir ses jours sous l'habit bénédictin au prieuré de Saint-Marcel, dans la Saône (1142). Héloïse lui survécut vingt ans, et se fit enterrer à ses côtés, au Paraclet. En 1818, leur tombeau commun fut transporté au cimetière du Père Lachaise.

Abélard (dont le système est passé à la postérité sous le nom de conceptualisme), qui proclamait la liberté de l'examen, et établissait une rivalité entre la religion et la philosophie précéda, de quelque cinq siècles, le protestantisme.

ACADÉMIE FRANÇAISE

Créée par le cardinal de Richelieu le 2 janvier 1635, l'Académie française, qui se compose de 40 membres (appelés *Immortels*) a pour rôle d'épurer et de fixer la langue, au moyen d'un *Dictionnaire*. Elle a son siège quai Conti à Paris, à l'*Institut*, qui abrite aussi l'*Académie des inscriptions et belles-lettres* (antiquités et monuments), l'*Académie des sciences* (sciences naturelles, physiques et mathématiques), l'*Académie des beaux-arts* (dessin, peinture, sculpture, architecture, musique) et l'*Académie des sciences morales et politiques* (philosophie, morale, législation).

AETIUS

Général romain d'origine scythe né à Mésie à la fin du IVe siècle, il reçut de l'empereur romain d'Occident le commandement de l'Italie et de la Gaule et combattit les Francs et les Bourguignons. Lorsque les armées d'Attila envahirent la Gaule, il rallia à lui toutes les peuplades germaniques installées sur ce territoire, et qu'il avait jusqu'alors combattues. Il battit avec elles les Huns aux champs Catalauniques, près de Châlons-en-Champagne (451). Sa gloire indisposa l'empereur Valentinien III, dont il avait sauvé le trône. L'empereur attendit la mort d'Attila pour le convoquer en son palais et l'assassina de ses mains, en 454.

ALARIC II

Roi des Wisigoths d'Espagne et de Gaule, il fut défait et tué par Clovis (qui put ainsi élargir sa domination jusqu'aux Pyrénées) à la bataille de Vouillé (près de Tours), en 507.

ALBERT Ier

Roi des Belges, né à Bruxelles en 1875. En 1900, il épousa la duchesse de Bavière Élisabeth. Roi en 1909, à la suite de Léopold II, il s'opposa au passage des Allemands sur son territoire en 1914 et s'allia aux Français dans ce conflit.
Il combattit à la tête des forces belges et son courage lui valut le surnom de « Roi-Chevalier ». Il mourut accidentellement au cours d'une excursion, en 1934.

ALBIGEOIS (CROISADE DES)

Les albigeois – surnom donné aux hérétiques cathares – installés en Languedoc et autour de Toulouse avaient adopté des thèses manichéennes, venues de Lombardie, qui professaient le refus des fastes de l'Église et le rejet des sacrements (ils n'en reconnaissaient qu'un seul qui les regroupait tous, le *consolamentum*).
Le pape Innocent III, sous l'influence des moines cisterciens, prêcha contre eux la croisade, et saint Dominique, pour lutter contre leur hérésie, partit en mission.
La croisade, qui regroupait des barons du Nord avides de s'emparer de riches territoires, sous la direction de Simon de Montfort fut, pendant vingt ans, une suite de massacres des populations civiles, cathares ou non. Ainsi la population de Béziers fut-elle anéantie, les croisés ayant mis le feu à la cathédrale où elle avait cru trouver asile. Alors qu'on lui faisait observer qu'il y avait davantage de catholiques que de cathares parmi les suppliciés, le légat du pape eut cette réponse : « Dieu reconnaîtra les siens ! » Simon de Montfort s'empara de Béziers (1209), battit le roi d'Aragon à Muret (1213) et, après avoir conquis la majeure partie des États du comte de Toulouse, fut tué devant Toulouse par une pierre jetée du haut des remparts (1218). Son fils dut céder les États conquis au roi de France Louis VIII.

Les derniers cathares qui avaient échappé à l'Inquisition moururent dans la forteresse de Montségur, où ils étaient assiégés, préférant se jeter dans les flammes plutôt que de se rendre (1244).

ALEMBERT (JEAN LE ROND D')

Écrivain, philosophe et mathématicien né à Paris en 1717, enfant naturel de Mme de Tencin (femme écrivain qui tenait un salon célèbre), d'Alembert avait le génie des mathématiques.
Ami de Voltaire, il fonda, avec Diderot, l'*Encyclopédie*, à laquelle il travailla de 1751 à 1759, et dont il écrivit le *Discours préliminaire*. On lui doit des ouvrages de physique, de mathématiques mais aussi de philosophie (où il prône le scepticisme et la tolérance) et de littérature.
Frédéric le Grand, roi de Prusse, chercha en vain à l'attirer à Berlin, tout comme Catherine II qui le voulait en Russie. Membre de l'Académie française, menant une vie modeste malgré les honneurs dont il était comblé, il mourut à Paris en 1783.

ALÉSIA

Place forte de la Gaule rendue célèbre par l'héroïque défense que Vercingétorix opposa aux Romains en 52 avant Jésus-Christ. La fortune, après avoir plusieurs fois changé de camp, s'attacha finalement à César grâce aux gigantesques fortifications qu'il avait fait construire en quelques semaines et où vinrent se briser et l'armée des assiégés, et l'armée gauloise arrivée en renfort.
Napoléon III situa Alésia à Alise-Sainte-Reine (Côte-d'Or), mais d'autres sites sont suggérés par des historiens, en Bourgogne ou dans le Jura.

ALEXANDRE Ier (PAVLOVITCH)

Né à Saint-Pétersbourg en 1777, fils et successeur de Paul Ier, empereur de Russie en 1801, Alexandre Ier, élevé dans des idées libérales, dès son avènement, rappela de nombreux exilés, abolit la torture, la censure, la confiscation et veilla au développement des lettres et des arts. En 1805, il entra dans la troisième coalition contre Napoléon.

Vaincu à Austerlitz (1805), à Eylau (février 1807) et à Friedland (juin 1807), il se vit contraint de demander la paix. C'est alors qu'eut lieu sur le Niemen la fameuse entrevue de Tilsit (7 juillet 1807) où furent reconnues les conquêtes françaises et par laquelle Alexandre dut prendre part au Blocus continental.

La rupture de ce traité entraîna la funeste campagne de Russie (1812). Le Tsar, appelant alors aux armes les nations d'Europe, déclencha la sixième coalition au cours de laquelle se déroula la décisive bataille de Leipzig (la « bataille des Nations », 1813).

Après quoi, les coalisés entrèrent dans Paris. Après Waterloo, Alexandre s'opposa au démembrement de la France et signa avec l'Autriche et la Prusse le traité de la Sainte-Alliance (1815).

Il mourut sans enfants en 1825 ; son frère Nicolas Ier lui succéda.

ALGÉRIE (GUERRE D')

En novembre 1954, sous la poussée de forces étrangères, différents partis nationalistes finirent par s'unifier sous le nom de Front de libération nationale (FLN). Tandis que Mendès France proposait une répression sévère, Soustelle envisageait la reconnaissance de citoyenneté des musulmans (1955). Son successeur, Robert Lacoste, reçut l'ordre de contraindre les nationalistes à un cessez-le-feu par la force et de négocier ensuite. Cette solution était sur le point de se réaliser lorsque cinq dirigeants du FLN, dont Ben Bella, furent arrêtés par les Services français alors qu'ils se rendaient à la conférence des pays du Maghreb (1956).

De violents affrontements opposèrent la résistance algérienne et les forces françaises (bataille d'Alger, 1957). Une lutte sans merci s'ensuivit. En 1958, les chefs insurgés établirent un gouvernement provisoire à Tunis. Le 13 mai de la même année, des manifestations éclatèrent à Alger. Le général de Gaulle, appelé au pouvoir par le président Coty, salua l'Algérie française, faisant de tous les habitants, sans distinction de race, des Français à part entière. Cependant, un an plus tard, il déclarait le droit des Algériens à l'autodétermination.

C'est alors que retentirent les fameux slogans d'*Algérie française* et qu'une gigantesque émeute paralysa la capitale tandis que les généraux Salan, Challes, Jouhaud et Zeller tentaient un putsch qui échoua (avril 1961). Salan, partisan d'une lutte à outrance, prit alors la tête de l'Organisation de l'armée secrète (OAS). Dans le même temps, les négociations entre Paris et les représentants du GPRA (Gouvernement provisoire de la République algérienne) débouchaient sur les accords d'Évian (18 mars 1962) qui reconnaissaient l'indépendance algérienne et proclamaient le cessez-le-feu.

La tension s'accrut entre musulmans et Français, aboutissant à l'exode massif des seconds vers la métropole.

ALIÉNOR D'AQUITAINE

Fille de Guillaume IX, dernier duc d'Aquitaine, Aliénor d'Aquitaine (dite aussi Éléonore de Guyenne), née en 1122, épousa Louis VII le Jeune, roi de France, apportant en dot une grande partie du midi et de l'ouest de la France. Mais au retour de la deuxième croisade, en dépit de l'opposition de Suger, Louis VII la répudia (1152). Aliénor épousa alors Henri II d'Angleterre, qui mit l'Aquitaine sous domination anglaise, situation qui allait aboutir, deux siècles plus tard, à la guerre de Cent Ans. Femme de caractère, Aliénor, qui fut l'une des inspiratrices des cours d'amour et du renouveau de la poésie en langue d'oc, s'opposa à Henri II qui l'enferma dans un couvent où elle resta jusqu'à l'avènement de son fils Richard Cœur de Lion. Elle assura en son nom la régence sur l'Angleterre et l'Aquitaine pendant la troisème croisade puis à son retour se retira en l'abbaye de Fontevrault, où elle mourut en 1203.

AMBIORIX

Roi des Gaulois Éburons (au nord-est de la Gaule), il résista courageusement à César dont il battit deux lieutenants avant d'être défait et de se voir déposséder de son royaume. Il dut se réfugier dans les Ardennes, où il mourut, après avoir erré dans les forêts.

AMBOISE (CONSPIRATION D')

Cette conspiration formée en 1560 par une grande partie de la noblesse de France calviniste (dont Condé) fut le prélude aux guerres de Religion. Les conjurés tentèrent, au château d'Amboise, d'enlever le jeune (et débile) François II afin de l'arracher à l'emprise de la famille de Guise. Les Guise, avertis du complot, le réprimèrent avec une extrême violence, faisant décapiter ou pendre de nombreux conjurés.

AMIENS (PAIX D')

Signée entre la France, l'Angleterre, l'Espagne et la Hollande le 25 mars 1802, elle mettait fin, avec le traité de Lunéville, à la seconde coalition. Elle stipulait l'évacuation de l'Égypte et sa restitution à la Turquie et rendait à la France et à ses alliés leurs colonies : aux Hollandais le Cap, Demerari, Berbice, Essequibo et Surinam ; aux Français la Martinique et la Guadeloupe ; aux Espagnols Minorque ; à l'ordre de Saint-Jean-de-Jérusalem, Malte. Cette paix fut bientôt désapprouvée par l'Angleterre.

AMPÈRE (ANDRÉ-MARIE)

Illustre physicien (1775-1836) né à Poleymieux, près de Lyon. Inventeur du premier télégraphe électrique et, avec Arago, de l'électro-aimant. On lui doit d'importants développements dans le domaine des mathématiques et de la chimie. Il s'occupa aussi de philosophie. Il avait imaginé, à 18 ans, une langue universelle qu'il destinait au rapprochement entre les hommes.

ANNE D'AUTRICHE

Infante d'Espagne née à Valladolid (1601), fille du roi Philippe III. Reine de France par son mariage avec Louis XIII (1615), elle eut de lui deux enfants : Louis (1638) et Philippe. À la mort du roi, elle assura la régence du royaume et gouverna avec Mazarin. Pendant les troubles de la Fronde, elle sut faire preuve de fermeté. Puis, à l'avènement de Louis XIV, elle se retira au Val-de-Grâce où elle s'éteignit en 1666.

ANNE DE BRETAGNE

Fille aînée et héritière du duc de Bretagne François II, née à Nantes en 1477, morte à Blois en 1514. Elle épousa Charles VIII en 1491 et gouverna le royaume pendant l'expédition de son époux en Italie (1495). À la mort de ce prince, son contrat prévoyant que si le couple n'avait pas eu d'héritier mâle, elle devrait, en cas de mort de son conjoint, épouser son héritier, elle s'unit à Louis XII dont elle eut deux filles. L'une d'elle, Claude, fut mariée au duc d'Angoulême (devenu le roi François Ier), lequel réunit définitivement la Bretagne à la Couronne.

ANNE DE FRANCE (ANNE DE BEAUJEU)

Fille de Louis XI et sœur aînée de Charles VIII (1462-1522). Elle assura la régence pendant la minorité de son frère et triompha, par la bataille de Saint-Aubin-du-Cormier (1488), du duc d'Orléans (futur Louis XII) qui la lui disputait. Bien qu'ayant été retenu prisonnier, ce dernier ne lui en tint pas rigueur et la traita avec bonté lorsqu'il fut parvenu sur le trône.

AOÛT 1789 (NUIT DU 4)

L'Assemblée constituante, lors de cette nuit, vota l'abolition des privilèges (de la noblesse et du clergé), la suppression des droits féodaux, et décréta la répartition égale des impôts ; le 26 août le principe de l'égalité sera affirmé par la Déclaration des droits de l'homme et du citoyen.

AOÛT 1792 (JOURNÉE DU 10)

Le peuple de Paris, mené par Danton, Desmoulins… se souleva contre l'Assemblée législative, qui refusait de déclarer Louis XVI indigne de la couronne et, prenant d'assaut les Tuileries, obtint la déchéance du roi qui fut, avec sa famille, enfermé dans la prison du Temple. À l'Assemblée législative succéda la Convention nationale.

AQUITAINS

L'un des peuples de la Gaule qui firent le plus chèrement payer aux Romains la conquête de leur territoire, le « pays des eaux » (*aqua*), entre la Garonne, les Pyrénées et l'océan Atlantique. Crassus, un lieutenant de César, s'en empara en 57 av. J.-C.

ARAGO (FRANÇOIS)

Astronome et physicien né à Étagel (Pyrénées-Orientales), en 1786. Attaché au Bureau des Longitudes, il fut nommé par Napoléon professeur d'analyse et de géodésie à l'École polytechnique (1809), puis directeur de l'Observatoire de Paris.
L'optique fut son étude de prédilection. Il travailla sur la polarisation, l'indice de réfraction des gaz et mesura la vitesse du son.
Esprit libéral, il fut nommé, en 1848, membre du Gouvernement provisoire et dirigea quelque temps les ministères de la Marine et de la Guerre. Il mourut à Paris en 1853.

ARIOVISTE

Chef des Suèves, en Germanie, dont les guerriers furent vaincus par César (58 av. J.-C.). Ce dernier, apprenant que les devineresses avaient défendu à Arioviste de combattre avant la nouvelle lune, sut tirer parti de cette superstition en livrant aussitôt bataille, et les Romains taillèrent en pièces les forces suèves.

ARMAGNACS (FACTION DES)

Bernard, comte d'Armagnac, combattit d'abord les Anglais puis, pendant la démence de Charles VI, ayant pris le parti de la famille d'Orléans (il était le beau-père du duc d'Orléans, assassiné par Jean sans Peur, duc de Bourgogne), il s'opposa au parti bourguignon, et entra dans Paris en 1413.
Nommé connétable, puis ministre, il dirigea le royaume d'abord avec l'appui de la reine Isabeau de Bavière, puis en l'évinçant et en la faisant enfermer à Tours. Le duc de Bourgogne la délivra, et marcha sur Paris. Les Parisiens, las de la toute-puissance du comte d'Armagnac, de ses exactions et de ses impôts, ouvrirent les portes de la ville aux Bourguignons le 29 mai 1418 et massacrèrent le comte qui s'était réfugié chez un maçon.

ARRAS (TRAITÉS D')

❐ Traité du 4 septembre 1414 : après les troubles causés par les Armagnacs et les Bourguignons, Jean sans Peur, duc de Bourgogne, s'engageait à ne pas revenir à Paris et à ne rien entreprendre contre Charles VI.

❐ Traité du 21 septembre 1435 : Charles VII et Philippe le Bon mettaient fin à la guerre civile entre Armagnacs et Bourguignons. Philippe le Bon, duc de Bourgogne, recevait les comtés d'Auxerre et de Mâcon.

❐ 23 décembre 1482 : Charles, le fils de Louis XI, roi de France, était fiancé à Marguerite la fille de Maximilien d'Autriche, duc de Bourgogne, qui apportait en dot ses droits sur la Bourgogne et sur l'Artois (le mariage ne se fera pas, Anne de Bretagne ayant été préférée à Marguerite de Bourgogne).

ARVERNES

Nation de la Gaule centrale dont la capitale était Gergovie. Ils peuplaient l'Aquitaine et l'actuelle Auvergne. Avant la conquête romaine, ils occupèrent longtemps le premier rang en Gaule celtique. Ils marchèrent aux côtés des Carthaginois contre Rome. Vercingétorix fut leur dernier souverain.

ASSAS (NICOLAS, CHEVALIER D')

Capitaine au régiment d'Auvergne, le chevalier Nicolas d'Assas, en mission le 16 octobre 1758 pour reconnaître les positions de l'ennemi, en Westphalie, tombe au milieu d'une troupe de grenadiers autrichiens prêts à surprendre le camp français. Menacé de mort s'il appelle aux armes, il n'en crie pas moins « À moi Auvergne, voilà l'ennemi ! » avant de tomber, percé de coups, mais ayant sauvé son régiment.

ASSEMBLÉE NATIONALE CONSTITUANTE

❒ I — La première assemblée date du 17 juin 1789. Les trois ordres (noblesse, clergé, tiers état) devaient délibérer pour établir, à la demande de Louis XVI qui avait réuni les états généraux, une Constitution pour régler les pouvoirs de l'État. Le tiers état, qui exigeait d'avoir autant de représentants que les deux autres ordres réunis, se constitua en *Assemblée nationale*. Cette Assemblée (rejointe par la noblesse et le clergé qui abandonnaient leurs privilèges) s'empara du pouvoir lors de la nuit du 4 août 1790. Elle décréta la saisie des biens du clergé, la réforme de la procédure criminelle, la destruction des parlements... et imposa au roi une Constitution qui distinguait le pouvoir législatif, exercé par les députés de la nation, et le pouvoir exécutif, réservé au roi. Elle instituait une *Assemblée législative* seule chargée de faire les lois, et accordait au roi un simple droit de *veto*. Elle se sépara le 30 septembre 1791.

❒ II — Le gouvernement provisoire proclamé après la révolution de février 1848 décida que la représentation nationale chargée d'élaborer la nouvelle Constitution de la IIe République serait assurée par une seule Assemblée de 900 députés élus au suffrage universel. Cette Assemblée siégea de mai 1848 à mai 1849. Elle laissa la place à l'*Assemblée législative*, le 8 mai 1849.

❒ III — Les Assemblées constituantes de 1945 (21 octobre) et 1946 (2 juin) élaborèrent la Constitution de la IVe République (13 octobre 1946).

ASSEMBLÉE LÉGISLATIVE

❒ I — Le 1er octobre 1791, l'Assemblée législative succéda à l'Assemblée nationale constituante (voir ci-dessus). Composée principalement de représentants de la bourgeoisie, qui commencèrent à s'affronter entre *Girondins* et *Montagnards*, elle édicta la peine de mort contre les émigrés, la déportation des prêtres et, le

11 juillet 1792, décréta la patrie en danger, appelant sous les armes les gardes nationales. Le 10 août, elle suspendit l'autorité royale et convoqua une nouvelle Assemblée constituante, la *Convention*.
❒ II — Le 8 mai 1849 fut constituée l'Assemblée législative de la IIe République, qui fut dissoute le 2 décembre 1851, lors du coup d'État de Napoléon III, qu'elle avait amené au pouvoir. À majorité conservatrice, elle limita le suffrage universel, la liberté de la presse et vota la loi Falloux, qui séparait l'enseignement laïc de l'enseignement privé (qu'elle tendait à favoriser).

ASSEMBLÉE NATIONALE

❒ I — Élue le 8 février 1871, l'Assemblée nationale eut à combattre la Commune de Paris, et à relever la France après l'invasion prussienne. Elle désigna Thiers comme chef du gouvernement. Dans ses rangs, à majorité conservateurs, s'opposèrent orléanistes (Decazes), bonapartistes, républicains modérés et républicains de gauche (Ferry, Gambetta). Après l'échec d'une restauration monarchique autour du comte de Chambord, elle opta pour le régime républicain à la suite de l'amendement Wallon (qui donnait au chef de l'État le titre de président de la République). Elle fut dissoute le 31 décembre 1875.
❒ II — Assemblée nationale est le nom donné à la *Chambre des députés* dans les Constitutions des IVe et Ve Républiques.

ATTILA

Roi des Huns en 432, surnommé le « fléau de Dieu », il dévasta l'Europe jusqu'à l'Adriatique et soumit les empereurs d'Orient et d'Occident. Franchissant le Rhin, il ravagea la Gaule, épargnant toutefois Lutèce défendue par sainte Geneviève, mais fut vaincu par le général romain Aetius aux champs Catalauniques (451). L'année suivante, il s'avança jusqu'à Rome que le pape Léon III sauva en négociant. Il mourut en 453 et son vaste empire se morcela.

AUBIGNÉ (AGRIPPA D')

Écrivain français né au château de Saint-Maury (Saintonge) en 1552, mort à Genève en 1630. Il fut l'écuyer de Henri IV qui le nomma maréchal de camp, gouverneur d'Oloron, vice-amiral de Guyenne et de Bretagne enfin. Lorsque son souverain abjura, d'Aubigné s'éloigna de lui, ayant gardé pour le calvinisme un attachement profond.
Fervent admirateur de Ronsard, il pratiqua autant la poésie lyrique et baroque (*Le Printemps*) que la verve satirique (*Les Tragiques*, œuvre où aux tableaux descriptifs se mêlent des imprécations adressées aux catholiques). Contre les protestants convertis, il écrivit, dans la même veine, *La Confession de Sancy*, pamphlet dirigé cette fois contre les protestants convertis. Il rédigea aussi une *Histoire universelle*, et des *Mémoires* où se révèle son caractère généreux et passionné.

AUGEREAU (PIERRE, DUC DE CASTIGLIONE)

Maréchal français né à Paris en 1757, mort à La Houssaye en 1816. Engagé comme simple soldat dans l'armée royale, rallié à la Révolution, il fut nommé général de division pendant la guerre de Vendée. Envoyé en Italie en 1796, il s'illustra au pont de Lodi, à Castiglione et à Arcole.
Investi du commandement de Paris, il fut chargé par le Directoire, le 18 fructidor, d'envahir le Corps législatif et d'arrêter les députés proscrits. Député aux Cinq-Cents (1799), il ne s'opposa pas au coup d'État du 18 brumaire et fut l'un des premiers à se rallier à Bonaparte, qui le nomma commandant en chef de l'armée de Hollande.
En 1804, l'Empereur le fit duc de Castiglione et maréchal. Il contribua aux victoires d'Iéna (1806) et d'Eylau – où, épuisé, il se fait lier sur son cheval avant de mener la charge (1807). Moins

heureux en Catalogne, il prit part à la campagne de Russie où il protégea la retraite de l'armée. Il se distingua également à la bataille de Leipzig. Il ne s'opposa pas à l'entrée des coalisés en France, ayant abandonné le parti de l'Empereur (lequel, de retour de l'île d'Elbe, repoussa avec mépris ses offres de services). Rallié aux Bourbons, il mourut en 1816.

AUMALE (HENRI D'ORLÉANS, DUC D')

Quatrième fils de Louis-Philippe Ier, né à Paris en 1822, mort en Sicile en 1897. Il se distingua en Algérie en s'emparant de la smalah d'Abd el-Kader (1843), et fut ensuite gouverneur général des possessions françaises en Afrique.

AURIOL (VINCENT)

Homme politique français né à Revel en 1884, mort à Paris en 1966. Il fut l'un de ceux qui dirigèrent le parti socialiste. Député, puis chargé du portefeuille des Finances (1936) dans le gouvernement du Front populaire, garde des Sceaux enfin sous Chautemps (1937), il rejoignit de Gaulle à Londres en 1943. Entre 1947 et 1954, il présida les deux Assemblées constituantes, où il sut équilibrer les tendances communiste et gaulliste.

AUSTERLITZ (BATAILLE D')

Victoire mémorable (la « bataille des 3 empereurs ») que Napoléon remporta contre les empereurs d'Autriche et de Russie (François II, Alexandre Ier) le 2 décembre 1805. Quarante-cinq mille Français, au plus, prirent part au combat, tant fut savante la combinaison stratégique de cette bataille. Opposés à des forces deux fois supérieures en nombre, Lannes, Soult, Murat, Kellerman et

Oudinot s'y montrèrent d'une remarquable efficacité. Le traité de Presbourg qui s'ensuivit mit fin à la troisième coalition (26 décembre 1805). L'allocution de Napoléon à son armée s'achève par ces mots restés fameux : « Soldats, (...) mon peuple vous reverra avec joie et il vous suffira de dire : J'étais à la bataille d'Austerlitz pour que l'on vous réponde : Voilà un brave ! »

AZINCOURT (BATAILLE D')

Pendant la guerre de Cent Ans, le 25 octobre 1415, les troupes d'Henri V d'Angleterre (allié à Jean sans Peur et ses Bourguignons) firent subir une sévère défaite aux troupes françaises du parti armagnac à Azincourt (Pas-de-Calais). Les chevaliers français, ayant chargé l'infanterie anglaise sur un terrain détrempé, s'embourbèrent et, empêtrés dans leurs armures, furent massacrés par les archers anglais. Azincourt fut le tombeau de la « fleur de la chevalerie française ».

B

BABEUF (FRANÇOIS NOËL, DIT GRACCHUS)

Révolutionnaire français né à Saint-Quentin en 1760, mort à Vendôme en 1797. Après la chute de Robespierre (1794), il fonda *Le Tribun du peuple* pour développer ses théories sur le partage des terres et de la richesse. Chantre d'une *République des Égaux*, il attaqua avec violence le Directoire dans le but de le renverser. Carnot fit condamner à mort ce précurseur du communisme. Ses idées ne disparurent pas pour autant et le *babouvisme* eut de nombreux disciples.

BALZAC (HONORÉ DE)

Né à Tours en 1799, après des débuts difficiles et l'exercice de divers métiers, Honoré de Balzac s'affirma dans la littérature à partir de 1827. Peintre des mœurs, il écrivit près de cent romans - sans parler des nombreux textes de jeunesse - dont il intitula lui-même l'ensemble *La Comédie humaine*. D'un tempérament robuste, d'une inflexible volonté alliée à une puissance de travail extraordinaire, il fut aussi chimérique dans sa vie pratique que réaliste dans ses romans. L'obsession d'une fortune « subite et colossale » le poursuivit aussi assidûment que la vindicte de ses créanciers. Quelques titres de cette œuvre considérable: *Les Chouans* (1841), *La Peau de chagrin* (1831), *Le Colonel Chabert* (1832), *Le Curé de Tours* (1832), *Eugénie Grandet* (1833), *Le Père Goriot* (1834), *La Duchesse de Langeais* (1834), *Le Lys dans la vallée* (1835), *La Femme de trente ans* (1835), *César Birotteau* (1837), *Ursule Mirouet* (1841), *La Cousine Bette* (1846), *Le Cousin Pons* (1847)... Dans cet incomparable univers que Balzac a construit, on a dénombré quelque deux-mille personnages. Ses descriptions restent de véritables documents historiques et ses analyses de l'âme humaine un modèle du genre. On lui doit aussi une abondante correspondance. Il mourut à Paris en 1850, peu après son mariage avec sa riche admiratrice polonaise, Mme Hanska, qu'il aimait de loin depuis seize ans.

BARBARES

C'est sous ce vocable que les Grecs, puis les Romains, ont désigné ceux qui n'appartenaient pas à leur race. On donna ce nom aux hordes qui tentèrent de briser la « paix romaine »: les Vandales, les Huns, les Goths, les Alains, les Burgondes, les Suèves, etc. Les « grandes invasions » barbares ont peu à peu détruit le monde gallo-romain et préparé l'avènement de la féodalité.

BARBEY D'AUREVILLY (JULES)

Écrivain français né à Saint-Sauveur-le-Vicomte en 1808, mort à Paris en 1889. Cet amoureux de la grandeur, mal à l'aise dans un XIXe siècle bourgeois et matérialiste, fut intransigeant dans ses critiques diffusées par les journaux auxquels il collabora. Il ne connut que tard la notoriété, grâce à ses romans dont les plus marquants sont *Une vieille maîtresse* (1851), *Le Chevalier des Touches* (1864), *Un prêtre marié* (1865), la série de nouvelles *Les Diaboliques* (1849-1874) et *Une histoire sans nom* (1882). Monarchiste, ultramontain, il eut Léon Bloy pour disciple.

BARNAVE (ANTOINE PIERRE JOSEPH MARIE)

Un des plus brillants orateurs de l'Assemblée constituante, né à Grenoble en 1761. Avocat au parlement de Grenoble, membre des États du Dauphiné, il fut élu député du tiers état aux États généraux de 1789.
Porte-parole de la bourgeoisie libérale, il devint l'auxiliaire puis le rival de Mirabeau. Chargé de ramener à Paris la famille royale, il déserta brusquement la cause du peuple et se rallia à La Fayette et aux monarchistes constitutionnels du club des Feuillants. Il tenta alors de jouer le rôle de conseiller secret auprès de la cour. Découvert, il fut arrêté et guillotiné en 1793.

BARRA (JOSEPH)

Né en 1780, Joseph Barra, 13 ans, tambour dans l'armée républicaine en Vendée, fut envoyé par son commandant battre la charge à travers les lignes ennemies pour faire croire à l'arrivée de renforts. Le stratagème réussit et des Vendéens, en se repliant, cernèrent Barra. Ils voulurent le forcer à crier *Vive le roi!* Il leur répondit par un vibrant *Vive la République!*, et tomba criblé de balles.

BARRAS (PAUL, VICOMTE DE)

Né à Fox-Amphoux, en Provence (1755), mort à Chaillot (1829). Élu député à la Convention (1792), il siégea avec les Montagnards. En décembre 1793, il organisa la répression contre les fédéralistes et les royalistes au lendemain du siège de Toulon. Nommé commandant des forces armées de Paris (9 thermidor), il fut, avec Tallien et Fouché, l'artisan de la chute de Robespierre et délivra la France du règne de la Terreur. En octobre 1795, il réprima l'insurrection contre la Convention et devint un des chefs du Directoire (novembre 1795). Il fut l'instigateur du coup d'État du 18 fructidor (4 septembre 1797).
Mais après les événements du 18-Brumaire (9 novembre 1799),

contraint de démissionner, il vécut exilé à Bruxelles, puis à Rome. Il ne revint qu'à la Restauration, fait exceptionnel car il avait voté la mort du roi sans appel et sans sursis. Il n'eut, désormais, plus de rôle politique.

BARRÈS (MAURICE)

Écrivain et homme politique né à Charmes (Vosges) en 1862, mort à Paris en 1923. Il s'imposa avec sa trilogie *Le Culte du moi*, dans laquelle il défend le principe de l'individualité et l'égotisme chers à Stendhal. Parallèlement, il entra dans la politique et fut élu député boulangiste en Meurthe-et-Moselle.
Nationaliste et revanchard, adversaire de la démocratie parlementaire, antidreyfusard, il développa ses opinions dans une nouvelle trilogie, *Roman de l'énergie nationale*. La déclaration de guerre de 1914 fit de lui le champion de l'Union sacrée. Parmi ses nombreux écrits, *Du sang, de la volupté et de la mort* (1894), *La Colline inspirée* (1913)... (Académie française)

BARYE (ANTOINE LOUIS)

Sculpteur français né et mort à Paris (1795-1875) surtout connu comme animalier. Il est l'auteur du *Lion en marche* de la colonne de Juillet (1840).

BART (JEAN)

Marin célèbre par sa bravoure extraordinaire, Jean Bart naquit à Dunkerque en 1651. Fils d'un pêcheur, il s'illustra dans de nombreuses batailles navales contre les Anglais, et fut anobli par Louis XIV pour avoir réussi à s'emparer de convois de blé et à les ramener en France, qui en manquait cruellement. Ce corsaire qui avait souvent défié la mort et brûlé plus de deux-cents vaisseaux ennemis mourut de pleurésie en 1702.

BASTILLE (LA)

Forteresse construite sur l'ordre de Charles V à la porte Saint-Antoine, à Paris, entre 1370 et 1382. Citadelle militaire, elle ne tarda pas à devenir une prison d'État. Parmi ceux qui y furent détenus : le duc de Nemours, le maréchal de Biron, le surintendant Fouquet, le fameux Masque de fer, La Bourdonnais, Voltaire... Le 14 juillet 1789, assiégée par les révolutionnaires, la Bastille succomba après quatre heures de combat. Le 16, à l'unanimité, la décision de la raser fut adoptée.

BAUDELAIRE (CHARLES)

Écrivain français né à Paris en 1821. Son enfance triste (remariage de sa mère) et son adolescence révoltée contribuèrent à nourrir son dégoût du monde. D'un voyage à l'île Bourbon, il rapporta le goût de l'exotisme. Sa sensibilité morbide et sa hantise de la mort le conduisirent à une recherche de l'évasion sous toutes ses formes. À Paris, où il mena l'existence d'un dandy, il fit la connaissance de Théophile Gautier et se lia avec lui.
Pendant la révolution de 1848, il se mêla aux émeutes. Accablé de dettes, il partit pour la Belgique où il donna une série de conférences (1864). Atteint de troubles nerveux qui évoluèrent en paralysie générale, il fut ramené à Paris où il mourut en 1867.
Son œuvre, qui pourrait presque se résumer aux *Fleurs du mal* (1857), passe de l'enfer au ciel, nourrie d'obsessions, d'idéal et de perversité. Poète de la ville, il en a exprimé les fièvres et les séductions. Ni romantique ni parnassien, il a écrit en marge de ses contemporains. C'est après sa mort que parut *Le Spleen de Paris* (1869) tout comme les recueils d'articles auxquels on donna pour titre *L'Art romantique* et *Curiosités esthétiques*.

BAYARD (PIERRE DU TERRAIL, SEIGNEUR DE)

Gentilhomme français né au château de Bayard (Isère) vers 1475. Il commença sa carrière militaire sous le duc de Savoie, puis sous Charles VIII et se fit remarquer en Italie à la bataille de Fornoue (1495) pour son sang-froid. Quelques années plus tard, alors que Charles VIII envahissait le Milanais, il força à nouveau l'admiration de tous par sa vaillance. C'est à cette époque que se situe le haut fait du Garigliano : à lui seul, il empêcha deux-cents Espagnols de passer un pont qui enjambait cette rivière, pour protéger la retraite des troupes françaises (1503). Il battit les Vénitiens à Agnadel (1509), fut blessé au siège de Brescia (1512) et capturé par les Anglais en Picardie (1513). Rendu à la liberté, François Ier le nomma lieutenant général du Dauphiné. Après la bataille de Marignan (1515), le roi exigea d'être adoubé par lui. C'est en couvrant la retraite des troupes de l'amiral Bonnivet, au passage de la Sesia (1524), qu'il fut mortellement atteint. Il ordonna alors qu'on l'appuyât contre un arbre, le visage tourné vers l'ennemi, car il ne lui avait jamais tourné le dos. Son courage et sa clémence lui valurent le surnom de Chevalier sans peur et sans reproche.

BEAUMARCHAIS (PIERRE AUGUSTIN CARON DE)

Écrivain français (1732-1799 né et mort à Paris). D'abord horloger, comme son père, il occupa ensuite les fonctions de maître de harpe des filles de Louis XV. Devenu secrétaire du roi (1761), anobli, il fut cependant éloigné de la cour à cause de ses relations avec une des jeunes princesses. Il se lança alors dans la spéculation, non sans être mêlé parfois à des affaires peu honorables. Des nombreux procès qu'il soutint, l'un le conduisit à rédiger pour sa défense des *Mémoires* qui assurèrent son succès grâce à la façon brillante dont il s'y justifie tout en attaquant les abus de la justice de l'Ancien Régime. Mais la célébrité lui vint surtout du théâtre. Deux pièces, entre autres, firent sa fortune et sa réputation : *Le Barbier de Séville* (1775) et *Le Mariage de Figaro* (1784).

BELLE-ISLE (CHARLES FOUQUET DE)

Maréchal de France né à Villefranche-de-Rouergue (1684), mort à Versailles (1761), petit-fils du surintendant Fouquet. Habile négociateur, il contribua à l'acquisition de la Lorraine par la France (1736). Il fut ministre de la Guerre de 1758 à 1760.

BÉNÉDICTINS

Ordre monastique fondé par saint Benoît de Nursie en 529. Sa règle, qui servit de base à tous les ordres futurs, fut diffusée par le pape Grégoire le Grand en 590. L'ordre prit rapidement une grande extension et joua, tant sur le plan spirituel qu'économique et social, un rôle essentiel: aménagement des villages autour des abbayes, défrichement des forêts, constitution de riches bibliothèques, transcription et communication des textes de l'Antiquité. Saint Benoît d'Aniane modifia la règle en 817. Consécutive au relâchement de la discipline, une importante réforme eut lieu vers l'an 900.

C'est alors que fut fondée l'abbaye de Cluny (910), laquelle entraîna, en peu d'années, la création de quelque deux-mille monastères. Du tronc bénédictin sortirent plusieurs autres branches dont les Cisterciens, les Camaldules, les Chartreux, les Célestins, etc. Des ordres militaires s'en inspirèrent aussi, tels l'ordre d'Alcantara, en Espagne, et celui du Christ, au Portugal.

BERGSON (HENRI)

Philosophe français (1859-1941) né et mort à Paris. Il enseigna au Collège de France et son influence fut importante au début du XXe siècle. Adversaire du positivisme, il a critiqué la science, la tenant pour incertaine. Opposé à l'intellectualisme, il a aussi critiqué l'intelligence, laquelle, pour lui, ne peut s'appliquer qu'à la matière et à l'action. Il a, par contre, souligné la valeur de l'intuition qui seule permet une approche directe et immédiate du phénomène de la vie. Il a développé ses idées dans l'*Essai sur les données immédiates de la conscience* (1889), *Matière et Mémoire* (1896), *L'Évolution créatrice* (1907) et *Les Deux Sources de la morale et de la religion* (1832). Ennemi du matérialisme, il n'a cessé de proclamer que l'homme a besoin d'un « supplément d'âme » dans un monde de plus en plus livré à la mécanique.

BERLIOZ (HECTOR)

Compositeur français né à La Côte-Saint-André (Isère) en 1803, mort à Paris en 1869. Son père le destinant à la médecine, il ne reçut pratiquement aucun enseignement musical durant toute sa jeunesse, et entra au conservatoire de Paris en 1821. En 1830, la *Symphonie fantastique* fut un triomphe, et il obtint le grand prix de Rome et une invitation pour deux ans à la Villa Médicis. De retour à Paris, il épousa son égérie, l'actrice H. Smithson (1833) et devint chroniqueur musical pour le *Journal des débats*. Parurent alors la symphonie *Harold en Italie* (1834), son *Requiem*, dont le succès fut unanime (1837), et l'opéra *Benvenuto Cellini* (1838) qui, lui, se solda par un échec. Puis ce fut la symphonie dramatique *Roméo et Juliette*, triomphalement accueillie (1839).

En 1840, pour le dixième anniversaire de la révolution de Juillet, il obtint la commande d'une *Symphonie funèbre et triomphale*. Vinrent ensuite les années de voyages (1842-1848), tournées prestigieuses à travers l'Europe au long desquelles il bénéficia du soutien des plus grands musiciens. Entre-temps, il avait donné la *Damnation de Faust* (1846) dont l'insuccès l'obligea à s'endetter. Chef d'orchestre à Londres (1847-1848,) il revint en France au moment de la révolution et composa des œuvres diversement accueillies, dont un *Te Deum* (1949) pour l'élection de Louis-Napoléon. Il a rédigé un *Traité d'instrumentation et d'orchestration* (1844), domaine dans lequel il était passé maître.

BERNADOTTE (JEAN-BAPTISTE)

Maréchal de France, prince de Pontecorvo, né à Pau en 1764. Général de brigade sous la Révolution, il prit une part importante à la bataille de Fleurus (1794). Puis il accompagna Bonaparte en Italie (1797), fut ambassadeur à Vienne (1798) et reçut le commandement de l'armée du Rhin la même année. En 1805, il dirigea un corps de la Grande Armée et se distingua à Austerlitz. En 1806, il remporta les victoires de Halle et de Lübeck sur les Prussiens. Devenu gouverneur des villes hanséatiques et en guerre contre la Suède, il suspendit les combats lorsque le roi Gustave IV fut renversé (1808). Brouillé avec Napoléon après Wagram, il se vit alors offrir le trône par les Suédois qui avaient apprécié sa politique à leur égard. Il s'allia désormais avec le tsar Alexandre contre son ancien souverain et décida, par son intervention, du sort des journées de Leipzig (1813). Accueilli avec réserve par les coalisés au moment de l'exil de Napoléon à l'île d'Elbe, il rentra en Suède, annexa la Norvège après la campagne du Holstein (1814) et mourut à Stockholm en 1844.

BERNANOS (GEORGES)

Écrivain français né et mort à Paris (1888-1948). Il grandit dans un milieu catholique. En 1913, après avoir obtenu une licence en droit et en lettres, l'Action française lui confia la direction d'un hebdomadaire monarchiste à Rouen. En 1926 il publia *Sous le soleil de Satan*, roman qui eut un succès immédiat. Cette même année, il se sépara de l'Action française, condamnée par Rome. Parurent *L'Imposture* (1927), *La Joie* (prix Femina de 1929), *Jeanne relapse et sainte*. En 1930, s'attaquant violemment à la bourgeoisie qui l'avait déçu, il rédigea *La Grande Peur des bien-pensants*. Séjournant à Palma de Majorque d'octobre 1934 à mars 1937, il y suivit de près la guerre civile espagnole. D'abord favorable aux franquistes, il s'en détourna lorsqu'il découvrit les

accointances de l'Église et de Franco. C'est alors qu'il commença à composer *Les Grands Cimetières sous la lune* (1938). Entre-temps avaient vu le jour *Un crime* (1935), *Le Journal d'un curé de campagne* (grand prix du roman de l'Académie française, 1936) et *Nouvelle Histoire de Mouchette* (1937). Il embarqua pour le Brésil (1938) où il vécut sept ans. Pendant la Seconde Guerre mondiale, s'élevant contre le gouvernement de Pétain, il inspira l'esprit de la Résistance avec la *Lettre aux Anglais* (1942), *Écrits de Combat* (1944)…
En juillet 1945, il rentra en France et ce qu'il y trouva provoqua son indignation. Il publia en 1946 *Monsieur Ouine* (commencé en 1933). Quittant à nouveau la France, il s'installa en Tunisie. Mais il devait bientôt rentrer à Paris, à l'Hôpital américain de Neuilly, pour mourir le 5 juillet 1948. Plusieurs de ses œuvres ont été publiées après sa mort, dont *Dialogues des carmélites* (1951).

BERNARD (SAINT)

Moine de Cîteaux, fondateur de l'abbaye de Clairvaux (1115), docteur de l'Église, né en 1091 au château de Fontaine. Il appuya Hugues de Payns, créateur de l'ordre du Temple dont il rédigea les statuts au concile de Troyes (1128). Lorsque Innocent III et Anaclet se disputèrent la tiare, il prit le parti du premier et contribua à son triomphe. En 1147, il prêcha la deuxième croisade. Il lutta contre le rationalisme d'Abélard et combattit aussi l'hérésie de Pierre de Bruys et la doctrine du moine Raoul qui voulait l'extermination des juifs. On le considère comme l'une des plus grandes figures de la chrétienté. Il a laissé des traités de théologie et de remarquables *Lettres*. Il mourut à Clairvaux en 1153, et fut canonisé par Alexandre III en 1173. Fête le 20 août.

BERNARD (CLAUDE)

Physiologiste français né à Saint-Julien (Rhône) en 1813, mort à Paris en 1878. Nommé au Collège de France en 1855, il y occupa la chaire de médecine expérimentale. On lui doit la découverte de la fonction glycogénique du foie, des nerfs vaso-constricteurs, des filets vaso-dilatateurs. Ses études portèrent aussi sur le pancréas, le suc gastrique, la chaleur animale et sa régulation, et sur certains poisons comme le curare et la strychnine.

BERRY (MARIE CAROLINE FERDINANDE LOUISE DE NAPLES, DUCHESSE DE)

Fille aînée de François Ier de Naples, née à Palerme en 1798. Elle suivit Charles X en exil et épousa son deuxième fils, Charles, duc de Berry (1816). Ce dernier mourut quatre ans plus tard, assassiné par un fanatique qui voulait l'extinction de la lignée des Bourbons. Marie-Caroline essaya vainement de soulever la Provence, puis la Vendée, contre Louis-Philippe. Elle mourut en Autriche, en 1870. Son fils, duc de Bordeaux et comte de Chambord, devint après la mort de Charles X le chef du parti légitimiste ; on lui a parfois donné le nom de Henri V.

BERTHELOT (MARCELLIN)

Chimiste et philosophe français né et mort à Paris (1827-1907). Jeune, il se lia d'amitié avec Renan. Préparateur au Collège de France (1851), docteur es sciences (1854), il enseigna à l'École supérieure de pharmacie (1863). Sénateur en 1881, il fut ministre de l'Instruction publique et des Affaires étrangères (1895-1896). Il réalisa la synthèse de l'acétylène (1862), travailla sur la thermochimie, dont il fit l'application dans les explosifs, et détermina le principe de la fixation de l'azote par les plantes. Il est l'auteur de nombreux *Mémoires* scientifiques.

BERTHIER (LOUIS-ALEXANDRE)

Maréchal de France, prince de Neuchâtel et de Wagram, né à Versailles en 1753. Commandant de la Garde nationale à Versailles en 1789, il assura la protection de la famille royale. En 1796, il s'attacha à Bonaparte qu'il suivit en Italie et en Égypte. Nommé ministre de la Guerre, il devint le principal collaborateur de l'Empereur, qui lui décerna en outre le titre de major général de la Grande Armée (1805).
Il contribua puissamment à la victoire de Wagram (1809). Rallié à Louis XVIII en 1814, il signa l'acte de déchéance de Napoléon. Pendant les Cent-Jours, il se réfugia à Bamberg (Autriche) et y mourut le 1er juin 1815, s'étant, dans un accès de délire, jeté par la fenêtre.

BERTHOLLET (CLAUDE, COMTE)

Chimiste français né près d'Annecy en 1748, mort à Arcueil en 1822. C'est en 1784 qu'il découvrit un nouveau procédé de blanchiment des toiles à l'aide du chlore. Avec Monge, il découvrit aussi l'argent fulminant et prépara des explosifs. Il fit partie, en 1798, de l'expédition de savants qui accompagna Bonaparte en Égypte. Il jouit, plus tard, de la protection de l'Empereur qui l'appelait « son chimiste ».
Il n'en vota pas moins sa déchéance en 1814, sans doute à cause de son horreur de la guerre. Avec Lavoisier et d'autres, il travailla à une nouvelle nomenclature chimique. Il énonça la loi de la double décomposition des sels.

BESSIÈRES (JEAN-BAPTISTE)

Maréchal de France, duc d'Istrie, né à Prayssac en 1768. Il servit d'abord dans la Garde constitutionnelle de Louis XVI. En 1796, il participa à la campagne d'Italie où il se distingua à Marengo. En 1798, il suivit Bonaparte en Égypte comme général de brigade. Maréchal d'Empire en 1804, il prit le commandement de la cavalerie de la Garde en 1805. Comme tel, il prit part à toutes les campagnes jusqu'en 1813, date à laquelle il fut tué lors d'une reconnaissance, la veille de la bataille de Lützen.

BILLAUD-VARENNE (JEAN NICOLAS)

Homme politique français né à La Rochelle en 1756. Avocat au parlement de Paris avant 1789, il fut un des orateurs les plus véhéments du club des Jacobins. Auteur de virulents pamphlets contre les ministres de Louis XVI, membre de la Commune de Paris, il prit une part active aux massacres de Septembre (1792). Député montagnard à la Convention, élu au Comité de salut public (juillet 1793), il poursuivit le roi avec acharnement, puis les Girondins à la chute desquels il contribua. Avec Robespierre, il fut un des instigateurs de la Terreur et combattit les hébertistes, Danton et Desmoulins. Puis, se retournant contre Robespierre, il participa à sa destitution lors de la journée du 9 Thermidor (27 juillet 1794). Pris à partie pour sa cruauté envers les Girondins et les partisans de Danton, il fut condamné et déporté à Cayenne (1795) où il resta jusqu'au retour des Bourbons, ayant refusé la grâce que lui avait offerte Bonaparte. En 1816, il se retira à Port-au-Prince où il mourut trois ans plus tard.

BISMARCK (OTTO, PRINCE VON)

Homme d'État prussien né à Schönhausen en 1815. Plénipotentiaire à la diète de Francfort (1851), il fut ensuite ambassadeur à Saint-Pétersbourg (1859-1862) et à Paris (1862). Devenu Premier ministre sous Guillaume Ier et bénéficiant de la confiance de ce dernier, il put se consacrer à son objectif: la grandeur de la Prusse. Il conquit une partie du Danemark et, par la victoire de Sadowa contre l'Autriche (traité de Prague, 1866), aboutit à la création de la Confédération des États de l'Allemagne du Nord sous tutelle de la Prusse. Après quoi, il entraîna les États du Sud dans une guerre contre Napoléon III et les rallia à sa cause à la suite de la défaite française de Sedan (septembre 1870). L'empire allemand fut alors proclamé, le 18 janvier 1871. La France avait perdu l'Alsace et la Lorraine. Devenu chancelier, il consolida l'empire qu'il avait bâti. Il mourut à Friedrichsruh en 1898.

BIZET (GEORGES)

Compositeur français né à Paris en 1838, mort à Bougival en 1875. Prix de Rome en 1857, il révéla son talent dans *Les Pêcheurs de perles* (1863), *l'Arlésienn*e et surtout *Carmen* (1874) pourtant accueillie avec indifférence. Il n'eut pas le temps de connaître le triomphe réservé à cet opéra : la mort l'emporta le soir de la trente-troisième représentation (1875).

BLANCHE DE CASTILLE

Née à Palencio (1188), fille d'Alphonse IX le Noble, elle fut mariée, en 1200, au fils aîné du roi de France, le futur Louis VIII. À la mort de ce dernier (1226), c'est elle qui assura la régence, son fils Louis IX (Saint Louis) n'ayant encore que 12 ans. Elle triompha des ligues formées contre elle et contre l'État. On lui reprochait, entre autres, d'évincer les barons français au profit d'Espagnols et d'ecclésiastiques. Elle prit part à la croisade contre les albigeois, commencée en 1209 à l'instigation du pape Innocent III et dont l'aboutissement, avec le traité de Paris (1229), laissa à la couronne d'immenses territoires dans le Midi. « *Femme par le sexe* a écrit le chroniqueur Mathieu de Paris, *elle fut virile dans le conseil.* » Elle mourut à la tâche, à Paris (1252), après avoir assumé la charge entière du gouvernement pendant la croisade en Terre sainte entreprise par Saint Louis.

BLANC (LOUIS)

Homme politique et historien français né à Madrid en 1811, mort à Cannes en 1882. Fondateur de la revue *Progrès* (1839), il s'affirma comme l'un des chefs de la presse démocratique. Il est l'auteur du livre *L'Organisation du travail*, où il présente un programme de réformes socialistes. Il écrivit aussi *Histoire de dix ans* (1841), en relation avec la chute de la monarchie de Juillet. Membre du Gouvernement provisoire, puis président de la Commission du Luxembourg, il défendit le droit au travail (1848). On dénatura sa conduite dans l'émeute du 15 mai et il dut s'enfuir à Londres où il séjourna jusqu'à la fin de l'Empire. Revenu en France, il fut élu à l'Assemblée nationale et siégea parmi l'extrême gauche dont il devint un des chefs.

BLANDINE (SAINTE)

Jeune esclave chrétienne martyrisée à Lyon sous Marc Aurèle, en 177. Avec elle périrent 48 autres victimes dont Pothin, le premier évêque de Gaule. Mise en croix dans l'arène, puis livrée aux bêtes mais épargnée, elle fut alors fouettée, tenaillée et placée sur un siège ardent.

Comme elle vivait toujours, elle fut enveloppée d'un filet et exposée à des taureaux furieux. S'apercevant qu'elle résistait encore, les bourreaux, lassés, l'égorgèrent. Son corps repose dans la crypte de l'église d'Ainay, à Lyon. Fête le 2 juin.

BLANQUI (AUGUSTE)

Doctrinaire socialiste et révolutionnaire français né à Puget-Théniers en 1805. Partisan des idées de Babeuf, de Saint-Simon et de Fourier, d'abord affilié au carbonarisme, il combattit la monarchie de Juillet (1830-1848) à la tête des républicains. Sa vie fut une longue suite de conspirations et d'incarcérations durant laquelle il lutta contre la société capitaliste. Il créa les journaux *La Patrie en danger* (1870) et *Ni Dieu ni maître* (1877). Admirateur de Marx, il condamna le communisme utopique, préconisant l'action révolutionnaire. Il mourut à Paris en 1881.

BLOCUS CONTINENTAL

Le 21 novembre 1806, à Berlin, Napoléon rendit un décret interdisant de recevoir tout navire ayant eu contact avec un port anglais et proclama de bonne prise le contenu dudit navire s'il jetait l'ancre sur les côtes de l'Empire. Il souhaitait ainsi provoquer une crise financière en Grande-Bretagne et la forcer à la paix. Les Anglais répliquèrent en facilitant l'accès de leurs territoires aux bateaux étrangers. Le Blocus engendra une contrebande effrénée. La volonté d'étendre ce système déboucha sur l'annexion de la Hollande et de l'embouchure de l'Ebre, puis sur la campagne de Portugal et celle de Russie enfin, le tsar ayant cessé d'y adhérer.

BLOY (LÉON)

Écrivain français né à Périgueux en 1846, mort à Bourg-la-Reine en 1917. Sa vie ne fut qu'un long combat mené au milieu d'une effroyable misère que retrace en partie son livre *Le Désespéré*, écrit en 1886. Catholique converti, il fut dans ses positions d'une intransigeance extrême. Une véritable conspiration du silence entoura son œuvre de son vivant.

BLÜCHER (GEBHARD LEBERECHT, PRINCE VON WAHLSTATT)

Feld-maréchal prussien né à Rostock en 1742. Il est surtout connu pour son intervention inopinée à Waterloo qui décida du sort jusqu'alors incertain de la bataille et par la haine qu'il manifesta aux Français lors de son entrée dans Paris en 1815. Il mourut en Silésie en 1819.

BLUM (LÉON)

Écrivain et homme politique français né à Paris en 1872, mort à Jouy-en-Josas en 1950. Il débuta dans la critique de théâtre et par des articles littéraires. En 1902, il entra au parti socialiste et travailla avec Jaurès à *L'Humanité* (1904). Pendant les deux premières années de la guerre, il fit partie du gouvernement de l'Union sacrée. Député en 1919, il fonda le journal *Le Populaire* et prit la direction de la SFIO. En 1936, il constitua le gouvernement du Front populaire. Après le procès de Riom (1942) qui jugea les responsables civils et militaires de la défaite de 1940, il fut livré aux Allemands et envoyé à Buchenwald. De 1946 à 1947, il fut chef du Gouvernement provisoire de la République.

BOILEAU (NICOLAS, DIT BOILEAU-DESPRÉAUX)

Écrivain français né et mort à Paris (1636-1711). Après des études de droit et de théologie, il résolut de suivre sa vocation et se consacra aux lettres. Dans un style incisif, il flétrit le mauvais goût et le mauvais style de son époque. Dans la *Querelle des Anciens et des Modernes*, il prit parti pour les premiers contre Fontenelle et Perrault. En 1677, Louis XIV en fit, avec Racine, l'historiographe de ses campagnes.

Plus tard, s'élevant contre les mœurs modernes, il se rangea aux côtés des jansénistes contre les Jésuites (1695). Il fut un polémiste brillant, souvent violent, attaché au bon sens et à la nature, ennemi de l'emphase et du pédantisme. Son amitié pour Molière, La Fontaine et Racine était bien connue. On lui doit les *Satires*, *L'Art poétique*, *Le Lutrin*, les *Épîtres*. Il fut un des premiers censeurs et l'on peut dire qu'il inaugura la critique littéraire. (Académie française)

BONAPARTE (FAMILLE DES)

Famille noble originaire de Toscane et établie en Corse à partir de 1612. Ses représentants les plus connus sont :

❒ *Charles Marie*, né à Ajaccio en 1746, et son épouse *Marie-Lætitia Ramolino* – surnommée plus tard Madame Mère – qui vit le jour dans la même ville en 1750. Charles Marie combattit aux côtés de Paoli pour l'indépendance de la Corse ; mais, peu après que les Génois eurent cédé leurs droits sur l'île à la France, il se rallia au gouvernement royal et quitta la Corse. Le couple avait eu treize enfants dont huit survécurent. En voici la liste :

❒ *Joseph*, né à Corte (1768), mort à Florence (1844). Il seconda son frère Napoléon au siège de Toulon (1793). Membre du Conseil des Cinq-Cents (1796), il joua un rôle important dans le coup d'État du 18 brumaire. En 1801, il négocia la paix de Lunéville avec l'Autriche. Puis il signa le Concordat avec le pape et la paix d'Amiens avec l'Angleterre (1802). Roi de Naples de 1806 à 1808, puis roi d'Espagne de 1808 à 1813. Après Waterloo, il se réfugia à New York où il vécut avec ses deux filles et son neveu, le prince Charles Bonaparte.

❒ *Napoléon* (voir ce nom).

❒ *Lucien*, né à Ajaccio en 1775. Président au Conseil des Cinq-Cents, il fut un des artisans, comme son frère Joseph, du 18-Brumaire. Ambassadeur d'Espagne en 1800, il devint, revenu en France, membre du Tribunat. Divorcé d'une première épouse dont il avait eu deux filles, il s'unit à Alexandrine de Bleschamp dont il eut neuf enfants. Cette alliance ayant déplu à Napoléon, il quitta la France pour Rome (1804), puis pour Canino que le pape Pie VII érigea en principauté en sa faveur. Il mourut à Viterbe en 1840.

❒ *Marie-Anne Élisa*, née à Ajaccio en 1777. Princesse de Lucques et de Piombino, et, à partir de 1809, grande-duchesse de Toscane. Morte à Trieste en 1820. Elle avait épousé Félix Bacciochi dont elle eut deux enfants.

❒ *Louis*, né à Ajaccio en 1778. Il fit les campagnes d'Italie et d'Égypte avec son frère dont il fut l'aide de camp et participa au coup d'État du 18-Brumaire. En 1802, sur les instances de Napoléon, il épousa Hortense de Beauharnais qu'il n'aimait pas. Roi de Hollande (1806), il s'attacha à son peuple et refusa d'obéir au décret du 21 novembre 1806 relatif au blocus des îles Britanniques qui équivalait à l'asphyxie commerciale du pays. Ses relations avec Napoléon s'aigrirent et il abdiqua le 1er juillet 1810. Il eut trois enfants dont Charles Louis Napoléon, le futur Napoléon III.

❒ *Marie-Pauline*, née à Ajaccio en 1780. Elle épousa à Milan, en 1801, le général Leclerc qui mourut peu après de la fièvre jaune à Saint-Domingue (1802). En 1803, Napoléon la maria au prince Camille Borghèse et la fit duchesse de Guastalla. Bien qu'éloignée de la cour (1810) à cause de son irrespect envers l'impératrice Marie-Louise, elle resta toujours très attachée à son frère. Quand celui-ci fut exilé sur l'île d'Elbe, elle l'y accompagna ; et lorsqu'il fut envoyé à Sainte-Hélène, elle l'y aurait certainement suivi sans l'interdiction des puissances coalisées. Elle mourut en 1825 à Florence, sans enfants. Elle est restée célèbre pour sa beauté que le sculpteur Canova a immortalisée sous les traits de *Vénus victrix* (on peut l'admirer à la Villa Borghèse).

❒ *Caroline Marie-Annonciade*, née à Ajaccio en 1782. Napoléon lui fit épouser Joachim Murat en 1800. Elle fut successivement grande-duchesse de Berg et de Clèves, puis reine de Naples. Morte à Florence en 1839, elle laissait deux filles et deux garçons.

❒ *Jérôme*, né à Ajaccio en 1784. Marié en secondes noces à la princesse Catherine de Wurtemberg (1807), il fut couronné roi de Westphalie la même année. Doué d'une bravoure qu'il poussait jusqu'à la témérité, il soutint dignement le nom des Bonaparte. En 1848, il obtint le titre de gouverneur des Invalides et fut fait maréchal de France en 1850. De son premier mariage, aux États-Unis, il avait eu un enfant ; il en eut trois autres de sa seconde épouse. Il mourut en Seine-et-Marne en 1860.

BONAPARTE (LOUIS NAPOLÉON)

Voir Napoléon III.

BONIFACE VIII (BENETTO GAETANI)

Pape de 1294 à 1303, né à Anagni en 1217. Il eut à faire face à la puissante famille Colonna qui l'accusait d'avoir contraint son prédécesseur, Célestin V, à abdiquer. Il manifesta continuellement sa volonté de régner sur toute la chrétienté, se prétendant maître et juge des rois. Ses démêlés furent continuels avec Philippe le Bel, particulièrement au sujet des charges publiques dont il voulait exempter le clergé. Bafoué par les Colonna, séquestré par l'envoyé du roi de France Guillaume de Nogaret, libéré par la population italienne, il mourut (de rage selon des chroniqueurs) peu après à Rome en 1303.

BOSSUET (JACQUES BÉNIGNE)

Prélat, théologien et écrivain français né à Dijon en 1627, mort à Meaux en 1704. Ordonné prêtre en 1652, il fut archidiacre de Metz jusqu'en 1658. C'est saint Vincent de Paul qui le tourna vers la prédication, domaine dans lequel il acquit une immense renommée. Évêque de Condom en 1669, il se vit chargé parallèlement de l'éducation du Dauphin à l'intention duquel il rédigea le *Discours sur l'histoire universelle*. Nommé évêque de Meaux en 1681 – d'où son surnom d'*Aigle de Meaux* – il soutint le roi dans sa lutte contre le pape. Il combattit aussi les protestants ainsi que le quiétisme de Fénelon et inspira les déclarations sur les libertés gallicanes dont il fut l'ardent défenseur.

En 1690, il travailla avec Leibniz à la réunion des Églises catholiques et luthériennes. Son œuvre oratoire (les *Sermons* et les *Oraisons funèbres*), ses écrits polémiques et historiques le placent parmi les grands écrivains du classicisme. Il fut le véritable chef de l'Église de France.

BOUCHER (FRANÇOIS)

Peintre et graveur français né et mort à Paris (1703-1770), on lui doit de nombreuses et belles gravures d'après Watteau. Il fut aussi un décorateur très prisé (hôtel de Soubise à Paris, chambre de la reine à Versailles). Il créa des modèles pour la manufacture de Sèvres et s'affirma surtout comme le maître de la peinture galante. iIl fut nommé en 1765 premier peintre de Louis XV, et bénéficia de la protection de Mme de Pompadour.

BOUGAINVILLE (LOUIS ANTOINE, COMTE DE)

Navigateur français né et mort à Paris (1729-1811). Auteur d'un *Traité de calcul intégral* à 25 ans, il entra dans la carrière militaire et suivit Montcalm dans son expédition au Canada (1756). Passé dans la marine en 1763, il tenta vainement de fonder une colonie aux îles Malouines (Falkland). En 1766, il entreprit un voyage scientifique autour du monde, qui le rendit célèbre.

Il découvrit ou explora Tahiti, Samoa, les Grandes Cyclades, les Louisiades (S.-E. de la Nouvelle-Guinée), etc. Il combattit pendant la guerre d'indépendance des États-Unis et obtint le grade de chef d'escadre. Un voyage vers le pôle Nord lui fut refusé par le ministre Brienne. En 1790, il commanda la flotte de Brest, puis entra au Bureau des longitudes. Napoléon Ier le nomma sénateur.

BOULANGER (GEORGES)

Général et homme politique né à Rennes en 1837, mort près de Bruxelles en 1891. Après une brillante conduite en Kabylie, en Italie et en Cochinchine, il participa aux combats contre l'armée prussienne en 1870. Ambitieux, ami du duc d'Aumale et recommandé par Clemenceau, il obtint le portefeuille de la Guerre en 1886. Il entreprit la réorganisation de l'armée et s'y fit remarquer par ses propos « revanchards » contre l'Allemagne. Écarté du ministère par les républicains inquiets de son audience crois-

sante, il n'en fut pas moins acclamé dans ses prises de position patriotiques par de très nombreux partisans.
Ainsi naquit le « boulangisme » qui draina tout ce que la France comptait de mécontents et où se mêlaient nationalistes, bonapartistes, royalistes et autres opposants pensant tirer parti d'un possible coup d'État. Mis à la retraite précipitamment (1888), Boulanger se lança alors pleinement dans la politique. Élu dans quatre départements et à Paris (1889), soutenu par la population, il hésita pourtant à s'emparer de l'Élysée. Le gouvernement lança un mandat de dépôt contre lui pour atteinte à la sûreté de l'État, et son parti (la Ligue des patriotes) fut dissous. Il s'enfuit en Belgique où il se suicida, un an plus tard, sur la tombe de sa maîtresse. L'agitation nationaliste qu'il avait provoquée devait reparaître lors du scandale de Panama et du procès Dreyfus.

BOURBAKI (CHARLES DENIS SAUTER)

Général français d'origine grecque, né à Pau en 1816, mort à Bayonne en 1897. Sorti de Saint-Cyr, il fit ses premières armes en Algérie et en Crimée (1854) où il montra un courage remarquable. En 1870, on lui confia le commandement de la Garde impériale. Avec l'armée de l'Est, il remporta la victoire de Villersexel (janvier 1871) mais fut ensuite forcé de se replier sur la frontière suisse où, acculé, il tenta de se suicider.

BOURBON (MAISON DE)

Trois familles princières et royales ont porté ce nom.
I — Première maison de Bourbon, dite Bourbon-l'Ancien. Elle remonterait au frère de Charles Martel (le Bourbonnais fut érigé en baronnie par Charlemagne en 770), et s'éteignit en 1218.
II — Deuxième maison de Bourbon, dite Bourbon-Dampierre. Son fondateur fut tué à la bataille de Taillebourg (1242), son fils accompagna Saint Louis dans sa première croisade.

III — Troisième maison de Bourbon, dite maison capétienne de Bourbon. Par mariage, le Bourbonnais devint propriété de Robert, comte de Clermont, sixième fils de Saint Louis. C'est en faveur de son fils Louis (dont descendra Henri IV) que Charles IV le Bel, en 1327, éleva la sirerie en duché-pairie. Les ducs de Bourbon furent alors :

❒ Pierre, fils de Louis, tué à la bataille de Poitiers (1356) en faisant rempart de son corps devant son roi, après avoir été grièvement blessé à Crécy.

❒ Louis II, fils du précédent, qui s'illustra contre les Anglais et fut tuteur du duc d'Orléans, frère de Charles VI, mort en 1410.

❒ Jean Ier, fils de Louis II, prisonnier à Azincourt, mort en 1453.

❒ Charles Ier, fils du précédent, l'un des principaux négociateurs du traité d'Arras, mort en 1456.

❒ Jean II, son fils, connétable de France, qui fut de toutes les intrigues qui agitèrent le règne de Louis XI et la minorité de Charles VIII, mort en 1488 sans enfants légitimes.

❒ Pierre II, sire de Beaujeu, époux d'Anne, fille de Louis XI, frère cadet du précédent, s'empara de tous les fiefs de la maison de Bourbon, au détriment de son frère aîné, Charles de Bourbon, cardinal et archevêque de Lyon. Il mourut en 1503. Sa fille unique Suzanne porta dans la branche de Montpensier les titres et les domaines de la maison Bourbon avec le duc suivant.

❒ Charles de Montpensier, duc de Bourbon, dit le *connétable de Bourbon* (1489-1537). Après avoir été nommé vice-roi du Milanais par François Ier, il passa au service de Charles Quint, pour se venger de la reine mère, qui l'avait dépouillé de ses biens. Il contribua à la défaite de François Ier à Pavie et fut tué en donnant l'assaut à Rome, lorsque Charles Quint fit ravager la ville. À sa mort, ses biens furent réunis à la Couronne. Avec lui finit la branche aînée des Bourbons.

❒ Charles, duc de Vendôme, de la branche cadette, devient le chef de la maison de Bourbon. À sa mort en 1546, il laisse, entre autres fils :

❒ Antoine de Bourbon, roi de Navarre dont le fils, Henri IV montera sur le trône de France ; la lignée s'éteindra avec la mort du comte de Chambord, chef des royalistes légitimistes, petit-fils de Charles X en 1883 ;
❒ Charles, duc de Vendôme, cardinal-légat, archevêque de Rouen, proclamé par les ligueurs, à la mort d'Henri III, roi sous le nom de Charles X, bien que fait prisonnier par Henri IV, en 1589, et mort l'année suivante (son neveu, Charles, dit cardinal de Vendôme, puis cardinal de Bourbon essayera, à la mort de son oncle, de se faire lui aussi proclamer roi) ;
❒ Louis, le premier des Bourbon-Condé…
La famille Bourbon se divise alors en Bourbon-Condé, Bourbon-Anjou, Bourbon-Parme, Bourbon-Conti… et essaimera en Espagne, en Sicile, en Italie…
Bourbons qui ont régné sur la France (entre parentèses, les dates de leur règne) :
❒ Henri IV (1589-1610) ; ❒ Louis XIII (1610-1643), fils du précédent ; ❒ Louis XIV (1643-1715), fils du précédent ;
❒ Louis XV (1715-1774), arrière-petit-fils du précédent ;
❒ Louis XVI (1774-1792), petit-fils du précédent ;
❒ Louis XVIII (1814-1824), frère du précédent ;
❒ Charles X (1824-1830), frère du précédent.

BOURBON (LOUIS HENRI, DUC DE)

Né à Versailles en 1692, mort en 1740. Chef du Conseil de régence pendant la minorité de Louis XV et Premier ministre à la mort du duc d'Orléans (1723). Ami des plaisirs, il prit peu soin des affaires et profita de sa position pour réaliser d'énormes bénéfices dans les opérations de Law. Le cardinal de Fleury, appelé au pouvoir, le fit exiler à Chantilly en 1726.

BOURGUIGNONS (FACTION DES)

On appelait ainsi, pendant la démence de Charles VI, les partisans de Jean sans Peur, duc de Bourgogne, qui luttaient contre les armagnacs (voir ce mot). Chassés de Paris en 1412, ils s'allièrent aux Anglais. Jean sans Peur, qui avait fait assassiner le duc d'Orléans, fut à son tour assassiné à Montereau par le dauphin Charles VII en 1419.

Ce meurtre raviva la haine des bourguignons, qui se jetèrent dans l'alliance anglaise et firent signer à Charles VI, avec l'accord d'Isabeau de Bavière, le traité de Troyes. Philippe le Bon, nouveau duc de Bourgogne, s'emparait du Hainaut, Henri V d'Angleterre épousait une fille de Charles VI, se faisait déclarer régent du royaume de France et héritier de la couronne à la mort du roi. Dès lors on donna le nom de *bourguignons* aux partisans des Anglais jusqu'à la fin de la guerre, lorsqu'après la mort de Jeanne d'Arc, armagnacs et bourguignons se réconcilièrent pour chasser les derniers Anglais.

BOUVINES (BATAILLE DE)

C'est à Bouvines, village entre Lille et Tournai, que Philippe Auguste (50 000 hommes) eut à affronter une ligue formée contre lui par Othon IV, empereur d'Allemagne, Ferrand de Portugal, comte de Flandre, et la plupart des grands vassaux de la couronne de France en révolte contre leur suzerain (150 000 hommes), auxquels devaient se joindre les Anglais.

Le dimanche 26 août 1214, Philippe Auguste, après avoir entendu une messe, fut averti que l'armée ennemie était proche. Il fit placer sa couronne sur l'autel et proposa : « S'il y en a un plus digne que moi, qu'il la prenne. » Ses soldats, enthousiasmés, lui répondirent qu'il n'y avait que lui à pouvoir la porter, et se lançèrent dans la bataille, qui dura trois heures. Philippe Auguste, jeté à bas de son cheval, faillit mourir.

L'empereur Othon, lui, faillit être fait prisonnier, et en s'enfuyant, abandonna son oriflamme aux Français. Ferrand fut arrêté, chargé de fer et mené à Paris sur une charrette d'infamie. L'évêque de Beauvais, n'ayant pas le droit de porter une épée parce que ecclésiastique, se servit d'une massue pour abattre le frère naturel du roi d'Angleterre Jean-sans-Terre. Le retour sur Paris fut une fête triomphale.

BRAZZA (PIERRE SAVORGNAN DE)

Explorateur français né à Castel Gandolfo en 1852, naturalisé français en 1884. Il entreprit, en Afrique, plusieurs expéditions (1875). Parvenu au Congo, il l'acquit pacifiquement à la France et le fit placer sous protectorat (1879). Il y fonda Brazzaville et fut, de 1887 à 1897, commissaire général du gouvernement. Mort à Dakar en 1905.

BRETON (ANDRÉ)

Écrivain français né à Tinchebray (Orne) en 1896, mort à Paris en 1966. D'abord étudiant en médecine, il se tourna peu à peu vers la poésie. Il fréquenta Apollinaire, Aragon, Éluard, lut Freud et Lautréamont, et s'affirma comme le théoricien du mouvement surréaliste. Il proclama alors sa volonté de rompre avec le passé et de renouveler les moyens d'expression : exploration du subconscient, du rêve, écriture automatique, etc. Politiquement, il opta pour le communisme (1927).

Pendant la Seconde Guerre mondiale, il s'exila aux États-Unis (1941) et ne rentra qu'en 1947. Il est l'auteur du *Manifeste du surréalisme* (1924), de *Clair de Terre* (1924), de *Nadja* (1928), de *L'Amour fou* (1937)…

BRÉTIGNY (TRAITÉ DE)

Signé le 10 mai 1360, le traité de Brétigny qui avait été préparé par Jean II le Bon, roi de France en captivité en Angleterre, livrait à Édouard III d'Angleterre l'Aquitaine, le Limousin, le Quercy, le Rouergue et la Bigorre. La rançon du roi Jean était fixée à 3 millions d'écus d'or. Charles V, régent du royaume en l'absence de son père, refusa de la payer, et d'appliquer le traité.

BRIAND (ARISTIDE)

Homme d'État français né à Nantes en 1862, mort à Paris en 1932. Député socialiste (1902), il fit adopter la loi de la séparation de l'Église et de l'État. Vingt-cinq fois ministre, onze fois président du Conseil, servi par un extraordinaire don d'orateur, il eut un rôle de premier plan durant la Première Guerre mondiale. Instigateur de l'expédition de Salonique et des Balkans, il participa à la signature du traité de Versailles (1919). En 1925, il chercha le rapprochement entre la France et l'Allemagne (traité de Locarno). Pèlerin de la paix, il signa le pacte Briand-Kellog qui mettait la guerre hors la loi (1928). Il approuva la création de la Société des Nations (SDN) et en soutint la politique. Prix Nobel de la paix en 1926.

BRISSOT DE WARVILLE (JACQUES PIERRE BRISSOT, DIT)

Fondateur du journal républicain *Le Patriote*, né en 1754 à Chartres. Il devint un des chefs du parti girondin et s'opposa à la Terreur. La déclaration de guerre à l'Angleterre et à la Hollande fut son dernier acte politique (février 1793). Accusé de fédéralisme par ses ennemis, transpercé par le pamphlet meurtrier de Camille Desmoulins, *Brissot démasqué*, il fut arrêté le 31 mai 1793 et guillotiné le 31 octobre de la même année.

BROGLIE (ALBERT, DUC DE)

Homme politique et historien français né et mort à Paris (1821-1901). Il prit la tête du groupe royaliste de l'Assemblée nationale en 1872, puis fut ambassadeur à Londres. Président du Conseil en 1877, il fit dissoudre la Chambre. Mais après de nouvelles élections survenues quelques mois plus tard, face à une majorité républicaine, il se retira de la politique. Il est l'auteur de nombreux livres historiques. Il a aussi laissé des *Mémoires*.
Son petit-fils Maurice (1875-1960), physicien, travailla sur les rayons X et la radioactivité. Louis (1892-1987), frère du précédent, prix Nobel de physique en 1929, est le père de la mécanique ondulatoire.

18 ET 19 BRUMAIRE AN VIII

C'est au cours de ces deux journées (9 et 10 novembre 1799) que Napoléon Bonaparte, assisté de Sieyès, Fouché, Ducos, Talleyrand, de ses frères Lucien, Joseph et Louis et de compagnons d'armes, renversa le Directoire. Il fit alors transférer le Conseil de Paris à Saint-Cloud (18-Brumaire). Le lendemain, impuissant à se faire entendre aux Cinq-Cents, il fit évacuer la salle par une brigade de grenadiers que commandait Lefebvre et forma un nouveau gouvernement qui prit le nom de Consulat provisoire et qu'il partagea avec Sieyès et Ducos.

BRUNEHAUT (OU BRUNEHILDE)

Reine d'Austrasie née vers 534, fille d'Athanagild, le roi des Wisigoths d'Espagne. Une longue rivalité, accompagnée de crimes abominables, l'opposa à Frédégonde, souveraine du royaume de Neustrie. Clotaire, fils de Frédégonde, battit ses troupes en 613 et, s'emparant d'elle, la fit lier par les cheveux, un bras et une jambe à la queue d'un cheval sauvage qui la déchira dans sa course.

BRUNSWICK (CHARLES, DUC DE)

Général prussien né à Wolfenbüttel en 1735. Chef des armées austro-prussiennes en 1792, il signa l'ultimatum dit *manifeste de Brunswick* dont on l'accusa d'être l'auteur. Il fut vaincu à la bataille de Valmy par Dumouriez et Kellerman.
En 1806, quand la Prusse reprit une attitude hostile vis-à-vis de la France, il reçut le commandement des troupes mais mourut d'une blessure au visage.

BRUNSWICK (MANIFESTE DE)

Nom donné à la déclaration publiée par les coalisés (Autriche et Prusse) alors qu'ils s'apprêtaient à envahir la France (25 juillet 1792). Signée à Coblenz par le duc de Brunswick (mais œuvre du marquis de Limon), elle menaçait Paris d'une vengeance exemplaire si le moindre outrage était fait à la famille royale. Rédigé sous la pression des émigrés et peut-être à la demande de Marie-Antoinette elle-même, ce manifeste exaspéra le peuple et aboutit à la chute de la monarchie.

BUDÉ (GUILLAUME)

Cet humaniste au vaste savoir, né et mort à Paris (1467-1540), favorable au protestantisme, contribua à propager l'étude de la langue grecque en France. Louis XII et François Ier lui confièrent d'importantes charges. Il profita de son crédit pour décider François Ier à fonder le Collège de France.

BUFFON (GEORGES LOUIS LECLERC, COMTE DE)

Naturaliste et écrivain français né à Montbard, en Bourgogne (1707), intendant du Jardin royal, auteur d'une monumentale *Histoire naturelle* en 36 volumes, écrite entre 1749 et 1788, année où il mourut. On pressent, à travers ses travaux, les futures théories de Lamarck et de Darwin sur l'évolution des espèces. Il eut pour collaborateur Daubenton. Son style est un modèle de précision et de vivacité. (Académie française)

BUGEAUD DE LA PICONNERIE (THOMAS ROBERT)

Maréchal de France, duc d'Isly, né à Limoges en 1784. Il se distingua dans les guerres de l'Empire, rallia les Bourbons en 1814 mais rejoignit Napoléon pendant les Cent-Jours. Retiré sur ses terres du Périgord à la seconde Restauration, il ne réapparut que sous la monarchie de Juillet. Il fut alors nommé maréchal de camp, puis élu député. Chargé de réprimer l'insurrection d'avril 1834, il se rendit impopulaire.
Envoyé en Algérie en 1836, il estima cette possession trop coûteuse à la France. L'année suivante, après la violation du traité de la Tafna, il revint dans ce pays dont il organisa la conquête, étendant la domination française jusqu'aux frontières du Sahara. Victorieux des Marocains à Isly (1844), il entreprit une expédition en Kabylie mais, en désaccord avec la Chambre, il démissionna en 1847. Il mourut du choléra en 1849.

BURGONDES

Peuple de la Germanie septentrionale établi entre la Vistule et l'Oder. Pendant la grande invasion de 406, ils s'installèrent en Gaule séquanaise. Convertis au christianisme, ils embrassèrent l'hérésie d'Arius. Leur royaume succomba aux entreprises des rois francs (534). Ils ont donné leur nom à l'actuelle Bourgogne.

CACHIN (MARCEL)

Homme politique né à Paimpol en 1869, mort à Paris en 1958. Partisan d'une union nationale pendant la Première Guerre mondiale, il fut directeur du journal *L'Humanité* en 1918, puis l'un des chefs du parti communiste, député de la Seine à partir de 1946.

CADOUDAL (GEORGES)

Conspirateur royaliste né à Kerléano (Morbihan) en 1771. Il fut un des organisateurs de la chouannerie. Défait par Hoche à Quiberon (1795), puis par Brune à Grand-Champ (1799), il s'enfuit en Angleterre. On dit que Bonaparte chercha vainement à l'attacher à sa fortune. Revenu clandestinement en France, il inspira l'attentat de la rue Saint-Nicaise contre le Premier consul: sa machine infernale explosa au passage de ce dernier alors qu'il se rendait à l'Opéra et fit 22 morts. Un second complot, qui prévoyait l'enlèvement de Bonaparte, eut lieu en 1803. Les généraux Pichegru et Moreau y participèrent. Il fut déjoué et Cadoudal, arrêté, périt sur l'échafaud avec 11 de ses complices (1804).

CAGLIOSTRO (ALEXANDRE, COMTE DE)

Né à Palerme en 1743, d'une famille obscure, il troqua son nom de Joseph Basalmo contre celui de comte de Cagliostro et, ayant dû fuir la Sicile à la suite d'une escroquerie, mena une vie d'aventures en parcourant, sous différents noms, la Grèce, l'Égypte, l'Arabie, la Perse et presque toute l'Europe. Grâce à des cures qui passaient pour merveilleuses, il parvint à se faire une immense réputation. À son arrivée à Paris (1780), il se vit recherché par la cour.

Mais impliqué dans l'affaire du collier de la reine, il fut mis à la Bastille, puis exilé (1786). Après avoir séjourné en Angleterre, il fut arrêté à Rome (1789) et condamné à mort comme franc-maçon. Sa peine fut commuée en prison perpétuelle, mais il fut mystérieusement étranglé dans sa cellule en 1795.

CALONNE (CHARLES ALEXANDRE DE)

Homme politique français né à Douai en 1734, célèbre par ses opérations financières qui accélérèrent la chute de l'ancienne monarchie. Louis XVI le nomma contrôleur général des finances (1783) ; il pratiqua d'abord une politique d'expédients fondée sur les emprunts et les grands travaux. Il fallait *dépenser beaucoup pour paraître riche*, dilapidant les fonds et les revenus des autres. Il proposa une réforme pour unifier l'administration des provinces et établir l'égalité fiscale. L'Assemblée des notables refusa ses propositions et le força à démissionner (1787). Disgracié, il se retira en Angleterre et ne rentra en France que sous le Consulat. Il mourut à Paris en 1802.

CALVIN (JEAN)

Propagateur de la Réforme en France et en Suisse, né à Noyon en 1509, mort à Genève en 1564. Élevé dans la religion catholique, il étudia d'abord la théologie, puis se tourna vers la jurisprudence. S'étant lié avec des partisans de Luther, il embrassa les principes de la Réforme et s'attacha à les répandre dès 1533. Inquiété à cause des discours qu'il tenait, il se réfugia en Saintonge, en Navarre, à Strasbourg, à Bâle enfin.

C'est à cette époque (1536) que parut son *Institution de la religion chrétienne* où il expose sa doctrine. Il y enseigne le rejet de tout culte extérieur, de toute hiérarchie, de la messe ; les sacrements de l'eucharistie et du baptême, les seuls qu'il reconnaisse, n'ont qu'une valeur symbolique ; il prône le retour à l'Écriture et professe la prédestination. Installé définitivement à Genève en 1541, il en fit la citadelle du protestantisme et entreprit d'en réformer les mœurs. Son intolérance le conduisit à condamner le savant Jean Servet au bûcher (1553). Il rédigea aussi un *Traité de la Cène*, des *Commentaires sur l'Écriture* et un nombre considérable de lettres. La plupart des sectes protestantes d'Amérique du Nord sont issues du calvinisme.

CAMBACÉRÈS (JEAN-JACQUES DE)

Jurisconsulte né à Montpellier en 1753. Député en 1792 à la Convention, membre du Comité de législation, il rédigea un projet de Code civil qui fut rejeté en août 1793. Accusé de tendances royalistes, il fut écarté du Directoire. Il entra aux Cinq-Cents et fut nommé ministre de la Justice grâce à Sieyès. Bonaparte le choisit comme second consul après le 18-Brumaire. Il prit une part importante à la rédaction du Code civil. Napoléon le nomma archichancelier et lui conféra la dignité de duc de Parme. Exilé en 1815, il obtint sa grâce et revint en France en 1818. Il mourut à Paris en 1824.

CAMBRAI (PAIX DE)

Cette paix, dite aussi la *paix des Dames*, fut signée le 5 août 1529 par Louise de Savoie, mère de François Ier, et par Marguerite d'Autriche, tante de Charles Quint. François Ier, veuf, épousait Éléonore de Habsbourg, sœur de Charles Quint, et renonçait à ses droits sur l'Italie ; en contrepartie, Charles Quint renonçait à ses droits sur la Bourgogne. François Ier rompit l'accord dix ans après sa signature.

CAMISARDS

Nom donné aux huguenots des Cévennes et de la Lozère qui prirent les armes après la révocation de l'édit de Nantes (1685). Leur signe de ralliement était une chemise (*camiso* en languedocien) blanche qu'ils portaient sur leurs vêtements pendant les attaques. En 1702, on envoya contre eux le maréchal de Montrevel, mais il ne parvint pas à les soumettre. En 1704, le maréchal de Villars n'en vint à bout qu'en détournant de leur parti un de leurs chefs, Jean Cavalier. L'insurrection prit fin en 1705.

CAMP DU DRAP D'OR

En 1520, entre Guines et Ardres (Pas-de-Calais), eut lieu entre François Ier et Henri VIII d'Angleterre une entrevue destinée à les rapprocher. Mais des causes futiles firent avorter cette alliance. Henri VIII se montra choqué par la magnificence déployée par François Ier, qui avait cru habile de faire étalage de sa puissance. Le roi d'Angleterre fut, en outre, profondément blessé d'avoir eu le dessous lors d'une lutte au corps à corps contre le roi de France. Charles Quint, après cette entrevue, se rendit auprès d'Henri VIII, à Gravelines, en très modeste équipage, et sut réaliser à son profit une alliance au détriment du trop flamboyant François Ier.

CAMPOFORMIO (PAIX DE)

Le traité de Campoformio, signé par Bonaparte, général en chef de l'armée d'Italie, avec l'Autriche le 17 octobre 1797, mit fin à la campagne transalpine du Directoire. L'Autriche reconnaissait à la République française ses limites naturelles entre le Rhin (Belgique incluse), les Alpes et les Pyrénées, et lui abandonnait Mayence et les îles Ioniennes ; elle reconnaissait aussi la République cisalpine ; par compensation, l'Autriche prenait possession de Venise.

CAPÉTIENS

Nom donné à la 3e dynastie des rois de France (après les Mérovingiens et les Carolingiens), descendants directs ou indirects de Hugues Capet, lui-même issu des *Robertiens* (voir Carolingiens). De Hugues Capet à Charles IV le Bel, la branche directe régna sur la France de 987 à 1328, le trône passant ensuite à la branche collatérale des Valois (parmi les autres branches collatérales, les Anjou, Artois, Bourbon, Bourgogne, Navarre...). Les Capétiens s'employèrent à fortifier le pouvoir royal face à leurs grands vassaux. Capétiens directs qui ont régné sur la France (entre parenthèses, les dates des règne) ; ❒ Hugues Capet (987-996) ; ❒ Robert II le Pieux (996-1031), fils du précédent ;
❒ Henri Ier (1031-1060) fils du précédent ; ❒ Philippe Ier (1060-1108), fils du précédent ; ❒ Louis VI le Gros (1108-1137), fils du précédent ; ❒ Louis VII le Jeune (1137-1180), fils du précédent ; ❒ Philippe II Auguste (1180-1223), fils du précédent ;
❒ Louis VIII le Lion (1223-1226), fils du précédent ;
❒ Louis IX (1226-1270), fils du précédent ;
❒ Philippe III le Hardi (1270-1285), fils du précédent ;
❒ Philippe IV le Bel (1285-1314), fils du précédent ;
❒ Louis X le Hutin (1314-1316), fils du précédent ;
❒ Philippe V le Long (1316-1322), frère du précédent ;
❒ Charles IV le Bel (1322-1328), frère du précédent.

CAMUS (ALBERT)

Écrivain français né à Mondovi (Algérie) en 1913, mort en 1960, victime d'un accident de voiture. Après des débuts dans le journalisme, il quitta l'Algérie et vint habiter en France. Membre de la Résistance, il fut ensuite rédacteur en chef du journal *Combat* (1944-1946). Très engagé dans les événements de son époque, il se montra hostile à l'existentialisme de Sartre ainsi qu'au communisme. En littérature, il a exprimé l'absurdité de la condition humaine et la révolte qu'elle suscite (*L'Étranger*, *Le Mythe de Sisyphe*, *La Peste*). Il a enseigné qu'il importe moins d'être heureux que d'être conscient. Il a su aussi chanter la beauté de son Algérie natale (*Noces*, *L'Été*). Prix Nobel de littérature en 1957.

CARNOT (LAZARE)

Homme d'État, militaire, publiciste et géomètre né à Nolay en 1753, mort en exil à Magdebourg en 1823. Rallié aux idées de la Révolution, il fut élu à l'Assemblée législative, puis à la Convention où il siégea avec les Montagnards. Membre du Comité de salut public (juillet 1793), il créa les quatorze armées de la République. Avec l'armée du Nord, contre l'Autriche, il contribua, avec Jourdan, à la victoire de Wattignies, ce qui lui valut le surnom d'*Organisateur de la victoire*. Membre du Directoire (1795), il en fut proscrit et menacé d'arrestation.

Retiré en Suisse, il revint après le 18-Brumaire. Bonaparte le nomma ministre de la Guerre mais il démissionna peu après. Membre du Tribunat, il vota contre le consulat à vie et s'opposa à l'établissement de l'Empire. Ministre de l'Intérieur pendant les Cent-Jours, il fit ensuite partie du gouvernement provisoire (1815). Mais la Restauration le bannit comme régicide en 1816. Il est considéré comme un des pères de la géométrie moderne.

CARNOT (SADI)

Homme d'État français né à Limoges en 1837. Petit-fils du précédent. Polytechnicien, ingénieur des Ponts et Chaussées, préfet de la Seine-Inférieure en 1870, député à l'Assemblée nationale, plusieurs fois ministre, il parvint à la présidence de la République lors des agitations boulangistes (1887). Un anarchiste italien, Caserio, l'assassina pendant les fêtes de l'Exposition de Lyon (1894).

CAROLINGIENS

Deuxième dynastie des rois de France (derrière les Mérovingiens) issue des descendants de Pépin le Bref. Cette famille franque monta sur le trône en 751, et ressuscita l'empire d'Occident de 800 à 887. Le dernier prétendant carolingien, Charles de Lorraine, fut dépouillé de son pouvoir par Hugues Capet (dynastie des Capétiens) en 987. Il y eut trois lignées de Carolingiens : celles de France, d'Allemagne et d'Italie.

Carolingiens directs qui ont régné sur la France (entre parenthèses, les dates de leur règne) – à la fin de la dynastie, ils durent partager le pouvoir avec les *Robertiens*, ancêtres de Hugues Capet [Eudes, comte de Paris, roi de France (888-898), Robert Ier, son frère, roi de France (923), Raoul, duc de Bourgogne, gendre de Robert, roi de France (923-936)] : ❐ Pépin le Bref (741-751) ; ❐ Charlemagne (768-814), fils du précédent ; ❐ Louis le Débonnaire (814-840), fils du précédent ; ❐ Charles II le Chauve (840-877), fils du précédent ; ❐ Louis II le Bègue (877-879), fils du précédent ; ❐ Louis III (879-882), fils du précédent ; ❐ Carloman (879-884), frère du précédent ; ❐ Charles II le Gros (884-887), petit-fils de Charlemagne ; ❐ Charles III le Simple (898-923), fils de Louis II le Bègue ; ❐ Louis IV d'Outremer (936-954), fils du précédent ; ❐ Lothaire (954-986), fils du précédent ; ❐ Louis V (986), fils du précédent.

CARPEAUX (JEAN-BAPTISTE)

Sculpteur français né à Valenciennes en 1827, mort à Courbevoie en 1875. Il étudia à l'atelier de Rude. Il a réalisé le groupe monumental des *QuatreParties du monde* (jardin du Luxembourg). On lui doit aussi les bas-reliefs du pavillon de Flore (Louvre) ; il a donné l'entière mesure de ses dons dans la *Danse* (Opéra de Paris, 1869) où la grâce et le mouvement - qui furent sa recherche constante - font de lui le plus grand sculpteur de son siècle.

CARRIER (JEAN-BAPTISTE)

L'un des hommes les plus sanguinaires de la Révolution, né près de Marseille en 1756. Député montagnard à la Convention (1792), il réprima la guerre civile en Normandie et en Bretagne (1793). Il fut l'organisateur des noyades de Nantes, à l'occasion desquelles il fit construire des bateaux à soupape qui permettaient d'engloutir cent personnes à la fois. Il inventa aussi ce qu'il appelait les *mariages républicains*: il faisait lier ensemble un homme et une femme pour les précipiter dans la Loire. Visitant les prisons, il faisait fusiller les suspects sans jugement. Rappelé à Paris par Robespierre, il contribua à la chute de ce dernier mais fut à son tour accusé et condamné à mort pour ses crimes (1794).

CARTEL DES GAUCHES

Alliance des partis de gauche qui, aux élections législatives de 1924, s'emparèrent de la majorité des sièges (328 contre 226) et contraignirent le président de la République, Alexandre Millerand, à démissionner. Le nouveau Président, Gaston Doumergue, s'entoura d'un gouvernement radical-socialiste présidé d'abord par Herriot, puis par Painlevé, et enfin par Briand. Cependant, confronté à la crise financière qui frappait la France, cette coalition ne survécut pas et s'effondra en 1926 avec la démission d'Édouard Herriot.

CARTIER (JACQUES)

Célèbre navigateur né à Saint-Malo (1491). Cherchant un passage vers l'Asie par le nord de l'Amérique, il atteignit Terre-Neuve et la côte du Labrador en 1534. La même année, il remonta le fleuve Saint-Laurent et s'empara du Canada, alors baptisé Nouvelle-France, au nom de François Ier. Il mourut en 1557.

CASIMIR-PERIER (JEAN)

Homme d'État français né et mort à Paris (1847-1907). Député en 1883, président du Conseil en 1893, il s'opposa aux mouvements anarchistes et fit voterdans ce sens les *lois scélérates*. Élu à la présidence de la République le 27 juin 1894, il donna sa démission l'année suivante, devant l'opposition de la gauche. C'est sous son bref mandat qu'eurent lieu l'arrestation et la condamnation de Dreyfus.

CATALAUNIQUES (CHAMPS)

Sur cette plaine proche de Châlons-en-Champagne, Attila fut défait par Aetius en 451. Aetius, à la tête d'une armée hétéroclite composée de Francs, de Germains, de Wisigoths, de Bourguignons et d'Armoricains, plus quelques cohortes romaines venues d'Italie, s'était mis à la poursuite des Huns, qui étaient, depuis le Rhin, descendus jusqu'à la Loire avant de remonter vers l'Est pour lui échapper. Il les rejoignit aux champs Catalauniques. Les Huns, battus, encerclés, se retranchèrent au milieu de leurs chariots. Attila fit dresser au milieu de son camp un bûcher où il devait se précipiter avec ses femmes et ses serviteurs, lorsque l'armée d'Aetius franchirait ses derniers retranchements. Mais Aetius sauva Attila, en arrêtant l'élan des troupes alliées. Il craignait que la destruction complète des Huns n'augmente trop la puissance de ces dernières. Attila put ainsi évacuer les Gaules, après avoir perdu, selon les chroniques du temps, deux cent mille hommes.

CATEAU-CAMBRÉSIS (TRAITÉ DU)

C'est au Cateau-Cambrésis, ville proche de Cambrai (2 et 3 avril 1559), qu'Henri II, roi de France, signa successivement avec l'Angleterre et l'Espagne un traité qui apportait au royaume de France Calais (achetée aux Anglais) Metz, Toul, Verdun. Mais la France renonçait à la Savoie et aux villes du Piémont italien. Comme gage de cette paix, Élisabeth, fille d'Henri II, épousait Philippe II, roi d'Espagne, et sa sœur Marguerite le duc de Savoie (c'est peu après, à l'occasion du tournoi donné à Paris lors de ces mariages qu'Henri II fut mortellement blessé par un coup de lance).

CATHERINE DE MÉDICIS

Née à Florence en 1519, morte à Blois en 1589. Fille de Laurent de Médicis, duc d'Urbin, et de Madeleine de La Tour d'Auvergne. Elle épousa en 1553 le duc d'Orléans, fils puîné de François Ier, futur Henri II. Reine de France en 1547, elle ne joua qu'un rôle effacé pendant le règne de son mari, évincée par la favorite, Diane de Poitiers. Il en fut de même lorsque, devenue veuve (1559), François II succéda à Henri pour un règne d'un an. Mais, régente pendant la minorité de Charles IX, elle révéla ses dons politiques et son absence de scrupules. Il parut, un temps, qu'elle cherchait à réconcilier catholiques et calvinistes. En fait, elle sut tirer parti des uns et des autres dans le but d'affermir le pouvoir royal. Elle eut pour ministre Michel de l'Hospital qui accorda la liberté de culte aux réformés. Sentant son crédit menacé par la puissance de Coligny, elle tenta de le faire assassiner. Le complot manqué déboucha sur l'épouvantable massacre de la Saint-Barthélemy.

CATHERINE II DE RUSSIE

Impératrice de Russie, fille du prince d'Anhalt-Zerbst, née à Stettin en 1729. Elle épousa en 1745 le duc de Holstein-Gottorp, futur empereur de Russie sous le nom de Pierre III. Menacée d'être répudiée, elle s'empara du trône à la faveur d'un coup d'État militaire (1762). Pierre III, peu aimé du peuple pour son germanisme, fut exilé et, dans la même année, assassiné.
Seule maîtresse de la nation, continuatrice de l'œuvre de Pierre le Grand, Catherine fut avec celui-ci le personnage le plus remarquable de la Russie. Elle fit abolir la torture et permit le retour de nombreux exilés. S'emparant de la Crimée, elle fournit au pays une ouverture sur la mer Noire. D'autre part, par le triple partage de la Pologne, elle établit une façade sur l'Europe centrale. Amie de Diderot, de d'Alembert, de Voltaire, de Grimm, elle favorisa l'expansion des lettres et des arts, mouvement auquel elle prit une part active. La Révolution française n'obtint pas ses suffrages, malgré ses opinions philosophiques. Elle allait se joindre aux puissances coalisées, en 1796, lorsqu'elle mourut d'apoplexie. Son fils Paul Ier lui succéda.

CAUCHON (PIERRE)

Évêque de Beauvais, recteur de l'université de Paris. Partisan des bourguignons, il acquit une triste renommée par la position qu'il adopta dans le procès de Jeanne d'Arc. Il mourut en 1442, à l'âge de 70 ans.

CAVAIGNAC (LOUIS EUGÈNE)

Général et homme d'État français né à Paris en 1802. Envoyé en Algérie en 1832, il contribua à la prise de Cherchell (1840). Succédant à Lamoricière en 1847, il fut nommé gouverneur général l'année suivante. Élu député peu après, il rentra à Paris où il eut, investi de pouvoirs dictatoriaux, à réprimer l'insurrection ouvrière de juin 1848. Devenu chef du pouvoir exécutif la même année, il n'obtint pas la présidence de la République que lui ravit le prince Louis-Bonaparte, futur Napoléon III. Il mourut en 1857 dans sa propriété d'Ourne, dans la Sarthe.

CAVOUR (CAMILLO BENSO, COMTE DE)

Homme d'État italien né et mort à Turin (1810-1861). En 1847, avec le comte Balbo, il créa *Il Risorgimento*, journal modéré qui soutenait l'idée d'une Constitution. Député au parlement de Turin en 1849, il reçut le portefeuille du Commerce et de l'Agriculture (1850), puis celui des Finances (1851). Président du Conseil en 1852, il profita de la guerre de Crimée, à laquelle il prit part aux côtés des troupes franco-britanniques, pour présenter la question de l'unité italienne lors du congrès de Paris (1856). Au cours d'une entrevue secrète avec l'empereur des Français, il présenta un plan destiné à chasser l'Autriche de l'Italie. Plus tard, après la campagne que Napoléon III entreprit dans le Piémont (1859), les Autrichiens furent repoussés hors de la Lombardie. Mais le traité de Villafranca qui en résulta déçut Cavour qui démissionna peu après. Revenu au pouvoir en 1860, il céda Nice et la Savoie à la France et soutint Garibaldi dans son expédition des Mille. Il fut l'un des artisans de l'unité italienne.

CELTES

Peuplades indo-européennes mentionnées pour la première fois par Hérodote dans ses *Histoires.* À une époque très reculée, vers le IXe siècle av. J.-C., elles passent le Rhin, la Seine et franchissent même la Manche pour occuper les futures îles Britanniques. Vers 500, elles font la conquête de l'Espagne sur les Phéniciens. En 400, elles s'établissent en Italie du Nord et, dans le même temps, s'avancent vers le moyen et le bas Danube. Aux alentours de 360, on les trouve en Illyrie, en Macédoine et en Grèce.

Aucun peuple d'Europe, à cette époque, ne posséda un territoire aussi vaste. Mais cet immense empire, parce qu'il ne présentait pas d'unité politique, fut éphémère. De ce peuple, si puissant au IVe siècle avant J.-C., il ne restait plus, 400 ans plus tard, que les habitants de l'Irlande qui ne fussent point soumis par Rome.
Pas plus que le droit privé des Gaulois, on ne connaît leurs institutions. Seuls quelques fragments nous en sont parvenus. La royauté fut leur première forme de gouvernement. Chaque tribu obéissait à un roi qui n'était, du reste, qu'un chef de guerre. Le mari, comme chez les anciens Romains, avait droit de vie et de mort sur sa femme et sur ses enfants. La polygamie n'était permise qu'aux chefs. Les enfants grandissaient hors de leurs familles, placés chez des parents adoptifs.
On brûlait les criminels et les femmes adultères. À la mort d'un chef, ses clients et ses esclaves étaient tués. Tous les auteurs anciens s'accordent à reconnaître bravoure, éloquence et franchise aux Celtes. Ils excellaient dans le travail des métaux et dans la poterie. Bijoux et ornements étaient d'une grande finesse. Leurs bardes cultivaient la musique, s'accompagnant d'une petite harpe. Leur religion est peu connue. On sait qu'ils pratiquaient les sacrifices humains.

CÉNACLE

Nom qu'on a donné aux trois groupes au sein desquels prit naissance la révolution littéraire romantique. ❒ Le premier, *la Muse française* (1823-1824), comptait parmi ses membres Victor Hugo, Vigny, Sainte-Beuve, le peintre David d'Angers, Musset, etc.
❒ Le deuxième, le *Cénacle de l'Arsenal* (1824-1827), avait à sa tête Charles Nodier. ❒ Le troisième, enfin, regroupait, rue Notre-Dame-des-Champs, Vigny, Dumas, Gautier, Delacroix, Sainte-Beuve, etc. Son existence cessa après la bataille d'*Hernani*.

CENT ANS (GUERRE DE)

On nomme ainsi l'ensemble des luttes qui opposèrent la France à l'Angleterre au XIVe et au XVe siècle. Deux raisons sont à leur origine. D'une part, les revendications de l'Angleterre concernant l'accession au trône de France. Depuis la répudiation d'Aliénor d'Aquitaine par Louis VII et le mariage de celle-ci avec Henri Plantagenêt, les souverains anglais avaient acquis de vastes fiefs en France. Et, lorsque le dernier capétien direct – Charles IV – mourut sans héritier mâle, Édouard III, fils d'Isabelle de France, elle-même fille de Philippe le Bel, fit valoir ses droits à la couronne. D'autre part, les intérêts des deux royaumes étaient opposés en Flandre. Les luttes incessantes qui opposaient la petite noblesse des campagnes aux grands feudataires du royaume fournissaient aux Anglais maintes occasions de s'immiscer dans les affaires françaises; ils trouvaient toujours une faction empressée de les soutenir contre la faction adverse. On divise ordinairement la guerre de Cent Ans en quatre périodes.

❒ La première période s'étend de 1337 au traité de Brétigny (1360). C'est d'abord la défaite de Philippe de Valois à Crécy (1346), puis la capture de Charles de Blois, chef du parti français en Bretagne (1347). Cette même année, Calais ouvre ses portes aux Anglais. En 1356 enfin, à Poitiers, Jean II le Bon est vaincu et retenu prisonnier.

❒ La deuxième période couvre le règne de Charles V (1364-1380) où, avec l'aide de Du Guesclin, le roi obtient de nombreux succès militaires.

❒ La troisième, avec Charles VI, s'ouvre sur les sanglants affrontements entre armagnacs et bourguignons; elle s'achève sur la défaite d'Azincourt (1415) et le traité de Troyes qui abandonne la couronne de France aux Anglais.

❒ La quatrième correspond à l'extraordinaire aventure de Jeanne d'Arc et à l'avènement de Charles VII. C'est alors la levée du siège d'Orléans et la victoire de Patay (1429); le sacre de Charles VII à Reims (1429) ; la réconciliation du roi de France et du duc de Bourgogne (traité d'Arras, 1435) ; les victoires de Formigny (1450) et de Castillon (1453) et la reddition de Bordeaux. Les Anglais ne possèdent plus alors que Calais et la guerre, qui s'arrête en 1453, prend fin officiellement en 1475, avec le traité de Picquigny.

CENT-JOURS (LES)

Dernière période du règne de Napoléon 1er comprise entre le 20 mars 1815 - jour de son arrivée à Paris après son évasion de l'île d'Elbe – et sa seconde abdication (22 juin 1815). Durant ce laps de temps et dans le but de se concilier le parti républicain, l'Empereur appela Carnot au ministère de l'Intérieur ; puis il chargea Benjamin Constant de rédiger l'*Acte additionnel aux Constitutions de l'Empire* afin de s'adjoindre les royalistes (cérémonie du Champ de Mai, le 1er juin).

Mais cet acte ne convainquit pas la population. En outre, le 12 juin, il eut à affronter les puissances coalisées qui avaient répondu à ses déclarations pacifiques par une mise hors la loi. Après Waterloo (18 juin) il fut mis en demeure d'abdiquer pour la seconde fois. Le gouvernement provisoire mis en place par les Chambres fut impuissant à faire reconnaître les droits de son fils.

CÉSAR (CAÏUS JULIUS)

Consul romain et l'un des plus grands généraux de l'Antiquité, né à Rome vers 101 av. J.C. Avec Crassus et Pompée, il forma un premier triumvirat (60) et obtint ainsi le consulat. Nommé proconsul de la Gaule cisalpine et de la Narbonnaise pour cinq ans, il conquit la Gaule entre 58 et 51. Entre-temps, son titre de proconsul avait été prorogé pour cinq nouvelles années. Il mit cet « exil » à profit pour revenir en maître, riche et auréolé de gloire.

70 - CÉSAR (CAÏUS JULIUS)

À Rome cependant, Crassus et Pompée - rivaux médiocres - s'usaient en luttes mesquines pour le pouvoir. Quant au Sénat, effrayé par la popularité croissante du vainqueur des Gaules, il lui avait retiré son commandement, nommant Pompée seul consul (52). Ici se situe la marche sur Rome et le fameux passage du Rubicon (49): il était défendu à tout général romain de passer ce fleuve à la tête d'une armée pour entrer en Italie. Le passage de César en armes inaugura le commencement d'une guerre civile dont Pompée sortit vaincu (bataille de Pharsale en 48). César soumit ensuite le Pont avec une rapidité prodigieuse et l'Histoire s'est souvenu des mots célèbres qu'il prononça alors: *veni, vidi, vici!* (Je suis venu, j'ai vu, j'ai vaincu!)
Il revint ensuite à Rome et gouverna en souverain absolu tout en maintenant le régime républicain. C'est à cette époque qu'il écrivit ses fameux *Commentaires de la guerre des Gaules*. Général, homme d'État, législateur, jurisconsulte, orateur, poète, historien, astronome et mathématicien même, il avait reçu de la nature les dons les plus riches et les plus variés. On lui doit le « calendrier Julien ».
Peu avant sa mort, le devin Spurinna le supplia de « prendre garde aux ides de mars ». Ce jour-là, le 15 mars, il sortit de sa maison pour se rendre au Sénat. Saluant le devin, il lui dit en riant: « Les ides de mars sont venues! » Et le devin lui répondit tout bas: « Elles sont venues mais elles ne sont pas passées ». Comme il entrait au Sénat, les conjurés républicains se précipitèrent sur lui et le percèrent de 23 coups de poignard, chacun, dit-on, ayant voulu participer au meurtre. C'était en 44 av. J.-C.. Et l'on ajoute que lorsque Brutus - son fils adoptif qu'il avait comblé de toutes les faveurs - leva sur lui son arme, il lui murmura: « Toi aussi, mon fils! »

CÉZANNE (PAUL)

Peintre français né et mort à Aix-en-Provence (1839-1906). Classé parmi les impressionnistes, il n'appartint pourtant pas à cette école, même s'il en partagea les combats. L'une de ses boutades les plus caractéristiques consistait à dire qu'il voulait faire de l'impressionnisme « un art de musée ». D'abord influencé par Courbet et Delacroix dont il adopta la théorie des couleurs (*Les Assassins*, *L'Enlèvement*, *L'Homme au bonnet de coton*), il pencha peu à peu vers des formes géométriques que l'on voit apparaître dans ses célèbres natures mortes et qui devaient conduire au cubisme. À cette période appartiennent tous ses paysages de Provence et notamment la série de *La Montagne de Sainte-Victoire*. Vers la fin de son existence, il revint aux couleurs et au lyrisme de ses débuts, comme on peut le voir dans ses *Grandes Baigneuses* ou dans *Le Pin*.

CHAMBORD (HENRI DE BOURBON, DUC DE BORDEAUX, COMTE DE)

Prince français né à Paris en 1820, mort à Frohsdorf (Autriche) en 1883. Fils du duc de Berry, il était le dernier représentant de la branche aînée des Bourbons. Les royalistes le saluèrent comme *l'enfant du miracle* car il naquit sept mois après la mort de son père. Il s'exila après 1830 et devint le chef du parti légitimiste. Après la guerre franco-allemande et la chute de Napoléon III, il tenta de faire valoir ses droits. En 1873, grâce à la réunion de ses partisans avec les orléanistes, il fut près d'accéder au trône. Mais, l'Assemblée nationale lui présentant un programme à peu près conforme aux principes de 1789, il refusa, déclarant qu'il entendait rentrer dans son royaume sans conditions. Les négociations furent alors rompues et le septennat du maréchal Mac-Mahon voté.

CHAMFORT (SÉBASTIEN ROCH NICOLAS)

Écrivain français né près de Clermont-Ferrand en 1741, mort à Paris en 1794. Son esprit caustique lui ménagea une place dans les salons littéraires. Il est connu pour ses *Maximes et Pensées* et ses *Caractères et Anecdotes* parus après sa mort, en 1795. Ses épigrammes violentes étaient colportées partout. Un moment séduit par les idées de la Révolution, il s'en détacha et combattit âprement les Jacobins. Menacé d'arrestation, il se suicida. (Académie française)

CHAMPAIGNE (PHILIPPE DE)

Peintre de l'école flamande né à Bruxelles en 1602, mort à Paris en 1674 et dont la famille était originaire de Reims. Il se lia à Poussin, obtint la faveur de Marie de Médicis et travailla à la décoration du palais du Luxembourg (1621). Il peignit aussi pour le carmel du faubourg Saint-Jacques (1628). Puis, à la demande de Richelieu, il exécuta une série de portraits demeurés célèbres dont trois du roi Louis XIII, celui du cardinal lui-même et de la mère Angélique Arnaud de Port-Royal.

CHAMP-DE-MARS (FUSILLADE DU)

Le Champ-de-Mars, qui fut le théâtre des fêtes de la Révolution, fut aussi le lieu de manifestations sanglantes. C'est ainsi qu'après l'évasion manquée de Louis XVI, une pétition demandant la destitution du roi fut soumise à l'Assemblée. Puis une seconde pétition, exigeant son jugement, fut déposée par les manifestants sur l'autel du Champ-de-Mars.

Un incident ayant provoqué la mise en vigueur de la loi martiale, la Garde nationale, sous le commandement de La Fayette, tira sur la foule (17 juillet 1791), provoquant la mort de plusieurs dizaines de personnes.

CHAMPIONNET (JEAN ÉTIENNE)

Général français né à Valence en 1762. Il participa aux campagnes de la Révolution. Ami de Hoche et plus tard estimé de Bonaparte, il se distingua à Fleurus, puis en Italie où il battit les troupes de Ferdinand IV. Il créa à Naples l'éphémère République parthénopéenne. Il fut défait à Genola, à la tête de l'armée des Alpes qu'une épidémie dévastait et dont il mourut lui aussi, à Antibes, en 1800.

CHAMPLAIN (SAMUEL DE)

Samuel de Champlain (1568-1635), né en Saintonge, explora le Canada (Nouvelle-France) dont il fut le premier gouverneur. Il fonda Québec.

CHAMPOLLION (JEAN-FRANÇOIS)

Orientaliste français né à Figeac en 1790. Il s'attacha au déchiffrement de la pierre de Rosette et exposa les principes de sa méthode dans sa *Lettre à M. Dacier sur les hiéroglyphes phonétiques* (1822). L'année suivante, il compléta sa démonstration avec son *Précis du système hiéroglyphique des anciens Égyptiens*.
En 1826, il fonda le musée égyptien du Louvre dont il devint le conservateur et, deux ans plus tard, organisa un voyage scientifique en Égypte. Il ne put achever son *Dictionnaire hiéroglyphique* ni sa *Grammaire égyptienne* car la mort le surprit à l'âge de 42 ans, en 1832. Sans maître, durant son adolescence, il avait abordé l'étude de l'hébreu, du chaldéen, du syriaque, de l'éthiopien, de l'arabe et du copte.

CHANGARNIER (NICOLAS)

Général et homme politique français né à Autun en 1793, mort à Paris en 1877. Il fit de brillantes campagnes lors de la conquête de l'Algérie (1830-1848) où il succéda à Cavaignac comme gouverneur, mais revint rapidement en France où il fut élu à l'Assemblée constituante (1848). Il reçut alors le commandement de la Garde nationale et des troupes de Paris.
Rallié aux monarchistes, il fut relevé de ses fonctions par Louis-Napoléon Bonaparte et banni après le coup d'État de 1851. Amnistié en 1859, il participa à la guerre de 1870 dans l'armée de Metz. Élu en 1871 à la Législative, il contribua à la chute de Thiers (1873) et, en 1875, vota contre les lois constitutionnelles qui reconnaissaient la République.

CHANZY (ANTOINE EUGÈNE ALFRED)

Général français né à Nouart (Ardennes) en 1823, mort à Châlons-en-Champagne en 1883. Saint-Cyrien (1840), il fut envoyé en Algérie comme sous-lieutenant. Puis il fit la campagne d'Italie (1859), prit part à l'expédition de Syrie (1861) et occupa Rome. Reparti en Afrique de 1864 à 1870, puis rappelé en France, il commanda les armées de la Loire contre les Prussiens. Après l'armistice, il siégea à la Chambre des députés, puis fut élu gouverneur de l'Algérie (1873). Sénateur en 1875, il fut ensuite ambassadeur en Russie (1879).

CHARDIN (JEAN-BAPTISTE SIMÉON)

Peintre français né et mort à Paris (1699-1779). Artiste réaliste, il a excellé dans les scènes d'intérieur (*La Blanchisseuse*, *Le Château de cartes*, etc.) et les natures mortes. Sa vue s'affaiblissant, il se consacra au pastel (portrait de sa femme et plusieurs autoportraits). Il travailla aux côtés de Jean-Baptiste Van Loo.

CHARLEMAGNE

Roi des Francs et empereur d'Occident, fils de Pépin le Bref et de Berthe au grand pied, né en Haute-Bavière en 742. À la mort de Pépin (768), il fut couronné conjointement à son frère Carloman, lequel mourut trois ans après. En 774, il soumit l'Aquitaine, puis entama une longue guerre contre les tribus saxonnes. Il envahit aussi l'Italie, la même année, et se fit sacrer roi des Lombards. Quatre ans plus tard, franchissant les Pyrénées, il alla livrer bataille aux Arabes d'Espagne. Ici se situe l'épisode de Roncevaux et de Roland que la légende a fait son neveu.

Plus tard, il dut réprimer une révolte des Saxons menée par Vidukind (785). Après quoi, il conquit la Bavière (787), marcha contre les tribus slaves de la Baltique (789) et, en Saxe encore, écrasa définitivement les Avars (791-795). La fin de son règne fut assombrie par les premières menaces des envahisseurs normands. On dénombre au total cinquante-trois expéditions menées par ce monarque ou par ses lieutenants. Son empire s'étendait de la Baltique à l'Èbre et de l'Atlantique à l'Adriatique. C'est à partir de son règne que cessèrent les *Grandes Invasions*. Protecteur de l'Église contre les musulmans et les barbares, propagateur du christianisme, il avait été sacré et couronné empereur le 25 décembre de l'an 800 par le pape Léon III. Charlemagne ne fut pas seulement un grand chef de guerre. On lui doit aussi les lois dites capitulaires. Il créa un gouvernement central, ressuscitant en quelque sorte l'unité romaine brisée.

Grâce aux envoyés royaux, les *missi dominici*, il était tenu au courant des besoins de son vaste empire. Travailleur infatigable, il réveilla, d'autre part, la vie intellectuelle et artistique, assisté de poètes et de théologiens dont le célèbre Alcuin. C'est du reste sous l'impulsion de ce dernier que furent fondées de nombreuses écoles. Il s'éteignit le 28 janvier 814, à Aix-la-Chapelle, ville où il avait installé sa cour. C'est à lui que la dynastie des Carolingiens doit son nom.

CHARLES MARTEL

Duc d'Austrasie et maire du Palais des rois francs, fils de Pépin de Herstal, né vers 688. Il combattit les Neustriens, refoula les Frisons au-delà du Rhin et porta ses ravages en Saxe. Les Neustriens, appelant à leur aide les Aquitains, s'avancèrent alors jusqu'à Soissons mais ils y furent définitivement battus en 719.
Cette victoire fit de Charles Martel le maître de toute la France du Nord. Peu après, les Arabes venus d'Espagne lancèrent leurs armées jusqu'en Poitou et en Bourgogne. Le terrible *Marteau* accourut de Germanie et les arrêta à Poitiers (732), sauvant ainsi l'Occident de la conquête musulmane.
Il mourut en 741, ayant toujours refusé le titre de roi, léguant à ses fils Carloman et Pépin la Neustrie et l'Austrasie.

CHARLES LE CHAUVE

Roi de France, fils de Louis le Débonnaire et de Judith de Bavière, né à Francfort-sur-le-Main en 823. Après la mort de son père (840) il s'allia à son frère, Louis le Germanique, contre son autre frère, Lothaire. Celui-ci, en tant qu'aîné, aspirait à la totalité de l'Empire carolingien. Mais il fut vaincu lors de la sanglante bataille de Fontenoy (841). N'ayant su tirer parti de cette victoire, Charles et Louis, menacés à nouveau l'année suivante, resserrèrent leur alliance au cours de l'entrevue de Strasbourg (842). Le serment qu'ils y prononcèrent – l'un en langue germanique et l'autre en langue romane – est le plus ancien écrit qu'on possède de ces deux idiomes.
En 843 fut signé le traité de Verdun qui consomma définitivement le démembrement de l'empire de Charlemagne. Ce règne fut aussi marqué par les invasions normandes et par des guerres entre petits et grands feudataires. En 877, l'année de sa mort, il signa le capitulaire de Quierzy-sur-Oise qui consacrait l'hérédité des comtés. C'était la naissance de la féodalité.

CHARLES III DIT LE GROS

Fils de Louis le Germanique et d'Emma de Bavière, né en 839. Couronné empereur en 881 par le pape Jean VIII. Il se signala par sa lâcheté vis-à-vis des Normands à qui il acheta la paix à prix d'or, leur cédant même la Frise occidentale. Déposé par les princes et les grands de l'Empire à la diète de Tribur, en 887, il mourut l'année suivante.

CHARLES QUINT

Empereur d'Allemagne, roi d'Espagne et des Deux-Siciles, né à Gand en 1500. Il était le fils de l'archiduc d'Autriche Philippe et de Jeanne, reine de Castille. Son vaste empire en fit un ennemi naturel des rois de France. Il soutint contre François Ier une lutte de plus de trente ans. En Italie, il gagna les batailles de la Bicoque (1522), de Biagrasso (1524) et de Pavie (1525) où François Ier fut fait prisonnier. Pour se libérer, ce dernier dut signer l'humiliant traité de Madrid (1526) ; mais il le rompit et la guerre recommença en Italie. Une nouvelle paix, après la prise de Rome, fut signée à Cambrai (1529). Ce fut alors une tentative d'invasion de la Provence suivie de la trêve de Nice (1538). Puis la défaite de Cérisoles où Charles Quint fut battu, ce qui ne l'empêcha pas d'envahir la Champagne en 1544. Par le traité de Crespy, les deux souverains se firent de mutuelles concessions.
Après la mort de François Ier, la rivalité reprit avec son successeur, Henri II : siège de Metz (1555) suivi de la trêve de Vaucelle (1556) qui mit enfin un terme à ces longs conflits. Par ailleurs, Charles Quint avait eu à combattre les Turcs (1532) qu'il empêcha d'aller au-delà de la Hongrie. En 1535, ce fut une expédition à Tunis où il défit Barberousse. Mais il échoua devant Alger.
En ce qui concerne sa politique intérieure en Allemagne, il s'opposa de tout son pouvoir à l'extension de la Réforme, vainquit les protestants confédérés à Mühlberg (1547) mais fut néan-

moins contraint de signer le traité de Passau qui laissait aux luthériens la liberté de conscience. Peu aimé en Espagne, il y affermit cependant le pouvoir royal. En 1556, affaibli par l'âge et la maladie, il abdiqua en faveur de son frère Ferdinand, à qui il laissa la couronne impériale, et de son fils Philippe II qui reçut l'Espagne et les colonies d'Amérique, les Pays-Bas et l'Italie. Il se retira alors au monastère de Yuste, en Estramadure, où il mourut deux ans plus tard.

CHARLES LE MAUVAIS

Roi de Navarre, fils de Philippe d'Évreux et de Jeanne de France (1332-1387). Il assassina le connétable Charles d'Espagne (1354) afin de lui ravir le comté d'Angoulême sur lequel il avait des prétentions. Puis il intrigua avec les Anglais. Battu à Cocherel par Du Guesclin (1364), il dut signer le traité de Pampelune qui lui enlevait une partie de ses possessions normandes.

CHARLES III LE SIMPLE

Roi de France, fils de Louis le Bègue et d'Adélaïde, né en 879. Exclu de la Couronne après la mort de ses frères Louis III et Carloman, il vit monter sur le trône Charles le Gros, puis le comte Eudes. Il régna avec ce dernier à partir de 893, puis seul quand Eudes mourut (898). Il se révéla impuissant contre la féodalité grandissante et ne fit guère mieux contre les incursions périodiques des Normands. Il finit même par donner à leur chef, Rollon, la terre qu'il occupait, ce qui valut à ce dernier le titre de duc de Normandie (traité de Saint-Clair-sur-Epte, 911). Il lui offrit en outre la suzeraineté de la Bretagne et la main de sa fille, Gisèle. En contrepartie, il lui demanda de cesser ses pillages et d'accepter le baptême. Il fut déposé en 923, à la suite de péripéties sans gloire, et mourut prisonnier du comte de Vermandois, son vassal, dans la tour de Péronne (929).

CHARLES IV LE BEL

Roi de France, troisième fils de Philippe le Bel, né en 1294. Il monta sur le trône à la mort de son frère Philippe le Long (1322) et fut le dernier rejeton direct d'Hugues Capet. Après sa mort (1328), parce qu'il n'avait pas de fils, la monarchie passa aux Valois, ce qui fut l'une des causes de la guerre de Cent Ans.

CHARLES V LE SAGE

Roi de France, fils aîné de Jean II le Bon et de Bonne de Luxembourg, né à Vincennes en 1338. Après la bataille de Poitiers (1356) où son père, vaincu par les Anglais, avait été emmené prisonnier à Londres, il assura la régence du royaume et négocia le traité de Brétigny avec l'Angleterre (1360). Devenu roi (1364), il imposa, avec Du Guesclin, la paix à Charles le Mauvais à Cocherel, expulsa les Anglais du royaume mais ne parvint pas à réunir la Bretagne à la France (guerre des Deux-Jeanne). Il débarrassa le pays des Grandes Compagnies, rétablit la monnaie et constitua un trésor de guerre. Il avait fait édifier ou rebâtir des monuments tels l'hôtel Saint-Pol, la Bastille, la chapelle de Vincennes et le Louvre, où fut rassemblée une imposante collection de manuscrits. Il mourut au château de Beauté en 1380.

CHARLES VI LE FOL (OU LE BIEN-AIMÉ)

Roi de France, fils du précédent et de Jeanne de Bourbon, né à Paris en 1368, mort en 1422. Ses oncles, les ducs de Bourgogne, de Berry et de Bourbon, assurèrent la tutelle jusqu'en 1388 mais ruinèrent le pays en pillant le Trésor et en provoquant des révoltes par leurs exactions. Devenu seul maître, il rappela les sages conseillers de son père, les *Marmousets*. Mais il devint fou en 1392, et les ducs de Bourgogne et d'Orléans se disputèrent le pouvoir. Le premier, Jean sans Peur, fit assassiner son rival en 1407. Ce fut le signal de la guerre entre les armagnacs et les bourguignons. Profitant de ces troubles, Henri V, roi d'Angleterre, victorieux à Azincourt (1415), s'empara de la Normandie. En 1419, Jean sans Peur fut à son tour assassiné. Son fils, pour le venger, s'entendit avec la reine Isabeau de Bavière afin de livrer la France aux Anglais. Ce fut le traité de Troyes (1420) par lequel Henri V devait épouser Catherine, fille de Charles VI et d'Isabeau, et devenir roi de France à la mort de son beau-père. Mais c'est lui qui disparut le premier (1422), peu avant Charles VI.

CHARLES VII LE VICTORIEUX

Fils du précédent et d'Isabeau de Bavière, né à Paris en 1403. Forcé de quitter cette ville dont le duc de Bourgogne était le maître, il se réfugia à Bourges. Les Anglais occupaient alors la plus grande partie de la France du Nord et le duc de Bedford assurait la régence du royaume pour le futur Henri VI encore enfant. C'est à ce moment que parut Jeanne d'Arc, autour de laquelle se forma un puissant élan patriotique. Orléans fut délivrée (1429). Puis une série de nouvelles victoires ébranla la domination anglaise et Jeanne put conduire Charles VII à Reims où il fut sacré (1429). Le duc de Bourgogne se réconcilia alors avec lui (traité d'Arras, 1435) et Paris se rendit.
Par les *Grandes Ordonnances*, le souverain mit fin au fléau des *Écorcheurs* – bandes armées qui désolaient le pays – et reconstitua une armée. La Normandie et la Guyenne furent reconquises (1450-1453) et il ne resta plus aux Anglais que Calais. Charles réprima aussi la *Praguerie* menée par le duc de Bourbon et donna au clergé la *pragmatique sanction* (1434), qui subordonnait l'autorité du pape à celle des conciles. Enfin, grâce à Jacques Cœur, il put mettre de l'ordre dans les finances du royaume et faire revenir la prospérité. Ses dernières années furent troublées par l'ambition de son fils, le futur Louis XI. Craignant qu'il ne l'empoisonne, et souffrant d'une infection dentaire, il se laissa mourir de faim (1461).

CHARLES VIII L'AFFABLE

Roi de France, fils de Louis XI et de Charlotte de Savoie (1470-1498). C'est sa sœur, Anne de Beaujeu, qui assura la régence, Charles n'ayant que 13 ans à la mort de son père. En épousant Anne de Bretagne, il réunit cette importante province à la Couronne. Revendiquant la succession de René d'Anjou, il fit valoir ses droits sur le royaume de Naples qu'il conquit aussi vite qu'il le perdit, l'Italie entière s'étant liguée contre lui.

À Fornoue (1497), la *furia francese* dut se frayer un chemin parmi les confédérés qui voulaient détruire l'armée en retraite. Charles VIII ne rentra en France que pour assister à la mort de son fils unique. Il songeait à une nouvelle campagne en Italie lorsqu'il mourut en 1498, ayant heurté du front le linteau d'une porte basse. Le duc d'Orléans, son cousin, lui succéda sous le nom de Louis XII.

CHARLES IX

Deuxième fils d'Henri II et de Catherine de Médicis, né à Saint-Germain-en-Laye en 1550. Il succéda à son frère François II. Roi de France à partir de 1560, il était trop jeune pour gouverner, et la régence fut confiée à sa mère. Son règne fut marqué par les guerres entre catholiques et protestants. En 1570, il remit le pouvoir au huguenot Coligny qu'il avait en grande estime, espérant ainsi atténuer les rivalités entre les deux factions. Après la paix de Saint-Germain (1570), il sembla qu'une réconciliation durable pouvait être espérée.

Mais en 1572, dans la nuit de la Saint-Barthélemy (24 août), à l'instigation de sa mère, il ordonna le massacre des protestants dans tout le royaume. Il mourut à Vincennes deux ans plus tard, suant le sang, de remords selon certains chroniqueurs, vraisemblablement d'une tuberculose osseuse.

CHARLES X

Né à Versailles en 1757, roi de France de 1824 à 1830. Dernier fils du Dauphin et de Marie-Josèphe de Saxe, il était frère de Louis XVI et de Louis XVIII. Avant son avènement, il portait le titre de comte d'Artois et, en 1773, avait épousé Marie-Thérèse de Savoie. Ayant suivi le mouvement de l'émigration en 1789, il ne revint en France qu'en 1814, avec les coalisés. Succédant à Louis XVIII, il maintint le ministère Villèle, fit voter une loi contre le sacrilège et accorda une indemnité d'un milliard aux émigrés. Ces mesures, sans parler de son sacre à Reims effectué selon les traditions de l'Ancien Régime, provoquèrent un mécontentement que la victoire du corps expéditionnaire en Algérie ne put dissiper.

Le rétablissement de la censure et l'attitude autoritaire du roi après le coup de force des *ordonnances* de Saint-Cloud (25 juillet 1830) entraînèrent le soulèvement de Paris (27, 28 et 29 juillet 1830). Charles X abdiqua en faveur de son petit-fils, le comte de Chambord. Il mourut en exil à Goritz en 1836. Avec lui s'éteignit la dynastie des Bourbons en France.

CHARLES DE HABSBOURG (ARCHIDUC D'AUTRICHE, DUC DE TESCHEN)

Né à Florence (1771) et mort à Vienne (1847), troisième fils de Léopold II. Sur le plan stratégique, il fut un des plus redoutables adversaires de Napoléon qui, à ce titre, l'estimait particulièrement. Il disputa chèrement à l'Empereur les batailles d'Eckmühl, d'Essling et de Wagram.

CHARLES LE TÉMÉRAIRE

Dernier duc de Bourgogne, fils de Philippe le Bon, né à Dijon en 1433. Toute sa vie, il poursuivit le rêve de reconstituer le royaume Gaule-Belgique. Courageux mais violent, il se signala par sa haine pour Louis XI contre lequel il ne cessa de guerroyer. Chef de la *ligue du Bien public*, il lui livra l'indécise bataille de Montlhéry (1465), suivie de la signature des traités de Conflans et de Saint-Maur. Il réprima ensuite la révolte liégeoise (1467-1468), et, à nouveau ligué contre le roi de France, le retint prisonnier à Péronne où ce dernier s'était imprudemment rendu dans l'espoir d'arracher son rival à l'alliance anglaise. À la suite d'une nouvelle ligue, il fut vaincu à Beauvais (1472). Puis ce furent les désastres de Granson et de Morat contre les Suisses, où ses troupes furent anéanties (1476). Levant une dernière armée, il envahit la Lorraine mais mourut devant Nancy en 1477.

CHARPENTIER (MARC ANTOINE)

Compositeur français né et mort à Paris (vers 1635-1704). Il eut à subir la jalousie de Lully qui lui retira ses fonctions de maître de chapelle à l'église Saint-Louis. Il reçut alors la maîtrise de la Sainte-Chapelle. Pour Molière, il composa la musique du *Malade imaginaire* (1673). Thomas Corneille lui fournit le livret de son opéra *Médée* (1693). Mais c'est dans son œuvre religieuse qu'il donna toute l'étendue de son génie.

CHARTREUX

Ordre monastique fondé par saint Bruno en 1084 et dont la règle, l'une des plus austères, est plus spécialement tournée vers la solitude et le silence. La prière, l'étude, la lecture et le travail manuel fractionnent la vie des Chartreux dont la maison mère, la Grande-Chartreuse, est située non loin de Grenoble.

CHATEAUBRIAND (FRANÇOIS RENÉ, VICOMTE DE)

Écrivain français né à Saint-Malo en 1768, mort à Paris en 1848. À 23 ans, il entreprit un voyage en Amérique du Nord (1791). Rentré au moment de l'arrestation du roi, il se maria et rejoignit l'armée des émigrés. Réfugié à Bruxelles, il gagna ensuite Jersey, puis Londres. De retour en France en 1800, il publia *Atala* (1801) et *René* (1802). La même année, il acheva *Le Génie du christianisme*. Bonaparte, désireux de se l'attacher, le nomma ambassadeur à Rome (1803), puis ministre plénipotentiaire dans le Valais (1804). Cependant, l'exécution du duc d'Enghien le décida à démissionner. En 1809 parurent *Les Martyrs* et en 1811 *L'Itinéraire de Paris à Jérusalem.*

Sous la Restauration, il obtint le titre de pair de France. En 1820 il était ambassadeur à Berlin et, en 1822, à Londres. Nommé ministre des Affaires étrangères la même année, il quitta ce poste en 1826 pour mener, au *Journal des débats*, une violente campagne de presse contre le ministre Villèle. À la même époque parurent *Les Aventures du dernier Abencérage* et *Les Natchez*; puis le *Voyage en Amérique* (1827).

Retiré de la vie politique à l'arrivée au pouvoir de Louis-Philippe, il écrivit encore *La Vie de Rancé* (1844) et, surtout, les *Mémoires d'outre-tombe*, commencés en 1811. Dans ce vaste ouvrage s'inscrivent à la fois le poème de sa vie et l'épopée de son siècle. (Académie française)

CHÉNIER (ANDRÉ)

Poète français, fils d'un diplomate, né à Constantinople en 1763, il fut condamné à mort par le tribunal révolutionnaire pour avoir inséré dans le *Journal de Paris* des articles royalistes, et exécuté en 1794. Son œuvre poétique (dont ses *Élégies*, sur le modèle de la poésie grecque), publiée en 1819, eut un immense succès.

Son frère Marie-Joseph (1764-1811), élu à la Convention puis membre de l'Institut et inspecteur général de l'Université démissionna de toutes ses fonctions lorsque Napoléon se fit Empereur.

CHILDEBERT Ier

Un des quatre fils de Clovis. Il régna sur le pays compris entre la Seine et la Loire. Malgré de sanglantes dissensions entre lui et ses frères, il lutta avec eux contre les Wisigoths et les Burgondes (531-534). Il mourut en 558 et son frère Clotaire s'empara du royaume.

CHILDÉRIC Ier

Roi des Francs saliens, fils de Mérovée, auquel il succéda en 457, et père de Clovis. Chassé de ses États en raison de sa débauche, il s'enfuit en Thuringe chez un roi dont il suborna la femme. Il mourut à Tournai en 481.

CHILPÉRIC Ier

Roi franc né en 539, mort assassiné à Chelles en 584. Fils de Clotaire Ier. Sa concubine, Frédégonde, fit étrangler son épouse Galswinthe, prit sa place et s'empara du pouvoir.

CHIRAC (JACQUES)

Homme politique français né à Paris en 1932. Il fut Premier ministre (1974-1976) sous la présidence de Valéry Giscard d'Estaing, puis celle de François Mitterrand (1986-1988).
Maire de Paris (1977-1995), fondateur du Rassemblement pour la République (RPR, 1976), il fut élu président de la République le 7 mai 1995.

CHOISEUL (ÉTIENNE FRANÇOIS, DUC DE)

Ministre d'État né en 1719 en Lorraine, mort à Paris en 1785. Quittant l'armée où il s'était pourtant distingué, il entra, grâce à l'appui de Mme de Pompadour, dans la carrière politique (1748). Ambassadeur à Rome, puis à Vienne, secrétaire d'État aux Relations extérieures, il obtint aussi les portefeuilles de la Guerre et de la Marine (1761). Il réalisa de profondes réformes dans l'armée, rétablit la Flotte française et renforça l'alliance autrichienne par le second traité de Versailles ainsi que l'alliance espagnole (pacte de Famille). Il acquit à la France la Lorraine et la Corse. Il fut un des partisans de *l'Encyclopédie* et contribua, par ailleurs, à l'expulsion des Jésuites. Après la mort de la Pompadour, n'ayant pu se concilier les faveurs de Mme Du Barry, il fut remercié de ses services et exilé sur sa terre de Chanteloup.

CHOUANS

Nom donné aux paysans royalistes de Bretagne, du Maine et de la Normandie qui s'insurgèrent contre la République à partir de 1793. La chouannerie se développa parallèlement au mouvement vendéen, animée des mêmes sentiments: haine de la politique antireligieuse des révolutionnaires, opposition à la levée de 300000 hommes décrétée par la Convention (24 février 1793), exaspération due aux difficultés économiques. À la différence de la guerre de Vendée, qui eut ses batailles rangées, la chouannerie fut un combat de partisans, une suite de coups de main accomplis par des bandes isolées.

Ses principaux chefs furent Cadoudal, Boishardy, Louis de Frotté, d'Ambières. Les chouans arboraient un Sacré-Cœur sur la poitrine (comme les Vendéens) et une cocarde ou un plumet blanc à leur chapeau. Ils avaient pour cri de ralliement le hululement de la chouette. L'insurrection, brisée par Hoche à Quiberon (1795) et par Brune à Grand-Champ, s'éteignit peu à peu.

CHRÉTIEN DE TROYES

Poète né vers 1135 et mort vers 1183. Il eut pour protectrice et inspiratrice Marie de France, épouse du comte de Champagne et fille de Louis VII. Il sut, dans ses adaptations des légendes bretonnes, chanter l'amour courtois et l'idéal chevaleresque. Toutefois, ces aventures recouvrent un enseignement métaphysique d'une tout autre portée, formulé en symboles et dont le sens a échappé aux commentateurs officiels (*Yvain ou le Chevalier au lion*, *Perceval ou le Conte du Graal*, *Lancelot ou le Chevalier à la charrette* et *Tristan*).

CHRISTIAN V

Roi de Danemark et de Norvège, fils de Frédéric III, né à Flensburg en 1626, mort à Copenhague en 1699. Il monta sur le trône en 1670. Allié à la Hollande (1673), il combattit contre la Suède et contre Louis XIV mais dut restituer ses conquêtes par le traité de Fontainebleau et de Lund (1679). Auteur d'un code législatif.

CHURCHILL (SIR WINSTON LEONARD SPENCER)

Homme d'État britannique né à Blenheim Palace, Woodstock (Oxfordshire) en 1874, mort à Londres en 1965. Au début de la Seconde Guerre mondiale, il était âgé de 66 ans et avait déjà derrière lui une longue carrière : correspondant de guerre, député, neuf fois ministre (Intérieur, Amirauté, Guerre, Échiquier…). Dans les années trente, il avait mis l'Europe en garde contre l'expansion du communisme, puis contre la montée du nazisme. Violemment opposé aux accords de Munich et au pacifisme, il avait aussi prêché – sans écho – le réarmement. Nommé Premier lord de l'Amirauté en septembre 1939, il fut désigné comme Premier ministre le 10 juin 1940, en remplacement de Chamberlain. Dès lors, sa détermination dans le combat, malgré les premiers revers de Norvège et l'effondrement de la France, ne faillit

jamais. Dès l'entrée en guerre de l'Allemagne contre l'URSS (juin 1941) et le danger d'invasion de l'Angleterre écarté, il travailla à un rapprochement avec les États-Unis, d'une part, et avec Staline, d'autre part, pour l'ouverture d'un front à l'Est.
Aux côtés des Américains à la fin de 1942, il fit débarquer ses troupes en Afrique du Nord et l'offensive contre les puissances de l'Axe prit alors toute son ampleur. Présent à toutes les grandes conférences internationales (Casablanca, Téhéran, Québec, Yalta, Potsdam), il tenta de parer aux visées impérialistes de Staline mais ne put réaliser son projet d'attaquer le « ventre mou » de l'Europe – les Balkans – qui eût profité aux Alliés de l'Ouest, surtout lorsqu'on sait les conséquences funestes de l'avance de l'Armée rouge jusqu'à Berlin.
Et l'on a pu dire, depuis, que si la guerre avait été gagnée, on avait, en revanche, perdu la paix. À la fin des hostilités, Churchill poursuivit sa politique anticommuniste et son rêve de maintenir l'empire britannique, en s'opposant notamment à l'abandon de l'Inde. Renversé par le parti travailliste, il démissionna en juillet 1945. Rappelé au ministère en 1951, son seul prestige l'y maintint jusqu'en 1955, époque à laquelle il se retira définitivement des affaires. Il a écrit des *Mémoires sur la Deuxième Guerre mondiale* (12 vol.) et une *Histoire des peuples de langue anglaise* (4 volumes).

CINQ-CENTS (CONSEIL DES)

Assemblée permanente créée par la Constitution de l'an III. Elle formait, avec le Conseil des Anciens, le corps législatif et adoptée par la Convention en août 1795. Elle tomba lorsque, le 18-Brumaire, Bonaparte fit envahir la salle par les grenadiers de Lefebvre et en fit expulser tous les membres.

CINQ-MARS (HENRI COIFFIER DE RUZÉ, MARQUIS DE)

Gentilhomme français né en 1620. Favori de Louis XIII, il conspira contre Richelieu et poussa Gaston d'Orléans – le frère du roi – à traiter avec les Espagnols. Richelieu découvrit le complot et le fit exécuter à Lyon avec son complice François Auguste de Thou (1642).

CISTERCIENS

Ordre religieux issu de celui de Saint-Benoît, fondé à Cîteaux en 1098 par Robert de Molesme. Cet ordre connut une réforme avec saint Bernard et les moines de Cîteaux.

CITROËN (ANDRÉ)

Ingénieur et industriel français né et mort à Paris (1878-1935). C'est en 1918 que cet ancien polytechnicien créa la firme automobile qui porte son nom. L'entreprise s'étendit rapidement en France et à l'étranger et prit des proportions considérables. Citroën n'hésita pas à se servir de la tour Eiffel pour en faire l'enseigne publicitaire la plus grande du monde et subventionna la Croisière noire (1924-1925) et la Croisière jaune (1931-1932) qui portèrent jusqu'aux confins de l'Afrique et de l'Asie la marque de sa régie.

CLEMENCEAU (GEORGES)

Homme politique français né à Mouilleron-en-Pareds (Vendée) en 1841, mort à Paris en 1929. Plusieurs fois député, président du Conseil, ministre de l'Intérieur, chef des radicaux d'extrême gauche, son rôle dans l'opposition et sa ténacité lui valurent le surnom de « Tigre ». Compromis dans le scandale financier de Panama (1891), il retrouva sa popularité pendant le procès

intenté au capitaine Dreyfus dont il prit la défense (1898). Partisan, avec les socialistes, de la séparation de l'Église et de l'État, il provoqua leur colère en réprimant la grève des mineurs du Pas-de-Calais.
Mais c'est la Première Guerre mondiale qui permit à cet homme de 76 ans de donner la mesure de ses capacités. Appelé à la tête du gouvernement par Poincaré en 1917, il sut redonner confiance à la nation et faire taire l'esprit défaitiste qui la gagnait. Il obtint des Alliés que le commandement militaire fût remis à Foch. Après la guerre, il fut un des principaux artisans du traité de Versailles (1919). En 1920, il échoua à la présidence de la République et quitta la scène politique.

CLÉMENT V (BERTRAND DE GOT)

Pape de 1305 à 1314, né en Gascogne vers 1264. Archevêque de Bordeaux, il fut élu grâce à l'influence du cardinal Orsini et des prélats du parti français. Il fixa sa résidence en Avignon (1309) ; cette période de soixante-huit ans pendant laquelle des papes exercèrent leur ministère hors de Rome a été surnommée par les historiens italiens la « captivité de Babylone ». L'événement le plus marquant de son pontificat fut l'abolition de l'ordre du Temple au concile de Vienne, en 1311.

CLÉMENT VII (JULES DE MÉDICIS)

Cousin de Léon X, neveu de Laurent le Magnifique, élu pape en 1523. Son pontificat fut marqué par ses démêlés avec Charles Quint (Sainte Ligue constituée en 1526 avec François Ier) et par l'excommunication d'Henri VIII, roi d'Angleterre, qui avait répudié Catherine d'Aragon, ce qui provoqua le schisme anglican.

CLÉMENT (JACQUES)

Dominicain qui assassina Henri III en 1589. Il avait été l'instrument de la Ligue, formée par le duc de Guise et son frère le cardinal de Lorraine afin de défendre la religion catholique contre les protestants, que le roi protégeait. Il fut aussitôt tué par la garde.

CLODOMIR

Un des fils de Clovis (498-524), qui perdit la vie en combattant les Burgondes aux côtés de ses frères.

CLOTAIRE Ier

Roi franc, fils de Clovis et de Clotilde, né en 497. D'abord roi de Soissons (511), il devint en 558 maître du pays, après la mort de ses frères et de leurs descendants.

CLOTAIRE II

Fils de Chilpéric Ier et de Frédégonde, né en 584. Roi de Neustrie, il s'empara de l'Austrasie en 613 et fut alors seul roi des Francs. Il fit périr Brunehaut et ses fils. Il mourut en 628.

CLOTILDE (SAINTE)

Fille de Chilpéric, roi des Burgondes, et épouse de Clovis (493) qu'elle contribua à convertir. Morte à Tours en 545. Fête le 3 juin.

CLOUET (FRANÇOIS)

Peintre et dessinateur de François Ier, né à Tours vers 1515 et formé à l'atelier de son père Jehan. De nombreux portraits sont restés célèbres, notamment ceux de François II, du duc d'Anjou, de Diane d'Albret, de la duchesse de Bouillon, de François Ier à cheval… Il a aussi laissé de fort belles miniatures.

CLOVIS

Né en 466 de Chilpéric Ier, à qui il succéda en 481. Il étendit considérablement les limites de son royaume en battant d'abord les Romains à Soissons (486), puis les Alamans à Tolbiac (496), date à laquelle il embrassa le christianisme sur les instances de sa femme Clotilde.
En 500, il vainquit les Burgondes et en 507 les Wisigoths, tuant de sa main leur roi Alaric II. Fondateur de la monarchie franque, il reçut de l'empereur d'Orient le titre de *patrice*. Lorsqu'il reçut le baptême dans la cathédrale de Reims des mains de saint Rémi, celui-ci, faisant allusion à son passé, l'admonesta et, l'apostrophant, lui dit : « Courbe la tête, fier Sicambre, adore ce que tu as brûlé et brûle ce que tu as adoré ! » Il mourut vers 511.

CLUNISIENS

Congrégation bénédictine fondée en 910 par Guillaume le Pieux, duc d'Aquitaine, à Cluny (Saône-et-Loire) ; placée sous la protection directe du pape, la prospérité de cette abbaye fut telle que ses filles (filiales) se multiplièrent (1200) et furent à l'origine de l'expansion de l'art roman.
Cluny compta de célèbres abbés dont Odon, Aymard, Hugues et Pierre le Vénérable. L'ordre clunisien couvrit toute l'Europe, de l'Espagne à la Pologne. Après la réforme de saint Robert et de saint Bernard, l'austérité de Cîteaux, plus proche de la règle de saint Benoît, s'opposa au luxe clunisien. Celui-ci marqua pourtant durablement la vie artistique monastique du Moyen Âge. L'abbaye de Cluny, qui avait la plus grande église d'Europe, fut détruite sous la Révolution.

COALITIONS (LES)

Nom donné aux alliances formées par les puissances européennes contre Louis XIV d'abord, puis – voir ci-après – contre les armées de la Révolution française et celles de Napoléon Ier.

❒ La première, conclue à Pilnitz en 1791 entre l'Autriche et la Prusse, s'augmenta, à la mort de Louis XVI, de l'Angleterre, de l'Espagne, de la Sardaigne et des Deux-Siciles. Elle fut modifiée à la suite de la paix signée par la Prusse et l'Espagne (5 avril et 22 juillet 1795) et dissoute par le traité de Campoformio avec l'Autriche (17 octobre 1797).

❒ La deuxième, déclenchée en 1799 par l'Angleterre et ratifiée par la Russie, l'Autriche, la Turquie et les Deux-Siciles, fut brisée par la victoire de Marengo et suivie des traités de Lunéville (1801) et d'Amiens (1802).

❒ La troisième, signée à Saint-Pétersbourg le 8 avril 1805 entre l'Angleterre, la Russie, l'Autriche et la Prusse, s'effondra au traité de Presbourg (1805).

❒ La quatrième, formée en 1806 entre la Prusse, la Russie, l'Angleterre et la Suède, prit fin avec le traité de Tilsit (1807).

❒ La cinquième, conclue entre l'Autriche et l'Angleterre, s'acheva la même année au traité de Vienne (1809).

❒ La sixième, signée en 1813 entre la Russie, la Prusse, l'Autriche, l'Angleterre, la Suède et presque toutes les autres puissances, provoqua l'abdication de Napoléon (11 avril 1814).

❒ La septième, issue de la précédente et composée des mêmes nations, approuvée à Vienne en 1815, renversa Napoléon après son retour de l'île d'Elbe et se maintint durant la Restauration sous le nom de Sainte-Alliance.

CODE CIVIL (CODE NAPOLÉON)

La rédaction de ce Code fut confiée par Bonaparte à quatre magistrats : Tronchet, Bigot de Préameneu, Malleville et Portalis (24 thermidor). Cet écrit est divisé en trois livres :
❒ le premier, consacré aux personnes (état et situation des citoyens) ; ❒ le deuxième, aux biens, à la propriété et à ses modifications, ses démembrements et ses servitudes ; ❒ le troisième, aux manières d'acquérir et donc d'aliéner la propriété.
L'ensemble se répartit en trente-six titres. Une nouvelle édition parut en 1807. Ce recueil, promulgué en mars 1804, fut d'abord intitulé *Code civil des Français*, puis devint le *Code Napoléon*.
La part prise par Napoléon dans l'édification de cette œuvre est considérable. Ces textes influencèrent la législation de nombreux États dans le monde et ne connurent d'importantes modifications que récemment.

CŒUR (JACQUES)

Célèbre et riche commerçant, né à Bourges vers 1395, il acquit une des fortunes les plus considérables d'Europe. Charles VII le nomma grand argentier (1439) et eut souvent recours à sa bourse. Il lui confia aussi plusieurs missions diplomatiques.
Jacques Cœur affermit la monnaie, développa le commerce au Levant, créa une armée nationale et subventionna la reconquête de la Normandie. Accusé d'extorsions, arrêté en 1451 et mis en prison, il parvint à s'évader et mourut à Chio au service du pape Calixte III (1456).

COLBERT (JEAN-BAPTISTE)

Homme d'État français né à Reims en 1619. D'abord intendant de Mazarin, il passa au service du roi Louis XIV en 1661, sur les ultimes recommandations du cardinal. Il contribua à la chute du surintendant Fouquet et fut lui-même nommé successivement intendant des Finances (1661), surintendant des Bâtiments, Arts et Manufactures (1664), contrôleur général (1665), secrétaire à la Maison du Roi et à la Marine. Il encouragea la création de nouvelles manufactures (Gobelins, Saint-Gobain, etc.), fit tracer de nouvelles routes et joindre les deux mers par le canal du Midi. Il fonda l'Académie des inscriptions (1663), celle des sciences (1666), celle d'architecture (1671) et fit élever l'Observatoire (1667). On lui doit aussi de nombreux quais de Paris, des places publiques, la colonnade du Louvre et le jardin des Tuileries. Sous sa conduite, la marine prit un nouvel essor : construction de navires et aménagement des ports dont la conséquence directe fut un accroissement de l'exportation. Il favorisa aussi la création de grandes compagnies comme celles des Indes orientales et des Indes occidentales. Pour réorganiser l'Administration, il développa le système des intendants.

On a nommé *colbertisme* le principe qui consiste à assurer la plus-value des exportations sur les importations afin d'acquérir les métaux précieux. Ce qui se traduisit, à l'intérieur, par un essor de l'industrie ; à l'extérieur, par un protectionnisme qui devait favoriser cette industrie naissante. Cependant, ses tentatives pour assainir les finances s'avérèrent infructueuses et, dès la guerre de Hollande, il fut contraint de revenir aux expédients. Il ne put freiner les dépenses de l'État et son crédit baissa tandis que montait celui du jeune Louvois.

Contre le pape, il avait soutenu le roi, appuyé la politique de Bossuet et les déclarations du clergé gallican (1682). Par ailleurs, il avait suspendu les dragonnades et protégé les protestants – nerf de l'industrie et du commerce français. Il mourut à Paris en 1683, chargé des malédictions que son maître seul méritait. Son cercueil fut porté nuitamment à l'église Saint-Eustache où ses funérailles eurent lieu aux flambeaux.

COLLABORATION

Nom donné en France, pendant la Seconde Guerre mondiale, à la politique de rapprochement avec l'occupant prônée par le gouvernement de Vichy. Dans son sillage, de nombreux groupes gagnés à la cause de l'Allemagne se formèrent.

Ainsi collaborèrent certains anciens extrémistes de droite représentés par le journal *Je suis partout*; le Mouvement social révolutionnaire d'Eugène Deloncle; le Parti franciste de Marcel Bucard; le Parti populaire de Jacques Doriot; le Rassemblement national populaire issu des milieux pacifistes ou anticommunistes de Marcel Déat.

L'aboutissement militaire de tous ces groupements fut la formation de la Légion des volontaires français contre le bolchevisme ou LVF, et celle de la Milice mise sur pied par Joseph Darnand et engagée, elle, contre l'ennemi intérieur, c'est-à-dire contre les communistes et les résistants.

Le but de la collaboration était l'institution d'un État fort appuyé sur un parti unique et qui eût pu s'intégrer à la Grande Allemagne. Certains écrivains mirent leur talent au service de cette idée: Drieu La Rochelle, Brasillach, Alphonse de Châteaubriant, etc.

COLLIER (AFFAIRE DU)

Louis XV, pour la Du Barry, sa favorite, avait commandé une riche parure qui, a sa mort, n'était pas achevée. Cagliostro et la comtesse de La Motte le proposèrent au cardinal de Rohan, qui voulait l'offrir à Marie-Antoinette pour qu'elle intervienne en sa faveur dans une affaire de concussion. Le cardinal acheta le collier mais croyant le remettre à la reine, lors d'une entrevue nocturne, le donna à une complice de Cagliostro et de la comtesse de la Motte. Le collier fut démonté et vendu au détail.

Les joailliers portèrent plainte contre le cardinal, qui n'avait pas achevé de payer, et il fut embastillé (puis acquitté). Cagliostro fut expulsé ; la duchesse, condamnée au fouet et à la déportation, parvint à s'évader en Angleterre. Mais ce fut la reine, qui était totalement étrangère à cette affaire, qui en fut la principale victime, le peuple lui reprochant, sans faire le détail, ses dépenses excessives.

COLLOT D'HERBOIS (JEAN-MARIE)

Homme politique né à Paris en 1750. Conventionnel, fondateur de l'*Almanach du père Gérard* (1791), il prit part aux massacres de Septembre (1792). Député montagnard et membre du Comité de salut public, il organisa la Terreur et réprima sauvagement l'insurrection royaliste de Lyon (novembre 1793). Il contribua à la chute de Robespierre mais fut lui-même accusé et déporté à Cayenne (Guyane) en avril 1795, où il mourut un an plus tard.

COLOMB (CHRISTOPHE)

Navigateur célèbre né à Gênes en 1451. Il étudia la géométrie, la géographie, l'astronomie et la cosmographie. C'est au cours de ses divers voyages qu'il conjectura l'existence de terres situées à l'ouest de l'Europe. Après bien des difficultés, il obtint l'aide d'Isabelle de Castille et du roi Ferdinand qui lui fournirent trois vaisseaux : la *Santa Maria*, la *Niña* et la *Pinta*, avec lesquels il appareilla du port de Palos, en Andalousie, le 3 août 1492.
Il aborda en premier lieu dans les Lucayes (îles Bahamas), puis dans les Grandes Antilles. Après quoi, il rentra en Espagne.
En septembre 1493, il entreprit un second voyage au cours duquel il découvrit la plupart des petites Antilles. Lors d'une troisième expédition (1498), il parvint jusqu'au continent américain qu'il longea de l'embouchure de l'Orénoque jusqu'à Caracas. Enfin, après une quatrième traversée, il poussa jusqu'au golfe de Darien (Panama). Mais à la suite de la mort de la reine Isabelle, Ferdinand cessa de lui accorder sa protection et il mou-

rut dans l'oubli et la misère quelques années plus tard (1506). Il n'eut même pas la gloire de laisser son nom au continent qu'il avait découvert : cet honneur revint à Amerigo Vespucci, un pilote qui avait accompagné l'un de ses lieutenants en 1499. Christophe Colomb fut le premier à faire usage de l'astrolabe et sut déterminer, grâce à cet instrument, la position des navires par la latitude et la longitude.

COMBES (ÉMILE)

Homme politique français né à Roquecourbe (Tarn) en 1835, mort à Pons (Charente-Maritime) en 1921. Après des études de théologie, puis de médecine, il se dirigea vers la politique. Chef du parti radical, président du Conseil en 1902, il afficha une tendance anticléricale et rompit les relations diplomatiques avec Rome. Sa proposition de loi sur la séparation de l'Église et de l'État ne fut adoptée qu'après sa démission (1905).

COMITÉ DE SALUT PUBLIC

Créé le 6 avril 1793 par un décret de la Convention nationale sur la proposition du parti montagnard, cet organisme eut autorité sur le Tribunal révolutionnaire, les Comités révolutionnaires établis dans toutes les communes de France et le Comité de sûreté générale. Il couvrit le pays d'échafauds. Il organisa la défense du territoire. Constitué à l'instigation de Danton, il compta parmi ses membres des hommes comme Barère, Cambon, Saint-Just, Jean Bon Saint-André, Robespierre, Carnot, Collot d'Herbois, etc. Son influence déclina à partir de juillet 1794 (chute de Robespierre) et il disparut tout à fait lors de l'instauration du Directoire.

COMMUNE (DE PARIS)

Ce nom sert à désigner le gouvernement révolutionnaire qui s'établit dans la capitale après le 18 mars 1871, à la suite du retrait des troupes prussiennes d'occupation. Il était composé de membres hostiles à la capitulation française de Sedan qui prirent le nom de fédérés. À la signature de l'armistice entre la France et la Prusse, l'Assemblée nationale avait été transférée à Versailles. Thiers, chef du pouvoir exécutif de la République établi dans cette ville, voulut procéder au désarmement des Gardes nationaux et récupérer les canons que ces derniers avaient enlevés des fortifications pour éviter qu'ils ne tombassent entre les mains ennemies.

Cette décision provoqua une insurrection où l'on vit les Gardes nationaux fraterniser avec le peuple. Le Conseil de la Commune de Paris fut institué le 28 mars et le mouvement gagna de grandes villes de province. Ce nouveau pouvoir prit des mesures comme l'abolition de l'armée permanente, la séparation de l'Église et de l'État, la suppression du travail de nuit et celle des retenues faites sur les salaires, la création d'écoles professionnelles, etc.

À Versailles, le gouvernement mit sur pied une armée de cent mille hommes sous le commandement de Mac-Mahon afin de s'emparer de la capitale. Après s'être assurées de plusieurs points stratégiques, les troupes régulières entrèrent dans Paris (21 mai) où la répression fut menée avec une implacable sévérité. La *Semaine sanglante* (22 au 22 mai) consomma la fin du pouvoir révolutionnaire. Les fédérés, en se retirant, mirent le feu à plusieurs monuments dont les Tuileries et fusillèrent leurs otages. On a évalué le nombre des victimes à plus de trente mille. Depuis, la gauche et l'extrême gauche se sont maintes fois réclamées de ce mouvement prolétarien.

COMMYNES OU COMMINES (PHILIPPE DE)

Historien et homme politique né vers 1447 près de Lille. Il servit d'abord Charles le Téméraire mais le quitta pour s'attacher à Louis XI en 1472. Plus tard, durant la campagne d'Italie, il accompagna le roi Charles VIII. Sous Louis XII, n'ayant plus de charge, il consacra son temps à la rédaction de ses *Mémoires* relatifs au règne des deux souverains qu'il avait servis. Il mourut en 1511.

COMPAGNIES (GRANDES)

Bandes de mercenaires qui ravagèrent la France durant les intervalles de paix qui jalonnèrent la guerre de Cent Ans. Sous le nom de *Pacifères*, les paysans s'organisèrent pour les disperser. En Bourgogne, on les appelait les *écorcheurs*, dans le Lyonnais, les *Tards-venus*. Il fallut attendre Du Guesclin pour en débarrasser la France.

COMTE (AUGUSTE)

Philosophe français né à Montpellier en 1798, mort à Paris en 1857. Ce polytechnicien prit, dans ses réflexions, le contre-pied de la philosophie spiritualiste. Sans épouser les conceptions matérialistes ou athées de son temps, il invite à sacrifier l'inconnaissable pour s'appliquer à l'observation des phénomènes et des faits au moyen de la science (*Cours de philosophie positive*, 1842).
Plus tard, il s'efforça de créer une religion nouvelle basée sur le culte des hommes d'exception (*Synthèse de politique positive instituant la religion de l'humanité*, 1850-1854), s'instituant lui-même « grand prêtre de l'Humanité ». Littré, qui jusqu'alors l'avait suivi, se sépara de lui.

CONCINI (CONCINO) DIT LE MARÉCHAL D'ANCRE

Aventurier italien né à Florence en 1575. Arrivé en France en 1600, il obtint la protection de Marie de Médicis grâce à sa femme qui en était la favorite. Marquis d'Ancre, maréchal de France bien que n'ayant jamais tiré l'épée, il parvint au poste de ministre dans un pays dont il ne connaissait ni la langue ni les lois. Il se fit détester des nobles par son insolence, sa cupidité, sa tyrannie et son incapacité. Louis XIII, poussé par Luynes, le fit assassiner (1617).

CONCORDAT DE 1801

Signé par Bonaparte et le pape Pie VII, il sanctionnait la réorganisation de l'Église de France et le rétablissement de la religion catholique romaine comme culte officiel. Ses partisans ont affirmé qu'il avait mis fin aux désordres qui régnaient dans le clergé depuis la Révolution ; ses adversaires ont soutenu qu'il ne fut jamais, dans la pensée de Napoléon, qu'un instrument de son règne, un moyen de pression sur le Vatican et l'occasion de transformer le clergé en un corps de fonctionnaires d'État.
La nomination des évêques fut accordée au chef de l'État, mais l'institution canonique fut réservée au pape. Ce traité présidait encore aux relations entre le gouvernement français, le Saint-Siège et le clergé catholique jusqu'en 1905.

CONDÉ (LOUIS II DE BOURBON, PRINCE DE) SURNOMMÉ LE GRAND CONDÉ

Fils d'Henri II de Bourbon, né à Paris en 1621, l'un des plus grands capitaines de cette famille et le plus illustre de sa lignée. À l'âge de 22 ans, il fut chargé de repousser les Espagnols et remporta sur eux la grande victoire de Rocroi (1643), brisant le

prestige de leur redoutable infanterie et sauvant la France de l'invasion dont elle était menacée. En 1646, il reçut la capitulation de Dunkerque. Après avoir échoué en Espagne devant Lérida, il porta la bataille en Flandre où il écrasa le reste de l'infanterie espagnole (Lens, 1648), hâtant par ce succès la conclusion des traités de Westphalie. Jeté dans les troubles de la Fronde, il s'éleva contre Mazarin, prit Paris, mais fut arrêté et enfermé à Vincennes (1650). Libéré au bout de treize mois, il prit la tête de la Fronde des princes, toujours pour abattre Mazarin.
Négociant alors avec l'Espagne, il marcha une nouvelle fois sur Paris mais fut battu par Turenne au faubourg Saint-Antoine (1652). À la tête d'une armée espagnole, il retrouva Turenne comme adversaire mais ne fut point heureux dans les combats qu'il lui livra, notamment à la bataille des Dunes en 1658. Au moment de la paix des Pyrénées (1659), Mazarin lui rouvrit les portes du royaume. Les hostilités ayant repris avec l'Espagne, il conquit la Franche-Comté (1668). Puis, jeté dans la guerre de Hollande, il s'empara de Wiesel et écrasa le prince d'Orange à Seneffe (1674). Ce fut son dernier fait d'armes. Retiré dans sa somptueuse retraite de Chantilly, il vécut désormais entouré d'artistes et mourut en 1686, attentif aux inspirations de Bossuet qui devait prononcer son oraison funèbre.

CONDORCET (MARIE JEAN ANTOINE NICOLAS CARITAT, MARQUIS DE)

Philosophe, mathématicien et homme politique français né à Ribemont, près de Saint-Quentin, en 1743. Admis à l'Académie des sciences à 26 ans, il en devint le secrétaire perpétuel. Lié à Voltaire, Turgot et d'Alembert, disciple des physiocrates, il composa pour l'*Encyclopédie* des articles d'économie politique. Il fréquenta aussi Linné, Vaucanson, Buffon et bien d'autres savants. Élu président de l'Assemblée législative (1791), il fut aussi député de la Convention. Impliqué dans les accusations qui menèrent à la chute des Girondins, il fut arrêté le 7 avril 1794. Jeté en prison à Bourg-la-Reine, il s'y empoisonna le lendemain. Il a laissé de nombreux écrits dont un *Essai sur le calcul intégral* (1765), une *Vie de Turgot* (1786), une *Vie de Voltaire* (1787), une *Esquisse d'un tableau des progrès de l'esprit humain.* En 1793, il demanda l'abolition de la peine de mort. (Académie française)

CONSTANT (BENJAMIN CONSTANT DE REBECQUE)

Homme politique et écrivain français né à Lausanne en 1767, mort à Paris en 1830. Il fit partie du cercle constitutionnel de l'hôtel de Salm animé par Mme de Staël, Talleyrand et Sieyès. Naturalisé français, il entra au Corps législatif après le 18-Brumaire. Opposé à Bonaparte, il dut quitter la France en même temps que Mme de Staël. De retour en 1814, il collabora au *Journal des débats* où il soutint la cause des Bourbons.
Pendant les Cent-Jours, il fut néanmoins nommé par Napoléon conseiller d'État et rédigea l'*Acte additionnel aux Constitutions de l'Empire*. Sous la Restauration, il fut chef du parti libéral. Sous la seconde Restauration, il fut de ceux qui permirent l'accès au trône à Louis-Philippe. Il a laissé un roman, *Adolphe* et un *Cours de politique constitutionnelle*.

CONSTANTIN Ier LE GRAND

Empereur romain né à Naissus en Dardanie vers 280 apr. J.-C., fils de Constance Chlore et de sainte Hélène. Après avoir pacifié les Gaules, il combattit Maxence qu'il vainquit en 312. Peu avant la bataille, il avait vu dans le ciel une croix près de laquelle était inscrit en lettres de feu : *In hoc signo vinces* (tu vaincras par ce signe). Sur son étendard, le *labarum*, il fit reproduire cette croix surmontée du monogramme du Christ et marcha à la victoire. Il interdit alors la persécution des chrétiens, garantit la tolérance religieuse par l'édit de Milan (313). C'est sous son règne que le concile de Nicée (325) condamna l'hérésie d'Arius. En 330, il établit son gouvernement à Byzance et donna à cette ville le nom de Constantinople. Ce gouvernement prit la forme d'une monarchie de droit divin. Il mourut en 337, après avoir reçu le baptême. L'apparition des premiers monuments chrétiens date de son époque : basilique Sainte-Sophie de Constantinople, basiliques du Latran et du Vatican à Rome, église du Saint-Sépulcre à Jérusalem.

CONSTITUTIONS

En France, depuis 1789, plusieurs Constitutions furent successivement proposées et abolies. On en compte onze principales.

❒ 1) La Constitution française décrétée par l'Assemblée nationale et ratifiée par le roi (1791).

❒ 2) L'Acte constitutionnel présenté au peuple français par la Convention (1793).

❒ 3) La Constitution de l'an III, organisant le Directoire, le Conseil des Cinq-Cents et celui des Anciens (1795).

❒ 4) La Constitution de l'an VIII entérinée par le plébiscite de 1800, le pouvoir exécutif étant confié à trois consuls (Bonaparte, Cambacérès et Lebrun). Une première modification apportée par sénatus-consulte proclama le consulat à vie (1802). Une seconde conféra à Napoléon le titre d'Empereur (1804).

❒ 5) La Charte octroyée par Louis XVIII en 1814, instituant une monarchie constitutionnelle.

❒ 6) La Constitution de 1848 instituant une Assemblée législative et un président de la République élu au suffrage universel.

❒ 7) La Constitution de janvier 1852 promulguée par Louis-Napoléon Bonaparte en 1852, modifiée en décembre par un sénatus-consulte qui rétablissait l'Empire.

❒ 8) La Constitution de 1875 instituant une Chambre des députés, un Sénat, un président de la République élu pour sept ans.

❐ 9) Les Actes constitutionnels de juillet 1940 fondant l'État français.
❐ 10) La Constitution de 1946 de la IVe République.
❐ 11) La Constitution de 1958 de la Ve République, caractérisée par un renforcement du pouvoir présidentiel.

CONSTITUTION DE 1848

Elle fut votée par l'Assemblée constituante après la révolution de février. Elle établit un gouvernement républicain démocratique soumis au suffrage universel. Tout électeur devait être âgé d'au moins 21 ans. Le président de la République était élu pour quatre ans, l'Assemblée législative pour trois ans.
Le président ne pouvait ni dissoudre ni proroger l'Assemblée qui, en revanche, pouvait faire comparaître le président devant une Haute Cour de justice.

CONSTITUTION DU 2 DÉCEMBRE 1852

Mise en forme par Louis-Napoléon Bonaparte après le coup d'État du 2 décembre. Inspirée de la Constitution de l'an VIII, elle ramenait la nation au régime du plébiscite et favorisait le pouvoir personnel. Le pouvoir exécutif était confié pour dix ans à Louis Napoléon, lui-même déclaré chef des armées et habilité à signer toute déclaration de guerre et tout traité de paix. Il avait, de même, pouvoir de nommer des ministres et tout fonctionnaire civil et militaire.
Sur le plan législatif, il possédait seul l'initiative en matière de lois. Il pouvait proroger ou dissoudre le Corps législatif, dont les membres étaient élus au suffrage universel.
Le Sénat gardait un droit de veto relativement aux lois contraires à la Constitution. Cet ensemble de décisions donnait au chef de l'État un pouvoir quasi illimité, tout en respectant la formule démocratique du suffrage universel.

CONSULAT

Le coup d'État du 18 brumaire (9 novembre 1799) mit fin au Directoire. Le Conseil des Anciens désigna trois consuls, dont le premier, Bonaparte, n'allait pas tarder à rassembler tous les pouvoirs (exécutif et législatif) entre ses mains, ne laissant aux deux autres consuls, Cambacérès et Lebrun, qu'un rôle consultatif.
Bonaparte mena une politique de réconciliation nationale, rétablit la confiance dans la monnaie, et réorganisa l'Administration. Il renforça les frontières naturelles de la France par la paix de Lunéville (1801).
Le 4 août 1802, le Premier consul se fit nommer consul à vie. Le 18 mai 1804, le Sénat confiait le gouvernement de la République à un Empereur… couronné le 2 décembre 1804.

CONVENTION NATIONALE

Assemblée révolutionnaire qui gouverna la France à partir de 1792, succédant à l'Assemblée législative. Elle abolit la royauté, proclama la République et condamna Louis XVI à la peine capitale. On en retient trois périodes principales : girondine, montagnarde et thermidorienne.
C'est sous la première que la France eut à faire face à la première coalition (Angleterre, Espagne, Hollande) et que débutèrent la guerre de Vendée et la chouannerie. Durant la deuxième fut proclamée la *Déclaration des droits de l'homme et du citoyen* (de 1793) et instaurée l'organisation de la Terreur. La troisième enfin marqua la fin du gouvernement révolutionnaire et le retour à une république bourgeoise et modérée. Furent décrétées la liberté du culte et la séparation de l'Église et de l'État.

CORDAY (CHARLOTTE CORDAY D'ARMONT)

Née à Saint-Saturnin-des-Ligneries, près de Sées, en 1768, morte sur l'échafaud en 1793. Elle était une descendante directe de la sœur de Corneille. D'un tempérament ardent et passionné, elle se rallia aux idées révolutionnaires, comme ce fut le cas de nombreux nobles. Nourrie de Plutarque et de Tacite, se récitant les vers de son grand-oncle, elle vivait dans un état d'exaltation continuelle. Jugeant Marat responsable de la chute du parti girondin qu'elle défendait et instigateur de la Terreur, elle s'introduisit dans sa demeure et l'assassina. Elle montra durant son procès et jusqu'à son exécution un courage extraordinaire.

CORDELIERS (CLUB DES)

Société républicaine rivale de celle des Jacobins, formée en 1790 à l'instigation de Danton. Marat, Camille Desmoulins, Fabre d'Églantine, Hébert, Chaumette, etc. en furent les membres. Ils s'établirent dans l'ancien couvent des cordeliers dont ils prirent le nom. Ce sont eux qui proposèrent la célèbre devise: *Liberté, Égalité, Fraternité*.
Après la fuite à Varennes, ils réclamèrent la déchéance du roi, l'établissement de la République et prirent parti contre les Girondins. Sous la Convention, le club fut animé par les extrémistes d'Hébert. Il disparut quand ils furent condamnés (mars 1794).

CORNEILLE (PIERRE)

Poète dramatique et l'un des pères de la comédie classique, né à Rouen en 1606. Il pratiqua le métier d'avocat jusqu'en 1650, tout en répondant à sa vocation véritable: le théâtre. Après quelques essais dans la comédie, il s'imposa avec la tragi-comédie du *Cid* (1636). Richelieu, d'abord réticent, lui offrit son appui et une pension. Suivirent des chefs-d'œuvre: *Horace* (1640); *Cinna* (1641); *Polyeucte* (1642); *Rodogune* (1644)...

L'énergie, la noblesse, la beauté morale des caractères et la variété des effets dramatiques trouvent en ces tragédies leur plus haute expression. Une comédie retint aussi l'attention du public : *Le Menteur*, qui ouvrit la voie à Molière. Après la représentation d'une pièce sans éclat, *Pertharite* (1653), il s'éloigna du théâtre pour n'y revenir que six ans plus tard, mais sans retrouver les sommets qu'il avait atteints [*Othon* (1664), *Agésilas* (1666), *Attila* (1667)]. À cette époque, un nouveau talent s'imposait : Jean Racine.

La vie de Corneille fut des plus simples. Sa conversation était pesante et sans agrément : « J'ai la plume féconde et la bouche stérile. » Son union avec son jeune frère Thomas – lui-même dramaturge – est restée proverbiale. Ils avaient épousé deux sœurs et vécurent dans la même maison pendant vingt-cinq ans. Les dernières années de Pierre Corneille, dont la gloire était passée, s'écoulèrent dans la gêne et dans la tristesse. Il mourut en 1684. (Académie française)

COROT (CAMILLE)

Peintre français né et mort à Paris (1796-1875). Formé à l'atelier de Michallon, il voyagea ensuite en Italie d'où il rapporta ce style néo classique si particulier à ses toiles, mais où déjà s'annonce le style de la future école impressionniste. On lui doit de nombreux paysages italiens (*Florence vue des jardins Boboli*, *Vue des hauteurs de Tivoli*). En France, il a peint les *Environs de Ville-d'Avray*, le *Bord de Seine*, *La Cathédrale de Chartres*.

Il a aussi réalisé un grand nombre de portraits féminins et de nus (*Odalisque romaine* et *La Femme à la perle*) qui ne furent connus du public qu'après sa mort.

COTY (RENÉ)

Dernier président de la IVe République, né et mort au Havre (1882-1962). Député (1923), sénateur (1935) et ministre de la Reconstruction et de l'Urbanisme (1947-1948), il parvint à la présidence de l'État en décembre 1954. Sous son mandat éclatèrent la guerre d'Indochine et celle d'Algérie.
Après les événements de mai 1958 à Alger, il se prononça pour le retour de Charles de Gaulle et adressa en ce sens un message aux députés de l'Assemblée nationale (29 mai). Il se retira alors et devint membre du Conseil constitutionnel.

COUBERTIN (PIERRE DE)

Né à Paris en 1863, mort à Genève en 1937, il travailla à propager la pratique du sport par le truchement d'articles et de revues, et par la création de sociétés sportives. C'est lui qui, en 1894, lança l'idée d'une reprise des jeux Olympiques. Nommé directeur du Comité international, il organisa les premières olympiades modernes qui se déroulèrent à Athènes en 1896.

COUPERIN (FRANÇOIS, DIT COUPERIN LE GRAND)

Compositeur français né et mort à Paris (1668-1733), héritier d'une famille de musiciens dont le premier peut être tenu pour le fondateur de l'école française de clavier. Élève de Jacques Thomelin, il fut organiste de Saint-Gervais (1689) et certainement le meilleur exécutant pour cet instrument. En 1717, il obtint le titre de claveciniste du roi. Les musiciens modernes, depuis Brahms, ont rendu hommage à son génie.

COURBET (GUSTAVE)

Peintre français né à Ornans (Doubs) en 1819, mort à Tour-de-Peilz (Suisse) en 1877. Il s'affirma seul, en réaction contre l'école romantique, et se donna pour représentant attitré du réalisme. Ses compositions s'attachent aux faits et gestes quotidiens comme dans *Les Casseurs de pierres* (1849) ou *L'Enterrement à Ornans*. Elles provoquèrent de violentes critiques ; il en fut de même avec *Les Demoiselles du village* (1851) et *Les Baigneuses* dont la nudité non conformiste choqua. La célébrité lui sourit cependant, mais de l'étranger après le salon de 1866. Pendant la Commune, il fut accusé d'avoir fait abattre la colonne Vendôme. Arrêté, condamné, il dut payer le prix de sa réédification.

COUSTOU

Nom d'une famille de sculpteurs dont le plus célèbre, Guillaume, naquit à Lyon en 1667 et mourut à Paris en 1746. Il remporta le prix de Rome en 1697. Il réalisa, pour les bâtiments du roi, les *Chevaux* de Marly (1740-1745), son chef-d'œuvre (aujourd'hui place de la Concorde). Pour Marly encore, il exécuta *L'Océan* et *La Méditerranée*, *La Seine* et la *Fontaine d'Arcueil*. Avec son frère Nicolas, il participa aux travaux de décoration de Versailles.

CRÉCY (BATAILLE DE)

C'est à Crécy (Somme) que le 26 août 1346 les troupes du roi Édouard III d'Angleterre et celles de Philippe VI de Valois s'affrontent. Le roi de France a trois fois plus d'hommes que celui d'Angleterre. Les Anglais sont rangés en ordre de bataille au sommet d'une colline. Les chevaliers français, impétueux et indisciplinés, sont persuadés qu'une seule charge suffira à les mettre en déroute. Dans la plus grande confusion, ils s'élancent, piétinant leurs propres arbalétriers ; les archers anglais abattent leurs chevaux, une seconde charge des chevaliers français vient butter sur la première... Le désordre est tel qu'aucun des douze assauts ne parviendra à ébranler la ligne de front anglaise, alors qu'il aurait suffi de prendre les positions anglaises à revers. C'est un désastre. Philippe de Valois, qui s'est battu avec l'énergie du désespoir, doit s'enfuir du champ de bataille jusqu'au château de Lobroye où il supplie que l'on ouvre la porte à « l'infortuné roi de France ». La leçon de Crécy sera vite oubliée : la chevalerie française, à Azincourt, persuadée de sa supériorité, refera les mêmes erreurs, et vivra le même drame.

CROISADES

C'est sous ce nom qu'on désigne les expéditions qui, de 1096 à 1291, furent entreprises par divers États chrétiens d'Europe pour la libération de la Terre sainte et la défense du Saint-Sépulcre contre les musulmans.
Au nombre de huit, elles connurent quelques succès et de nombreux revers. À ces diverses tentatives restent attachés des noms fameux, qu'ils en aient été les acteurs ou les instigateurs : le pape Urbain II, Pierre l'Ermite, Godefroi de Bouillon, saint Bernard, Frédéric Barberousse, Philippe Auguste, Richard Cœur de Lion, Saint Louis, etc. C'est au cri de *Dieu le veut* que des milliers d'hommes se levèrent de toutes parts pour entreprendre la guerre sainte. Ils prirent pour signe de ralliement une croix, cousue sur leur vêtement ou peinte sur leur bouclier. À ceux qui « prenaient la croix », le Saint-Siège accordait des indulgences qui les absolvaient de leurs péchés.
Sur le plan économique, l'apport des croisades ne fut pas négligeable. Par la création des États latins d'Orient, le commerce avec le Levant s'accrut et les mouvements d'argent ainsi rendus nécessaires furent à l'origine du développement des techniques bancaires, notamment par les Templiers.

CURIE (PIERRE ET MARIE)

Pierre Curie, physicien français né et mort à Paris (1859-1906) découvrit, avec sa femme Marie (née Skodowska, 1867-1934), les propriétés radioactives du thorium et du radium. Tous deux obtinrent le prix Nobel de physique en 1903.

CUVIER (GEORGES, BARON)

Célèbre zoologiste et paléontologue français né à Montbéliard (Jura) en 1769, mort à Paris en 1832. Remarqué par Geoffroy Saint-Hilaire, il fut appelé à Paris et nommé suppléant du cours d'anatomie au Muséum (1794). Il occupa ensuite le poste de professeur au Collège de France en remplacement de Daubenton. Membre de l'Institut, secrétaire perpétuel de la section des sciences, il établit une classification des espèces et reconstitua des vertébrés fossiles grâce aux lois de subordination des organes et à celles de la corrélation des formes, qu'il avait lui-même énoncées.

Il ouvrit ainsi l'ère de la paléontologie. Adversaire de la théorie du transformisme, il s'opposa à Geoffroy Saint-Hilaire et à Lamarck, alors que ses propres observations conduisaient à cette conception. Napoléon Ier le couvrit de faveurs tout comme, plus tard, Louis XVIII. En 1813, nommé maître des requêtes, il joua un rôle politique qui se prolongea sous la première Restauration. Il fut alors conseiller d'État, puis président du Comité de l'Intérieur. Ses principales œuvres sont *Leçons d'anatomie comparée* (1800-1805) ; *Recherches sur les ossements fossiles* (1812-1813) ; *Le Règne animal distribué d'après son organisation* (1816-1817) ; *Histoire naturelle des poissons* (1828) ; et *Discours sur la révolution de la surface du globe* (1825). Nommé pair de France en 1831, il avait été reçu à l'Académie française en 1818.

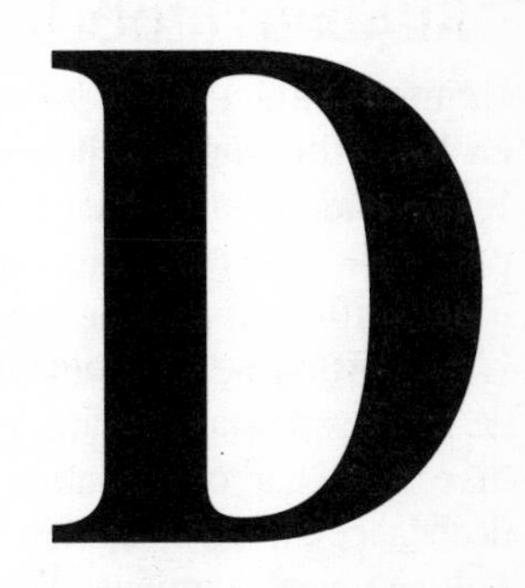

DAGOBERT

Fils de Clotaire II et de Bertrude, né vers 602. Roi des Francs (629), il s'appliqua à réduire la puissance des grands et celle du clergé, avec l'aide de ses conseillers, saint Éloi et saint Ouen. À la mort de son père et de son frère Caribert, il réunit la Neustrie et l'Aquitaine à l'Austrasie qu'il gouvernait, rétablissant ainsi l'unité du royaume.
Il soumit ensuite les Saxons, les Bretons et les Gascons. Mais, à en croire les chroniqueurs, il ternit l'éclat de ses conquêtes par sa cruauté et sa passion des femmes. Il mourut en 639, et fut enseveli à Saint-Denis.

DAGUERRE (LOUIS JACQUES)

Inventeur français né à Cormeille-en-Parisis (1787), mort à Bry-sur-Marne (1851). Il imagina le diorama et perfectionna avec Niepce l'invention de la photographie. En 1838, il mit au point le daguerréotype dont le procédé lui fut acheté par l'État l'année suivante.

DALADIER (ÉDOUARD)

Homme politique français né à Carpentras en 1884, mort à Paris en 1970. Il fut un des chefs du parti radical-socialiste. Plusieurs fois président du Conseil et plusieurs fois ministre, notamment pendant le Front populaire, il signa, croyant éloigner les risques d'un conflit européen, les accords de Munich (sept. 1938).

L'année suivante, à la suite du pacte germano-soviétique, il prit de sévères mesures contre les communistes, faisant notamment dissoudre les organisations de ce parti et proclamant la déchéance de ses députés. Au moment de l'invasion de la Pologne par les troupes d'Hitler, aussitôt après l'Angleterre, il signa la déclaration de guerre contre l'Allemagne (3 sept. 1939). Lors de la constitution du gouvernement Pétain, il fut mis en résidence surveillée, puis traduit devant un tribunal chargé de déterminer sa part de responsabilité dans la défaite (procès de Riom, février 1942). Livré aux Allemands, il fut déporté à Buchenwald en avril 1943. Après la guerre, il reprit ses activités dans son parti.

DANTON (GEORGES JACQUES)

Homme politique français né à Arcis-sur-Aube en 1759, mort à Paris en 1794. Avocat au Conseil du roi (1787), il manifesta sa sympathie pour les idées révolutionnaires dès 1789. Fondateur du club des Cordeliers (1790), il y affirma ses qualités de tribun. Substitut du procureur à la Commune (1791), il organisa l'attaque des Tuileries (journée du 10 août 1792). Élu à la Convention (8 septembre 1792) il siégea à la Montagne et hâta le jugement et la condamnation de Louis XVI.

Il ternit l'éclat de son nom en ordonnant les massacres de Septembre et en instaurant le régime de la Terreur. Il institua le Tribunal révolutionnaire et le premier Comité de salut public (1793). Confronté au problème des affaires extérieures et à la

défense contre la coalition européenne, il préconisa la levée en masse de troi cent mille hommes.
Cependant, après l'écrasement des Girondins, il vit se lever contre lui les Hébertistes et les partisans de Robespierre. Ce dernier le fit arrêter le 31 mars 1794 en même temps que Camille Desmoulins et, sous l'inculpation de conspiration contre la République, condamner à mort. Sur l'échafaud, il dit en se tournant vers le bourreau : « Tu montreras ma tête au peuple : elle en vaut bien la peine ! »

DARLAN (FRANÇOIS)

Amiral et homme politique français, né à Nérac en 1881. Nommé chef d'état-major général de la marine (1936), puis commandant en chef des forces navales (1937), il fut ensuite ministre de la Marine, des Affaires étrangères et de l'Intérieur. Chargé de la vice-présidence du Conseil dans le gouvernement de Vichy, ce dernier en fit son successeur désigné après le renvoi de Laval (1941). Une rencontre avec Hitler à Berchtesgaden déboucha sur les accords Darlan-Warlimont (21 mai 1941) qui auraient permis à l'ennemi d'utiliser en Afrique les ports et aérodromes, s'ils n'avaient été repoussés par le gouvernement de Vichy. Ce furent les premiers pas vers la collaboration. Cependant, les Allemands ayant exigé le retour de Laval, Darlan démissionna (avril 1942). Il resta néanmoins chef des armées.
À Alger, où il se trouvait au moment du débarquement anglo-américain (8 nov. 1942), son autorité fut reconnue par les Américains. Mais, sans crédit auprès des gaullistes et des Anglais en raison de ses activités pro-allemandes et sans l'appui des partisans de Pétain depuis ses contacts avec l'Amérique, il multiplia le nombre des mécontents en maintenant en place les hommes et les institutions de Vichy. Il fut assassiné par le jeune monarchiste Fernand Bonnier de La Chapelle le 24 décembre 1942.

DAUBENTON (LOUIS JEAN-MARIE D'AUBENTON, DIT)

Naturaliste français né à Montbard en 1716, mort à Paris en 1800. Il exerça d'abord la médecine. Puis il embrassa la fonction de démonstrateur au Jardin du roi (1742) sur la demande de Buffon. Collaborant alors à son*Histoire naturelle* dont il rédigea la partie relative à l'anatomie animale.
En 1778, il fut nommé professeur d'histoire naturelle au Collège de France, puis professeur d'économie rurale à Alfort (1783). Il enseigna ensuite la minéralogie au Muséum (1793) et à nouveau l'histoire naturelle à l'École normale (1795). Il s'occupa aussi d'élevage et d'acclimatation, sujets qu'il développa dans plusieurs ouvrages. Il rédigea aussi des articles pour l'*Encyclopédie*.

DAUDET (ALPHONSE)

Écrivain français né à Nîmes en 1840, mort à Paris en 1897. La fantaisie et la réalité se mêlent dans l'œuvre de ce méridional qui sut conquérir le public dès la parution des *Lettres de mon moulin* (1866). La prose de ces contes enchanta les contemporains par sa fraîcheur et sa délicatesse. Dans *Le Petit Chose* (1868), il évoque les années où il enseigna à l'école d'Alès. En 1872, un voyage en Algérie lui inspira *Tartarin de Tarascon*. La même année, il écrivit aussi son unique pièce de théâtre, *L'Arlésienne*, que le bel opéra de Bizet a immortalisée. On lui doit encore *Les Contes du lundi* (1873), *Les Rois en exil* (1879) et *Sapho* (1884).

DAVID (JACQUES-LOUIS)

Peintre français né à Paris en 1748, mort à Bruxelles en 1825. Élève de Boucher, son parent, prix de Rome en 1774, il résida quelques années en Italie où il puisa son inspiration pour *Le Serment des Horaces* (1784) et *Les Licteurs rapportant à Brutus*

la mort de son fils (1789). Admirateur de Robespierre, élu député à la Convention, il vota la mort du roi et organisa les fêtes républicaines. À cette époque il peignit *Le Serment du Jeu de paume* et *Marat assassiné*, *Les Sabines* (1899). Partisan de Bonaparte, il se vit confier la charge de premier peintre en 1804.
Il produisit une suite de chefs-d'œuvre comme *Bonaparte au Grand Saint-Bernard* (1801) ; *Le Sacre* (1805) ; *La Distribution des aigles* (1810). Il fut le maître d'Ingres, de Gros, de Gérard, incarnant le néo classicisme dans l'Europe artistique.

DAVOUT (LOUIS NICOLAS, DUC D'AUERSTAEDT, PRINCE D'ECKMÜHL)

Maréchal de France né à Annoux (Yonne) en 1770, mort à Paris en 1823. Condisciple de Napoléon à l'école de Brienne, il fut chef de bataillon sous Dumouriez, dans l'armée du Nord (1793). Puis il fut nommé général de brigade des armées de Moselle et du Rhin. Durant la campagne d'Égypte, il contribua à la victoire d'Aboukir. En Italie (1800-1801), il prit le commandement de la cavalerie. Fait maréchal en 1804, il s'illustra aux batailles d'Auerstaedt (1806) et d'Eckmühl (1809). En 1810, il commanda l'armée d'Allemagne et prit une brillante part à la campagne de Russie. En 1813 enfin, gouverneur de Hambourg, il défendit cette ville avec une indomptable fermeté jusqu'à la chute de Napoléon. Pendant les Cent-Jours, il eut le portefeuille de la Guerre. Exilé, il revint en 1818 et devint pair de France (1819).

DEBUSSY (CLAUDE)

Compositeur français né à Saint-Germain-en-Laye en 1862, mort à Paris en 1918. Grand prix de Rome en 1884 pour sa cantate *L'Enfant prodigue*, il revint à Paris deux ans plus tard et se lia avec Erik Satie. D'abord admirateur de Wagner, il découvrit Chabrier, Moussorgsky et, à l'Exposition internationale de 1889, s'enthousiasma pour la musique pentaphonique d'Extrême-Orient, fréquenta les symbolistes. C'est avec *Ariettes oubliées* qu'il révéla sa véritable personnalité. *Prélude à l'après-midi d'un faune* d'après le poème de Mallarmé (1894), *Pelléas et Mélisande* (1892-1902), drame symboliste sur un texte de Maeterlinck, *Les Nocturnes* pour orchestre (1898) achevèrent de consacrer sa renommée. Ce furent ensuite les pages pour piano intitulées *Estampes* (1903), *D'un cahier d'esquisses* (1904) et le poème symphonique *La Mer* (1905). Puis les 24 *Préludes* composés en hommage à Chopin. En 1911, pour les *Ballets russes* de Diaghilev, il écrivit encore *Jeux* (1912). Précurseur du mouvement musical de la première moitié du XXe siècle, on lui doit une nouvelle perception des rythmes et des harmonies, au détriment de la musique tonale.

DECAZES ET DE GLÜCKSBERG (ÉLIE, DUC)

Homme d'État français né à Saint-Martin-de-Laye (Gironde) en 1780, mort à Decazeville en 1860. Avocat à Libourne, juge au tribunal de la Seine (1806), conseiller l'année suivante au cabinet de Louis Bonaparte (alors roi de Hollande), puis conseiller à la cour d'appel de Paris, il se rallia aux Bourbons sous la Restauration. En conséquence, il obtint de Louis XVIII le poste de préfet de police (1815), un siège à la Chambre et, la même année, le ministère de la Police.

Il soutint une politique de modération qu'il put appliquer en 1819 lorsqu'il acquit le portefeuille de l'Intérieur et la présidence du Conseil. Après l'assassinat du duc de Berry (février 1820), il dut démissionner à cause des haines qu'avait soulevées chez les ultras son attitude modérée.

Fait duc et pair, il se rallia à Louis-Philippe en 1830. Il créa les forges de Decazeville.

DÉCLARATION DES DROITS DE L'HOMME

Inspirée des concepts de Montesquieu et des philosophes du XVIIIe siècle, votée en août 1789 par l'Assemblée constituante, la Déclaration des droits de l'homme et du citoyen servit de préface à la Constitution de 1791. En voici les principes essentiels : ❒ les hommes naissent et demeurent libres et égaux en droits ; ❒ la nation est souveraine ; ❒ la propriété est un droit inviolable et sacré ; ❒ chacun doit obéissance à la loi, expression de la volonté générale ; ❒ tous les citoyens, selon leurs capacités, sont admis aux emplois publics ; ❒ la liberté d'opinions, de croyances, de la parole et de la presse est reconnue, à condition qu'elle ne trouble pas l'ordre public ; ❒ par la création d'une force publique, l'État s'engage à garantir les droits de chacun et veillera à la répartition équitable des contributions librement acceptées par les représentants de la nation.

La Déclaration des droits de l'homme de 1789 sera suivie par celles de 1793 et de 1795, auxquelles elle survivra.

DEFFAND (MARIE DE VICHY-CHAMROND, MARQUISE DU)

Petite-fille de la duchesse de Choiseul née au château de Chamrond, en Bourgogne (1697), morte à Paris en 1780. Après une vie passablement dissolue, elle fréquenta la cour de Sceaux où elle rencontra les beaux esprits de l'époque. Dans son salon vinrent Diderot, Voltaire, Montesquieu, Hume, d'Alembert, etc. Aveugle en 1753, elle entretint cependant une relation épistolaire assidue avec Walpole. L'ensemble de sa correspondance a été publié.

DELACROIX (EUGÈNE)

Peintre français né à Saint-Maurice (Seine) en 1798, mort à Paris en 1863. Admirateur de Géricault, il débuta avec son *Dante et Virgile aux enfers* (1822) qui fit scandale. *Le Massacre de Scio* (1824), *Le Christ au mont des Oliviers*, *La Mort de Sardanapale* le firent applaudir comme un puissant coloriste. Il s'affirma dès lors comme chef de file de l'école romantique avec *La Liberté guidant le peuple sur les barricades*, *Raphaël dans son atelier*. D'un voyage au Maroc (1835), il rapporta *Les Femmes d'Alger*. Pour le salon de 1837, il réalisa la *Bataille de Taillebourg*. Au salon de 1840, ce furent *La Justice de Trajan* et la *Prise de Constantinople par les croisés*. Entre 1838 et 1847, il exécuta les peintures de la bibliothèque du Luxembourg, celles de la Chambre des députés ; puis, à partir de 1849, il décora le plafond de la galerie d'Apollon du Louvre et le salon de la Paix de l'Hôtel de Ville. Lors de l'Exposition universelle parut sa *Chasse aux lions*. Il avait entre-temps décoré les murs de la chapelle des Saints-Anges à Saint-Sulpice. On retient de ce travailleur infatigable la richesse des couleurs et l'intensité dramatique. Peintre de premier plan, il fut aussi un homme d'une culture peu commune, comme en témoigne son *Journal* rédigé entre 1822 et 1863.

DELORME OU DE L'ORME (PHILIBERT)

Architecte français né à Lyon vers 1510, mort à Paris en 1570. Après des études à Rome, il fut appelé à Paris où il entra au service du roi Henri II et de Diane de Poitiers, pour qui il réalisa son chef-d'œuvre : le château d'Anet, commencé en 1545. Évincé dans sa fonction de surintendant des Bâtiments par le Primatice, il revint en faveur sous Catherine de Médicis, pour qui il construisit le corps central du palais des Tuileries (1564-1567). On lui doit aussi des travaux aux châteaux de Chenonceaux, de Fontainebleau, etc.

DENFERT-ROCHEREAU (PIERRE PHILIPPE)

Officier français né à Saint-Maixent en 1823, mort à Versailles en 1878. Il combattit pendant la guerre de Crimée (1855), mais il est surtout connu pour son héroïque défense de Belfort (novembre 1870-février 1871) qu'il ne livra qu'après l'armistice et sur l'ordre du gouvernement. C'est grâce à sa belle résistance que la France put conserver cette ville. Député à l'Assemblée nationale (1871-1878), il soutint la politique de Gambetta.

DESAIX DE VEYGOUX (LOUIS-CHARLES-ANTOINE DES AIX, DIT)

Général français né au château Saint-Hilaire-d'Ayat en 1768. Il combattit vaillamment dans les armées du Rhin (1793-1794). Envoyé en mission auprès de Bonaparte, il fut chargé par ce dernier du commandement de l'avant-garde de l'armée d'Orient (prise de Malte et campagne d'Égypte).

Pendant la campagne d'Italie, à Marengo, marchant au canon, il transforma la défaite en victoire mais fut tué d'une balle dans le cœur pendant cet assaut (1800). Bonaparte, qui l'avait en grande amitié, fit rendre des honneurs à sa mémoire.

DESCARTES (RENÉ)

Philosophe et savant français né à La Haye (Touraine) en 1596, mort à Stockholm en 1650. Il fit ses études chez les Jésuites, à La Flèche, et embrassa d'abord la carrière des armes. Il servit comme volontaire sous les ordres du prince Maurice de Nassau, puis sous ceux du duc de Bavière, et enfin en Hongrie pour le comte de Bucquoy, à la mort duquel (1621) il abandonna l'armée et voyagea en Allemagne, en Hollande, en Suisse et en Italie.

C'est alors qu'il résolut de se consacrer aux sciences et à la philosophie, peu attiré par le pouvoir et la renommée. Après quelques

années passées à Paris (1625-1628), il s'établit en Hollande où il resta vingt ans. Dans son *Traité du monde*, l'un de ses premiers écrits, il admet, comme Galilée, la rotation de la terre autour du Soleil ; la condamnation du savant italien (1633) lui fit renoncer à la publication de cet ouvrage. Dans le *Discours de la méthode* (1637), il se libère de la doctrine scolastique en établissant le principe de déduction. Ce livre fut suivi de trois traités qui en sont l'application : *Dioptrique*, *Météores* et *Géométrie*.
En 1641 parurent les *Méditations métaphysiques*, démonstration de l'existence de Dieu et de l'existence de l'âme. Puis vinrent le *Principes de la philosophie* (1644) et le *Traité des passions* (1649). Il fit trois voyages en France où il rencontra Pascal. Invité à se rendre en Suède sur la demande de la reine Christine, il y mourut peu après son arrivée (1650).
La méthode qu'il avait formulée : « Conduire en ordre ses pensées pour atteindre la vérité par l'intuition et la déduction », il l'appliqua aux mathématiques et l'étendit aux autres sciences. Il est le père du rationalisme et du matérialisme modernes.

DESCHANEL (PAUL)

Homme politique français né à Bruxelles en 1855, mort à Paris en 1922. Député en 1885, il assura la présidence de la Chambre de 1898 à 1902, puis de 1912 à 1920. Élu président de la République en 1920, il démissionna la même année pour raison de santé, après être, en pleine nuit, tombé d'un train.

DESMOULINS (CAMILLE)

Publiciste et homme politique français né à Guise (Aisne) en 1760, mort à Paris en 1794. Il étudia au lycée Louis-le-Grand en même temps que Robespierre et embrassa d'abord une carrière d'avocat. Rallié aux idées de la Révolution, il rédigea de violents pamphlets contre la monarchie et prit part aux insurrections des

12 et 14 juillet 1789. Fondateur du journal *Les Révolutions de France et de Brabant*, il devint secrétaire de Danton (1792) qui l'avait apprécié au club des Cordeliers et fut élu député à la Convention nationale.
Il s'attaqua ensuite aux Girondins dans l'*Histoire des brissotins*, puis aux hébertistes lorsqu'il créa le périodique *Le Vieux Cordelier* (décembre 1793). Il soutint la politique de Danton et des « indulgents » et approuva la formation d'un Comité de clémence, ce qui éveilla la défiance de Robespierre. Arrêté le 31 mars 1794, il fut guillotiné le 5 avril suivant. Sa femme Lucile, âgée de 23 ans, subit le même sort le 13 avril pour avoir pris sa défense.

DIDEROT (DENIS)

Philosophe français né à Langres en 1713, mort à Paris en 1784. Il étudia la théologie, la philosophie et le droit. Puis, pendant dix ans, mena une existence libre durant laquelle il exerça divers métiers. C'est en traduisant l'encyclopédie anglaise d'Ephraïm Chambers qu'il eut l'idée de celle qu'il allait promouvoir en France. Pour la réalisation de cette œuvre, il s'adjoignit d'Alembert et en dirigea les travaux de 1747 à 1766.
Ses écrits variés témoignent de l'évolution de sa pensée. Si, dans ses *Pensées philosophiques* (1746), il développe un point de vue déiste, dans sa *Lettre sur les aveugles à l'usage de ceux qui voient* (1749), il adopte en revanche un naturalisme athée (cet ouvrage lui valut d'ailleurs un emprisonnement de quelques mois). Dans les *Pensées sur l'interprétation de la nature* (1753), il livre un aperçu de son intérêt pour les sciences expérimentales. Enfin, dans le *Supplément au rêve de d'Alembert* (1769), il énonce les principes d'une morale naturelle. S'opposant à Rousseau, il écrivit aussi *Le Fils naturel* et les *Entretiens sur le Fils naturel* (1757).
En 1773, il entreprit un voyage en Russie pour remercier Cathe-

rine II de lui avoir acheté sa bibliothèque (vendue pour doter sa fille). Il a écrit, par ailleurs, *La Religieuse* (1760), pamphlet visant la vie conventuelle ; *Le Neveu de Rameau* (1770-1772) que Gœthe traduisit en allemand ; *Jacques le fataliste et son maître* (1773) et un *Essai sur le règne de Claude et de Néron*. Il mourut en 1784 dans son appartement de la rue de Richelieu que Catherine II avait fait louer pour lui.

DIRECTOIRE

Les auteurs de la Constitution de l'an III (août 1795), las des « gouvernements forts » ont voulu rendre impossible la dictature d'un homme ou d'une assemblée. Ils ont confié le pouvoir législatif à deux assemblées au lieu d'une, le *Conseil des Cinq-Cents* pour préparer les lois, le *Conseil des Anciens* pour les voter, et un pouvoir exécutif à cinq *directeurs*, lesquels n'ont pas le droit de dissoudre les chambres, lesquelles n'ont pas le droit de les renverser. Mais en cas de désaccord, aucun d'eux ne pouvait imposer légalement sa volonté à l'autre. Directeurs et conseils allaient tour à tour recourir à des coups d'État pour se succéder. Présent dans les deux Directoires, Barras fut la figure de proue de ce régime, et si ses collègues, dont Sieyès, ou Carnot, furent intègres, il fut, lui, toujours prêt à se vendre, et son comportement fut pour beaucoup dans l'impopularité du régime.
Le gouvernement avait contre lui les royalistes (le comte de Provence avait pris la tête des émigrés et le titre de roi de France) et les Jacobins, qui voulaient reprendre un pouvoir perdu après le 9 Thermidor. Le Directoire décréta ne rembourser que les deux-tiers de la dette publique. Cette banqueroute le tira d'embarras, mais le discrédita définitivement.
À l'extérieur, la guerre contre l'Angleterre et l'Autriche continuait. Carnot, pour forcer l'Autriche à demander la paix, lança contre elle trois armées, deux en Allemagne et une en l'Italie du Nord, commandée par le général Bonaparte qui, après une cam-

pagne éclair, arracha à l'Autriche le traité de Campoformio sans tenir compte des consignes du Directoire, qui chercha à l'éloigner en l'envoyant en Égypte.
En 1799, les grands États, inquiets de la politique expansionniste du Directoire, reprirent l'offensive, et l'Autriche et la Russie chassèrent les Français d'Allemagne et d'italie. Les Anglais, débarqués en Hollande, furent repoussés; les Austro-Russes furent battus à Zurich par Masséna. La France était sauvée quand Bonaparte, revenu précipitamment d'Égypte, débarqua. Il s'entendit avec deux directeurs et le Conseil des Anciens. Nommé commandant militaire de la région de Paris, il fit expulser par la troupe, le 18 brumaire (9 novembre 1799), les députés républicains de la salle des Cinq-Cents et prenait le pouvoir: le Consulat succédait au Directoire.

DORIOT (JACQUES)

Homme politique français, né à Bresle (Oise) en 1898. D'abord membre du parti communiste (1920), il en fut exclu à la suite d'initiatives jugées intempestives. Il fonda alors en 1936 le Parti populaire français (PPF) aux tendances franchement opposées, et le journal *Liberté*. Puissant orateur, il défendit les grandes idées fascistes: antisémitisme, anticommunisme, antiparlementarisme. Après l'armistice de 1940, il se déclara « l'homme du Maréchal ». Convaincu du bien-fondé de la collaboration avec l'Allemagne, il contribua à la création de la LVF (Légion des Volontaires Français contre le bolchevisme).
Lui-même s'engagea à plusieurs reprises et se battit sur le front de l'Est pour le Reich. À la Libération, il gagna l'Allemagne avec les autres membres du gouvernement de Vichy. En février 1945, il trouva la mort de façon mystérieuse, mitraillé dans son automobile – peut-être par un avion de la *Luftwaffe*.

DOUMER (PAUL)

Administrateur et homme politique français, né à Aurillac en 1857. Deux fois ministre des Finances (1895-1896 et 1921-1922) il fut entre-temps gouverneur général de l'Indochine (1897-1902). Président de la Chambre en 1904, puis du Sénat en 1927, il fut élu président de la République en 1931 mais mourut un an plus tard assassiné par un Russe émigré nommé Gorgulov.

DOUMERGUE (GASTON)

Homme politique français né et mort à Aigues-Vives (1863-1937). Avocat, puis juge, élu député radical-socialiste en 1893, ministre aux Colonies, à l'Instruction publique, aux Affaires étrangères, il parvint à la présidence de la République après le départ de Millerand (1924). Rappelé à la présidence du Conseil après la manifestation du 6 février 1934, il réforma le gouvernement d'union nationale mais démissionna quelques mois plus tard sous la pression de la gauche.

DRAGONNADES

Louis XIV, en monarque absolu, ne supportait pas que certains de ses sujets aient une autre religion que la sienne. Dès 1661, pour décider les protestants à se convertir au catholicisme, il laissa Louvois organiser les « dragonnades ». Les régiments de *dragons* du roi, soldats à demi brigands, « missionnaires bottés », s'installaient chez les protestants, principalement en Poitou, dans les Cévennes et le Béarn, et sachant qu'ils ne seraient pas punis, volaient, violaient, maltraitaient leurs hôtes. Beaucoup de protestants, terrifiés, acceptèrent de se convertir afin que les dragons s'en aillent. Louis XIV finit par révoquer l'édit de Nantes (1685), accélérant ainsi l'exode des protestants vers l'Angleterre, la Suède, l'Allemagne et la Hollande où ils fondèrent des fabriques et développèrent le commerce.

DREYFUS (ALFRED)

Militaire français né à Mulhouse en 1859, mort à Paris en 1935. Issu d'une famille juive alsacienne, il était attaché à l'état-major de l'armée lorsqu'en décembre 1894, il fut accusé et condamné par le conseil de guerre pour livraison de secrets de la Défense nationale à l'Allemagne. Il fut déporté sur l'île du Diable en Guyane, après avoir été dégradé. L'affaire passionna et divisa les Français, donnant naissance à des manifestations de tous ordres : antisémites, nationalistes, antimilitaristes. De grands noms s'y trouvèrent mêlés comme celui de Clemenceau, de Jaurès ou de Zola. Le procès fut alors révisé.
Un nouveau conseil de guerre réuni à Rennes condamna Dreyfus à dix ans de réclusion (août 1899), mais le nouveau président de la République, Émile Loubet, le gracia peu après. En 1906, le jugement de Rennes fut cassé et Dreyfus réintégré dans l'armée.

DRUIDES

Ils formaient le corps sacerdotal chez les peuples celtiques. Leur enseignement se faisait oralement et pour cette raison n'a guère laissé de traces. Ils possédaient une science sacrée dont la compréhension s'est perdue. On sait cependant que leur doctrine proclamait l'immortalité de l'âme et sa transmigration. Ils croyaient en un principe divin unique. Leur ordre se divisait en trois degrés correspondant à trois états d'initiation : les *prêtres* à proprement parler, détenteurs de la connaissance et du pouvoir ; les *eubages*, adonnés aux sciences divinatoires ; et les *bardes* qui, par leurs chants, perpétuaient les mythes où était contenu le savoir. Avec le temps, l'autorité sacerdotale passa aux mains de la caste guerrière et il se fit un renversement qui brisa ce gouvernement théocratique. Les druides se réunissaient dans des lieux consacrés afin de recueillir la plante divine, le gui. Ces cérémonies étaient accompagnées de sacrifices.

DU BARRY (MARIE-JEANNE BÉCU, COMTESSE)

Née en 1746, fille d'une couturière, Jeanne Bécu, courtisane à Paris, fut remarquée par le comte Du Barry qui la prostitua dans les cercles de jeux et qui la présenta à Louis XV en 1759. Devenue la maîtresse en titre du roi (la Pompadour était morte depuis quatre ans), la Du Barry se mêla d'intrigues et de politique, obtenant le renvoi de Choiseul. À la mort du roi, elle fut reléguée dans un couvent, d'où les révolutionnaires la sortirent pour la conduire à l'échafaud, en 1793.

DUCOS (PIERRE-ROGER)

Conventionnel né à Dax en 1747. Député montagnard, il vota la mort de Louis XVI et entra au Conseil des Anciens. Élu membre du Directoire en 1799, il soutint le coup d'État du 18 brumaire. Nommé consul, il fut remplacé par Lebrun. Sénateur sous l'Empire, il se vit contraint de quitter la France en 1816 et s'exila à Ulm où il mourut la même année.

DU GUESCLIN (BERTRAND)

Né à La Motte-Broons (Bretagne) vers 1320. D'abord au service de Charles de Blois, il combattit ensuite pour Charles V dont il reçut le comté de Longueville. Vainqueur de Charles le Mauvais à Cocherel (1364) il fut pris à la bataille d'Auray. Le roi paya la rançon et le chargea de débarrasser le royaume des Grandes Compagnies, ce qu'il accomplit en les menant défendre les droits sur la Castille d'Henri de Trastamare, que lui disputait son frère Pierre le Cruel. Il s'y couvrit de gloire, mais, vaincu et fait prisonnier en 1367 par le prince de Galles (dit le Prince Noir), le roi dut à nouveau payer sa rançon.

Par la victoire de Montiel (1369), il rendit son trône à Trastamare et c'est à son retour que Charles V le nomma connétable.

Suivit alors une série de fructueuses campagnes contre les Anglais (Pontvallain, 1370), qu'il chassa du Poitou, de la Normandie, de la Guyenne et de la Saintonge et dont il réduisit les possessions bretonnes à Derval et à Brest.
Il mourut en assiégeant Châteauneuf-de-Randon, en 1380. Les Anglais vinrent déposer sur son cercueil les clefs de la ville. Il est enterré à Saint-Denis.

DUMAS (ALEXANDRE DAVY DE LA PAILLETERIE, DIT)

Écrivain et auteur dramatique français né à Villers-Cotterêts en 1802, mort à Puys (Seine-Maritime) en 1870. Clerc de notaire dans son adolescence, il aborda de bonne heure son étonnante carrière littéraire et connut la gloire dès la parution de *Henri III et sa cour* (1829). D'autres drames suivirent, mais il reste l'inoubliable auteur des *Trois Mousquetaires* (1844), de *Vingt Ans après* (1845), de *La Reine Margot* (1845), du *Vicomte de Bragelonne* (1848), du *Comte de Monte-Cristo* (1844), etc.
Il accumula aussi des impressions de voyage, fonda deux journaux qui le ruinèrent et, tels les héros de ses propres romans, s'en fut à la suite de Garibaldi en Italie, dans la fameuse expédition des Mille. Il écrivit ou signa au total quelque 257 ouvrages romanesques et 25 drames, employant pour cela une armée de collaborateurs, dont Gérard de Nerval. Ni érudit ni historien, il sut camper des héros mémorables dont les aventures, publiées en feuilletons par plusieurs journaux, divertirent les foules de l'époque passionnées par ce prodigieux conteur.

DUMAS FILS (ALEXANDRE)

Fils naturel de l'auteur des *Trois Mousquetaires*, né à Paris en 1824, mort à Marly-le-Roi en 1895. Il fit ses débuts dans le théâtre avec *La Dame aux camélias* (1852), pièce tirée d'un roman qu'il avait écrit quatre ans plus tôt.

Il inaugura le genre des « pièces à thèses » dont le réalisme frappa le public: *Le Demi-monde* (1855), *La Question d'argent* (1857), *La Femme de Claude* (1873), *Francillon* (1887). Il se fit aussi le champion des cas sociaux provoqués par le divorce ou l'adultère: *Le Fils naturel* (1859).

DUMONT D'URVILLE (JULES)

Navigateur français né à Condé-sur-Noireau en 1790, mort à Meudon en 1841. Après avoir coopéré aux recherches hydrographiques (1819-1820) en mer Noire et en mer Égée (d'où il ramena la Vénus de Milo), il entreprit une circumnavigation (1822-1825) sous les ordres du capitaine Duperrey. Il en rapporta une *Flore des Malouines*.

Il reçut alors le commandement de deux corvettes, avec pour mission d'explorer l'Océanie (1826-1829). Il y accomplit aussi d'importants travaux hydrographiques et, visitant l'île de Vanikoro, y reconnut, après le capitaine anglais Dillon, le lieu où avait péri son illustre prédécesseur La Pérouse. Il fit alors paraître son *Voyage et découvertes autour du monde et à la recherche de La Pérouse* (1822-1834).

Trois ans plus tard, avec ses deux navires, il explora l'Antarctique et découvrit la terre Louis-Philippe (1839) et la Terre Adélie, baptisée du prénom de son épouse (1840). Ce grand navigateur trouva la mort dans un accident de chemin de fer, entre Versailles et Paris. Son *Voyage au pôle Sud et en Océanie* (1842-1846) parut en édition posthume.

DUMOURIEZ (CHARLES FRANÇOIS DU PÉRIER, DIT)

Général français né à Cambrai en 1739. Il se distingua pendant la guerre de Sept Ans (1756-1763), puis entra dans la diplomatie secrète de Louis XV et fut chargé par Choiseul de missions en Hongrie et en Pologne. Sous le règne de Louis XVI, il prit le commandement de Cherbourg. Partisan des idées révolutionnaires il se lia avec Mirabeau, La Fayette, le duc d'Orléans et devint membre du club des Jacobins. Appuyé par les Girondins, il se vit confier le portefeuille des Affaires étrangères en 1792. Démissionnaire peu après, il dirigea les armées du Nord et gagna, avec Kellerman, la bataille de Valmy (septembre 1792), celle de Jemmapes (novembre 1792) et occupa la Belgique. Lors de la formation de la première coalition, il fut battu à Neerwinden (18 mars 1793) et à Louvain (31 mars 1793).
Accusé de trahison, sommé de comparaître devant la Convention, il complota contre elle et tenta même de marcher sur Paris. Abandonné de ses soldats, il dut fuir à l'étranger et passa à l'ennemi. Il mourut à Turville-Park, en Angleterre, en 1823.

DUPLEIX (JOSEPH FRANÇOIS)

Gouverneur général de la Compagnie des Indes, né à Landrecies (Hainaut) en 1696. Il développa le commerce français au détriment de l'Angleterre et donna à la Compagnie une extension considérable. Par ailleurs, il acquit de vastes territoires à la France. Pour cela, il eut à s'opposer aux Anglais qu'il vainquit d'abord à Madras, mais qu'il ne put soumettre à Pondichéry.
Cependant, le conflit s'éternisant, il fut rappelé en France (1754) où sa politique fut désavouée. Il mourut à Paris, en 1763, après avoir vu l'anéantissement de son œuvre et l'abandon de l'Inde à l'Angleterre.

ÉDOUARD (PRINCE DE GALLES, DIT LE PRINCE NOIR)

Né à Woodstock en 1330, mort à Westminster en 1376, fils d'Édouard III, roi d'Angleterre, et de Philippine de Hainaut. Il remporta la bataille de Crécy contre Philippe VI (1346), puis celle de Poitiers au terme de laquelle le roi Jean le Bon fut fait prisonnier (1356). Nommé en 1363 prince d'Aquitaine par son père, il se fixa à Bordeaux où il entretint une brillante cour, tout en dirigeant sa province d'une main de fer. En 1367, il combattit en Espagne contre Du Guesclin et le vainquit à Najera.

ÉDUENS

Puissant peuple gaulois, rival des Arvernes, qui vivait sur l'emplacement de l'actuelle Bourgogne et du Nivernais. Leur capitale se nommait Bibracte (Autun). Les Romains s'allièrent à eux et le Sénat les proclama frères de la République. Cependant, lors de l'insurrection menée par Vercingétorix, ils prirent son parti. César les soumit avec le reste de la Gaule.

EIFFEL (GUSTAVE)

Ingénieur français né à Dijon en 1832, mort à Paris en 1923. On lui doit l'édification d'ouvrages métalliques tels que le viaduc de Garabit (1882), qui enjambe les gorges de la Truyère sur une longueur de 564 mètres, et la tour qui porte son nom, élevée à l'occasion de l'Exposition universelle de 1889.
L'érection de la tour provoqua les violentes protestations de personnalités comme Maupassant, Gounod, etc. En 1893, Eiffel fut compromis dans le scandale financier de Panama.

ESTIENNE (HENRI)

Né à Paris vers 1531, issu d'une famille protestante d'imprimeurs et de libraires, il se passionna dès son enfance pour la langue grecque. À Genève, avec le soutien du grand banquier Fugger, il fonda à son tour une imprimerie où parurent de nombreux textes grecs et latins. Il fut un des grands érudits de son temps. Mort à Lyon en 1598.

ÉTATS GÉNÉRAUX

Avant 1789, les états généraux étaient une assemblée politique composée de membres issus des trois ordres (clergé, noblesse et tiers état) et réunie par le souverain afin de débattre des questions extraordinaires du royaume. La première assemblée nationale qui prit le nom d'états généraux fut convoquée par Philippe le Bel en 1302. Elle fut suivie d'autres, comme celle qui abolit l'ordre du Temple (1308), ou celle qui ratifia le traité de Troyes (1420). Ce fut en venant participer aux états généraux de Blois que le duc de Guise et son frère, le cardinal de Lorraine, furent assassinés sur l'ordre d'Henri III (1588).
En 1789, la bourgeoisie (tiers état) s'imposa devant les deux autres ordres et rallia à elle la majorité du clergé et une minorité libérale de la noblesse. Ensemble, ils jurèrent « de ne pas se

séparer avant d'avoir donné une Constitution à la France » : ce fut le serment du Jeu de paume. Le roi dut s'incliner. Le 9 juillet 1789, l'Assemblée nationale devint l'Assemblée constituante et inaugura la monarchie constitutionnelle.

EUDES

Comte de Paris, puis roi de France, né vers 860. Il était le fils aîné de Robert le Fort. Il défendit Paris contre les Normands et remporta sur eux la victoire de Montfaucon (885). Après la déposition de Charles III le Gros, il prit le pouvoir (888) mais eut à combattre les grands du royaume. Mort en 898.

EUGÉNIE (DE MONTIJO DE GUZMAN, COMTESSE DE TEBA)

Impératrice des Français née à Grenade en 1826, morte à Madrid en 1920. Fille du comte de Montijo, grand d'Espagne, elle épousa Napoléon III en 1853. Catholique rigide, elle soutint le parti ultramontain. Elle assura deux fois la régence : d'abord pendant la guerre d'Italie (1859) ; ensuite pendant un voyage de l'empereur en Algérie (1865).

En 1870, elle influença la décision de son mari dans la déclaration de guerre à l'Allemagne. Après la chute du second Empire, elle se réfugia en Angleterre avec Napoléon III. Elle eut un fils, le prince impérial, qui fut tué en 1879, lors d'une expédition anglaise contre les Zoulous à laquelle il avait pris part.

ÉVIAN (ACCORDS D')

Ils furent conclus le 18 mars 1962 entre la France et le Gouvernement provisoire de la République algérienne (GPRA).

Ils reconnaissaient l'indépendance de l'Algérie, établissaient les modalités du cessez-le-feu et précisaient les conditions d'un futur référendum d'autodétermination.

FAIDHERBE (LOUIS LÉON CÉSAR)

Général français né à Lille en 1818, mort à Paris en 1889. Gouverneur du Sénégal de 1854 à 1865, il en fit la base de l'expansion française en Afrique occidentale. Pendant le conflit franco-prussien, il commanda l'armée du Nord (1870). En 1879, il participa à une mission scientifique en Haute-Égypte.

FAINÉANTS (ROIS)

On désigne ainsi les derniers rois de la dynastie mérovingienne qui, privés de toute autorité, laissèrent le pouvoir aux maires du Palais. Ce furent, successivement : Thierry III, Clovis IV, Childebert III, Dagobert III, Chilpéric II, Thierry IV et Childéric III.

FALCONET (ÉTIENNE)

Sculpteur français né et mort à Paris (1716-1791). Il fut reçu à l'Académie en 1754 avec son *Milon de Crotone*. Mme de Pompadour lui confia la direction des ateliers de sculpture de la manufacture de Sèvres (1757-1766). Catherine II l'invita à Saint-Pétersbourg où elle lui confia l'exécution de la statue équestre de Pierre Le Grand, monument qui lui coûta douze années de travail.

FALLIÈRES (ARMAND)

Homme politique français né et mort à Mézin, dans le Lot-et-Garonne (1841-1931). Député en 1876, il siégea au parti républicain. Il occupa par la suite plusieurs ministères. Président du Conseil en 1883, plusieurs fois ministre de 1882 à 1892, sénateur en 1890, il fut élu président de la République en 1906. Il eut pour successeur Poincaré.

FALLOUX (FRÉDÉRIC, COMTE DE)

Homme politique français né à Angers en 1811, mort à Paris en 1886. Député en 1846, il siégea à l'extrême droite et défendit la liberté de l'enseignement. Après la révolution de 1848, il se rallia à la République, fut élu à la Constituante et contribua à la fermeture des Ateliers nationaux. Il soutint la candidature de Louis-Napoléon Bonaparte à la présidence (1848) et obtint le ministère de l'Instruction publique. Après le coup d'État de 1851, il se retira de la politique. On lui doit les lois qui portent son nom sur la liberté de l'enseignement (votées en 1850). Il se montra un ardent champion du parti catholique libéral. Dans l'espoir d'une restauration de la monarchie, il chercha un rapprochement entre orléanistes et légitimistes. Il a écrit les *Mémoires d'un royaliste* (1888). (Académie française)

FANTIN-LATOUR (HENRI)

Peintre français né à Grenoble en 1836, mort à Buré (Orne) en 1904. Il étudia avec Courbet et se spécialisa dans les natures mortes, puis dans les portraits. Ami des impressionnistes, il n'en subit pourtant pas l'influence. On l'a qualifié d'intimiste. Ses toiles les plus célèbres sont l'*Hommage à Delacroix* (1864), *Un atelier aux Batignolles* (1870), *Le Dîner des poètes* où figurent Verlaine et Rimbaud, le portrait de Baudelaire, celui de Manet…

FAURE (FÉLIX)

Homme politique français né et mort à Paris (1841-1899). Député en 1881, il fut ensuite ministre des Colonies, puis de la Marine (1883-1885). Devenu président de la République après la démission de Casimir-Perier (1895), son mandat fut marqué par la conquête de Madagascar, le renforcement de l'alliance franco-russe et par l'affaire Dreyfus.

FAVRE (JULES)

Homme politique français né à Lyon en 1809, mort à Versailles en 1880. Avocat de grand renom, il fut appelé comme secrétaire général au ministère de l'Intérieur en 1848. Élu à l'Assemblée constituante en 1848, puis à l'Assemblée législative en mai 1849, il fut l'un des chefs du groupe des républicains modérés et s'opposa au régime impérial après le coup d'État de 1851.
Hostile à l'expédition du Mexique (1861), puis à la guerre franco-prussienne (1870), il prit une part déterminante, après la défaite, à la journée du 4 septembre qui entraîna la chute de Napoléon III. Nommé vice-président du gouvernement de la Défense nationale et ministre des Affaires étrangères sous la présidence de Thiers, il fut chargé de négocier le traité de Francfort (1871) qui mettait fin à la guerre. (Académie française.)

FÉNELON (FRANÇOIS DE SALIGNAC DE LA MOTHE-)

Prélat et homme de lettres français, né au château de Fénelon-en-Quercy (1651). Il était issu d'une famille illustre dans les armes et dans la diplomatie. Étudiant en théologie à Saint-Sulpice, il y reçut le sacrement de l'ordre en 1675. Promu supérieur de la congrégation des Nouvelles-Converties, cette fonction lui inspira son traité sur *L'Éducation des filles* (1687).

Envoyé en Poitou au moment de la révocation de l'édit de Nantes, il s'y montra très modéré vis-à-vis des protestants.
Nommé par le roi, sur les conseils de Mme de Maintenon, précepteur du duc de Bourgogne, il s'attacha l'amitié de ce prince et composa pour lui plusieurs ouvrages d'un caractère éducatif (*Fables*, *Dialogue des morts*, *Les Aventures de Télémaque*). En 1695, Bossuet le consacra évêque de Cambrai.
Mais son amitié pour Mme Guyon dont le quiétisme était connu de tous lui attira l'hostilité du grand prédicateur et celle de Mme de Maintenon. Le Saint-Siège condamna alors son *Explication des maximes des saints* (1697). Puis le *Télémaque*, dont la parution avait été différée, provoqua la colère du roi qui y vit une satire de son règne. Disgracié, il se retira à Cambrai où il mourut en 1715. (Académie française.)

FÉODALITÉ

Ce nom s'applique à l'ensemble des lois et coutumes qui régirent l'ordre politique et social pendant le Moyen Âge. Ce système, établi en Gaule avec l'arrivée des Francs, ne connut sa véritable extension qu'au IXe siècle, profitant de la désagrégation du pouvoir central, pendant les dynasties mérovingienne et carolingienne, puis de la lente et difficile affirmation du pouvoir royal des Capétiens. À cette date commence l'ère féodale proprement dite. Elle présentait une confédération de seigneurs où tous, investis d'un pouvoir dans leurs propres domaines mais inégaux en puissance et subordonnés entre eux, avaient des droits et des devoirs réciproques.
D'où une distinction entre le seigneur suzerain et les vassaux ou feudataires. Le vassal ayant reçu sa terre devait foi, obéissance et hommage au donateur ; le suzerain, lui, s'engageait à le protéger. Un seigneur pouvait être suzerain pour les fiefs qu'il avait conférés et vassal pour ceux qu'il avait acquis. À l'origine, la plupart des fiefs étaient amovibles, mais avec le temps, ils devinrent

héréditaires (édit de Quierzy-sur-Oise, 877). Les grands feudataires affirmèrent leur indépendance et accrurent leurs pouvoirs, publiant des ordonnances (les bans), rendant haute et basse justice, battant monnaie, levant des armées et prescrivant des impôts. Enrichis et puissants, ils s'éloignèrent alors de leur but primitif de protection et l'institution féodale devint une source d'exploitation et d'oppression. Parmi les états féodaux qui se formèrent en France à partir du Xe siècle, les duchés de Normandie, de Bourgogne et d'Aquitaine ; les comtés de Flandre, de Champagne, de Bretagne, d'Anjou, de Provence et de Dauphiné ; les vicomtés de Limoges, de Carcassonne…

L'Église aussi possédait ses territoires en sorte que les terres étaient presque toutes englobées dans ce réseau de liens féodaux. Peu à peu diverses causes modifièrent ce régime. D'abord l'établissement des communes, avec leurs chartes de franchise limitant les pouvoirs seigneuriaux. Puis l'organisation des croisades qui forçait les vassaux à engager leurs domaines à la Couronne, laquelle, parfois, ne les restituait point.

D'autre part, certains rois, comme Philippe Auguste, Saint Louis ou Philippe le Bel, soit par jugement, soit par les armes, soit par l'achat ou les mariages, réunirent de nombreux fiefs au domaine royal. Plus tard, Louis XI, puis Richelieu, attaquèrent victorieusement les grands feudataires. La Révolution, enfin, détruisit les derniers privilèges.

FERMAT (PIERRE DE)

Mathématicien français né à Beaumont-de-Lomagne en 1601, mort à Castres en 1665. Conseiller au parlement de Toulouse, il s'adonna, par divertissement, aux mathématiques. Négligeant souvent de noter et d'exposer la démonstration de ses calculs, il n'en donnait que les résultats. Malgré cela, ce qu'on en possède suffit à en faire un des plus grands mathématiciens de son époque. En même temps que Pascal, il découvrit le calcul des probabilités (1654). On lui doit aussi la découverte du calcul différentiel et il précéda probablement Descartes dans les principes de la géométrie analytique. Il correspondit avec la plupart des savants de son temps.

FERRY (JULES)

Avocat et homme politique né à Saint-Dié en 1832, mort à Paris en 1893. Député en 1869, il fut préfet de la Seine puis maire de Paris. Républicain de gauche, il s'opposa à Mac-Mahon et, lorsque celui-ci se retira, fut tour à tour ministre de l'Instruction publique et des Beaux-Arts (1879-1881), président du Conseil. Mais il est surtout connu pour les mesures qu'il introduisit dans la législation scolaire. Ainsi, en 1881, il fit voter la loi qui rendait gratuit et obligatoire l'enseignement public primaire ; puis il ouvrit les écoles d'État aux jeunes filles. Foncièrement anticlérical, il favorisa l'extension de la laïcité.
À l'extérieur, il engagea la France dans de nouvelles expéditions coloniales : l'Annam (1883), le Tonkin (1883-1885), Madagascar (1883-1885), la Tunisie, où il établit un protectorat, le Bas-Congo enfin, où il envoya Savorgnan de Brazza. Dans sa politique coloniale, il se heurta à Clemenceau qui contribua à sa chute (1885). Il a écrit *Le Tonkin et la mère patrie* (1890).

FEUILLANTS (CLUB DES)

Lorsque le club des Jacobins, après l'affaire du Champ-de-Mars (17 juillet 1791), se divisa en deux factions, la partie la plus modérée se regroupa en une autre société. Elle tint sa première assemblée au Palais-Royal, puis au couvent des Feuillants, dont le nom fut conservé. Ses membres étaient opposés à la chute de Louis XVI et partisans du maintien d'une monarchie constitutionnelle. La Fayette, Barnave, Sieyès, André Chénier adhérèrent à ce club qui disparut après le 10 août 1792 (chute de la royauté).

FLAUBERT (GUSTAVE)

Écrivain français né à Rouen en 1821, mort dans sa propriété de Croisset (près de Rouen) en 1880. Fils d'un chirurgien de l'hôpital de sa ville natale, indépendant grâce à sa fortune, il s'adonna très tôt à son goût pour la littérature. Atteint d'une maladie nerveuse, il fut contraint de se retirer fréquemment à Croisset. Deux tendances ont traversé son œuvre : le réalisme dans *L'Éducation sentimentale* (1845), *Madame Bovary* (1856), *Un cœur simple* (1877) et *Bouvard et Pécuchet* (posthume, 1881) ; et le lyrisme dans *Salammbô* (1862), *Hérodias* (1877) ou *La Légende de saint Julien l'Hospitalier* (1877). Chacun de ses romans le contraignit à un labeur forcené où il brisa sa santé : la recherche du style, des sonorités verbales, l'immense documentation qu'il ne cessa d'accumuler le laissèrent « las jusqu'aux moelles ». De ses voyages au Proche-Orient avec Maxime Du Camp, puis en Afrique du Nord, on retrouve la trace dans son œuvre. À Paris, il fréquenta le « Grenier » des Goncourt et le salon de la princesse Mathilde. Il a laissé une volumineuse correspondance avec George Sand, Gautier, Daudet, etc.

FOCH (FERDINAND)

Maréchal de France né à Tarbes en 1851, mort à Paris en 1929. Il fut, avant 1914, directeur de l'École de guerre. Dès le début des hostilités, il prit le commandement du 20e corps d'armée, puis celui de la 9e armée.

Repoussant les troupes de Bülow, il remporta la première victoire de la Marne (septembre 1914). Dirigeant ensuite les armées française, belge et anglaise, il stoppa la « course à la mer » de l'ennemi et contre-attaqua en Artois (1915). Chef d'état-major général en 1917, il se rendit en Italie pour limiter les effets désastreux de la déroute italienne à Caporetto (octobre 1917). En mars 1918, au moment de la ruée allemande, il fut choisi pour coor-

donner l'action des armées alliées (conférence franco-britannique de Doullens). Dès lors, il contint partout l'avance ennemie et déclencha l'offensive du 18 juillet. Ce fut alors la deuxième victoire de la Marne. Fait maréchal le 7 août, il acheva la libération du pays et contraignit le gouvernement allemand à signer l'armistice le 11 novembre 1918 à Rethondes.
La Grande-Bretagne et la Pologne l'honorèrent aussi du titre de maréchal après la victoire. Il est l'auteur de traités de stratégie et de *Mémoires de guerre.* (Académie française, 1918.)

FONTENELLE (BERNARD LE BOVIER DE)

Philosophe et poète français né à Rouen en 1657, mort à Paris en 1757. Neveu de Corneille par sa mère, il étudia chez les Jésuites et devint avocat. Délaissant le droit, il se tourna vers la littérature. Ses essais dramatiques assez médiocres furent sans lendemain. En revanche, sa vocation se dessina avec son *Dialogue des morts* (1683) et surtout ses *Entretiens sur la pluralité des mondes* (1686), annonciateurs d'un genre nouveau auquel on donne actuellement le nom de vulgarisation.
Fort recherché dans les salons, il prit part à la querelle des Anciens et des Modernes et La Bruyère, qui en fit Cydias dans ses *Caractères*, lui reprochait d'être des seconds. Avec *Les Éloges des académiciens* (1708-1719), il compléta son rôle de vulgarisateur, mettant à la portée des lecteurs peu instruits les travaux de Leibniz, de Newton, de Cassini, etc., le tout dans un style clair, précis et d'une lecture attrayante. Il contribua à développer l'idée de progrès et, en ce sens, apparaît comme un précurseur des philosophes du XVIIIe siècle.

FONTENOY (BATAILLE DE)

Le 11 mai 1745 l'armée de Louis XV, commandée par le maréchal de Saxe, affronta une coalition anglo-allemande et hollandaise à Fontenoy (près de Tournai, en Belgique). La bataille, qui commença par le célèbre « Messieurs les Anglais, tirez les premiers », fut longtemps indécise. Les redoutes françaises, après une violente canonnade, furent prises d'assaut par la cavalerie ennemie, qui réussit à faire une trouée dans le dispositif français. Mais cette colonne fut attaquée par l'infanterie et la victoire, finalement, sourit aux Français, qui avaient perdu cinq mille hommes, contre sept mille morts et deux mille prisonniers aux forces adverses.

FOUCHÉ (JOSEPH, DUC D'OTRANTE)

Homme politique français né près de Nantes en 1759. Ouvert aux idées de la Révolution, ses relations personnelles avec Robespierre lui procurèrent un siège à la Convention (1792). Avec les députés de la Montagne, il vota la mort du roi. Lors de l'insurrection des fédéralistes et des royalistes de Lyon, il prit part à toutes les atrocités ordonnées par Collot d'Herbois et reçut le surnom de « mitrailleur de Lyon ». Après la dissolution de la Convention, protégé par Barras, il fut nommé ministre de la Police (1799). Il mit alors au service de Bonaparte, pour la préparation du coup d'État du 18 brumaire, le réseau d'espions qu'il avait constitué en France. Écarté (1802) puis rappelé (1804) par Napoléon, il fut finalement remplacé par Savary (1810).
À nouveau chef de la police pendant les Cent-Jours, il fut membre du gouvernement provisoire après Waterloo et conserva son titre au moment du retour des Bourbons. Frappé par la loi qui punissait les régicides, il dut s'exiler et s'installa à Prague, puis à Trieste où il mourut sous la nationalité autrichienne en 1820. Ministre habile, il a laissé le souvenir d'un homme sans scrupules.

FOUQUET (NICOLAS)

Vicomte de Melun et de Vaux, né à Paris en 1615. Il devint l'homme de confiance de Mazarin qui le nomma procureur général du parlement de Paris (1650), puis surintendant des Finances (1653). Il accrut alors sa fortune dans des proportions colossales et fit construire le château de Vaux-le-Vicomte où il mena une existence fastueuse.

Esprit cultivé, il y rassembla une bibliothèque exceptionnelle, encouragea et protégea nombre d'artistes et d'écrivains tels que Le Nôtre, Poussin, Le Brun, Molière, La Fontaine, etc. Un déficit considérable dans la comptabilité de l'État et le train de vie somptueux qu'il menait le firent accuser de malversation.

Colbert s'avéra l'un des artisans de sa chute. En 1661, Louis XIV – jaloux en outre de la munificence de son ministre – le fit arrêter. Il mourut en 1680 au château de Pignerol, après dix-neuf ans de détention. Dans son malheur, il conserva de nombreux amis comme La Fontaine, Saint-Évremond, Mlle de Scudéry, Mme de Sévigné, qui tentèrent vainement de le faire libérer.

FOUQUIER-TINVILLE (ANTOINE QUENTIN)

Homme politique français, parent de Camille Desmoulins, né dans l'Aisne en 1746. Étudiant en droit, commis dans les bureaux de police, il ne joua qu'un rôle secondaire jusqu'en 1793. Puis, protégé par Danton et Robespierre, il fut nommé accusateur public au Tribunal révolutionnaire.

Symbole de la rigueur impitoyable et de la Terreur, il traqua et envoya à l'échafaud les Girondins, comme il le fit pour Marie-Antoinette, Malesherbes, les hébertistes, le duc d'Orléans et même ses anciens protecteurs, tel Danton. Toutefois, il fut lui-même décrété d'accusation lors de la réaction thermidorienne et guillotiné en mai 1795 après un long procès.

FOURIER (FRANÇOIS MARIE CHARLES)

Philosophe et sociologue français né à Besançon en 1772, mort à Paris en 1837. Il publia en 1808 sa *Théorie des quatre mouvements* et fonda l'hebdomadaire *Le Phalanstère*. Son système utopique propose un ordre social, dont le noyau est la *phalange*, où toutes les passions humaines (il en compte treize) trouveraient leur utilisation, seraient employées au profit de tous et concourraient au bien-être universel. Fourier, dont les théories eurent quelques disciples, a laissé, en outre, plusieurs ouvrages où il critique la société industrielle et des systèmes utopiques concurrents (*Le Nouveau Monde industriel et sociétaire*, *Pièges et charlatanisme des deux sectes de Saint-Simon et d'Owen*, etc.).

FRAGONARD (JEAN-HONORÉ)

Peintre et graveur français né à Grasse en 1732, mort à Paris en 1806. Il fut l'élève de Chardin, Van Loo et Boucher. Prix de Rome en 1752 (*Jéroboam sacrifiant aux idoles*), il se fit une réputation de peintre galant et libertin. Il a peint, dans des coloris d'une grande fraîcheur, *Les Hasards heureux de l'escarpolette* (1766), *La Chemise enlevée*, *Le Feu aux poudres*, etc. On lui doit aussi une série de dessins originaux ou de copies à la sépia d'une verve incomparable.

FRANÇOIS Ier

Fils de Charles d'Orléans, comte d'Angoulême, et de Louise de Savoie, il naquit à Cognac en 1494. Roi de France à la mort de Louis XII, son cousin (1515), il prit aussitôt la tête d'une armée afin de faire valoir ses droits sur le Milanais dont il s'empara après la victoire de Marignan (1515). Par le traité de Viterbe, il obtint du pape Parme et Plaisance et signa avec lui le concordat de Bologne, en 1516. À la mort de Maximilien Ier (1519), il tenta vainement de se faire élire empereur contre Charles Quint.

C'est alors que commença cette longue et fameuse rivalité entre les maisons de France et d'Autriche, laquelle, par ses possessions allemandes, flamandes et espagnoles, encerclait le royaume. Par l'entrevue du camp de Drap d'or, François rechercha inutilement l'alliance avec le roi d'Angleterre. Après la défaite du maréchal de Lautrec à la Bicoque (1522) et la perte du chevalier Bayard (1524), il fut lui-même fait prisonnier à Pavie (1525) malgré la vaillante conduite des Français, ce qui valut à la reine mère cette lettre où le roi, a-t-on dit, écrivit ces mots devenus célèbres : « Tout est perdu, fors l'honneur. »
En 1526 fut signé le traité de Madrid par lequel la France renonçait à Naples, Gênes et Milan et cédait la Bourgogne. Libéré, il garda la Bourgogne et reprit la guerre. Après de nouveaux revers il signa la paix de Cambrai, ou paix des Dames (1529). Veuf de Claude de France – la fille de Louis XII –, il épousa en secondes noces Éléonore de Habsbourg, archiduchesse d'Autriche, fille de Philippe Ier d'Espagne (1530). En 1536, allié d'Henri VIII, des princes protestants d'Allemagne et de Soliman II, il reprit les armes contre Charles Quint (entrée en Provence des Impériaux et victoire française de Cérisoles en 1544). Une trêve définitive fut finalement consentie, accordant au duc d'Orléans, le second fils du roi, le Milanais (paix de Crépy, 1544).
François Ier attacha à son nom le splendide épanouissement des lettres et des arts que fut la Renaissance française et mérita le surnom de « Père des lettres ». Il fit venir à Paris de grands artistes italiens tels que Léonard de Vinci et Benvenuto Cellini, fonda l'Imprimerie nationale et créa le Collège de France. Par le concordat de Bologne, il s'était vu attribuer la nomination des évêques. Il constitua par ailleurs une armée permanente, créa l'état civil et imposa la langue française (au lieu du latin) dans la formulation des actes judiciaires (ordonnance de Villers-Cotterêts, 1539). À sa mort, en 1547, le pouvoir royal renforcé annonçait déjà la future monarchie absolue.

FRANÇOIS II

Fils aîné d'Henri II et de Catherine de Médicis, né à Fontainebleau en 1544, mort à Orléans en 1560. Il épousa Marie Ire Stuart, reine d'Écosse, et monta sur le trône en 1558. C'est le duc François de Guise et son frère puîné, le cardinal de Lorraine, oncles de Marie, qui exercèrent le pouvoir en son nom.
Par l'abus qu'ils en firent, ils préparèrent les guerres de Religions. François mourut en 1559 sans postérité, laissant la couronne à son frère Charles, duc d'Orléans.

FRANÇOIS-FERDINAND DE HABSBOURG

Archiduc d'Autriche, neveu et héritier présomptif de l'empereur François-Joseph, né à Graz en 1863. Partisan de la création d'un État fédéral qui eût donné leur juste place aux Slaves, son attitude, favorable à ces minorités établies en Croatie, en Slovénie et en Bosnie, n'était pas sans déranger les ambitions de la Serbie concernant ces régions.
Il fut assassiné le 28 juin 1914 à Sarajevo par l'étudiant nationaliste serbe Princip. Cet acte entraîna le conflit entre l'Autriche et la Serbie qui fut à l'origine de la Première Guerre mondiale.

FRANÇOIS-JOSEPH Ier

Empereur d'Autriche né et mort au château de Schönbrunn à Vienne (1830-1916). Il succéda à son oncle Ferdinand Ier en 1848. En refusant d'entrer dans la grande Allemagne, il déjoua le désir expansionniste de la Prusse. Dans sa guerre contre l'Italie, opposé à l'empereur Napoléon III, il perdit la Lombardie (batailles de Magenta et de Solférino, 1859).
Plus tard, la défaite de Sadowa contre la Prusse lui coûta la Vénétie. En 1867, associant l'Autriche à la Hongrie, il fut couronné roi de Hongrie. Il connut alors des difficultés avec les

minorités non allemandes de son empire. Au congrès de Berlin (1878), il obtint le droit d'occuper la Bosnie et l'Herzégovine, qu'il annexa en 1908. Après l'assassinat de son neveu François-Ferdinand à Sarajevo (28 juin 1914), il demanda réparation à la Serbie, déclenchant ainsi la Première Guerre mondiale.

FRANCS

Peuplades divisées en tribus indépendantes ayant chacune son gouvernement et ses coutumes. Des assemblées les réunissaient, qui traitaient des intérêts communs. Ni César ni Tacite n'en parlent. Au Ve siècle, ils envahirent la Gaule et s'y établirent.

À la chute de l'empire d'Occident, ils étaient divisés en deux grands groupes : les *Francs saliens*, en Flandre et dans la région de Liège, et les *Francs ripuaires*, cantonnés sur les bords du Rhin. Leurs rois (de la dynastie mérovingienne) s'emparèrent peu à peu de toute la Gaule.

Le partage définitif de l'empire eut lieu en 888, sous le règne de Charles le Gros, descendant de Charlemagne, annonçant la France et l'Allemagne future, ainsi que le duché de Bourgogne et les États italiens.

FRANKLIN (BENJAMIN)

Physicien, mémorialiste, pamphlétaire et homme politique américain, né à Boston en 1706, mort à Philadelphie en 1790. Journaliste, il fonda un almanach, ouvrit un club de discussion libre (1727), créa la première bibliothèque publique, ainsi qu'un hôpital et une compagnie d'assurances.

En 1735, il était maître général des Postes d'Amérique. Ses *Écrits sur l'électricité et la météorologie* témoignent de sa découverte, avant Faraday, du rôle des isolants. Il fut aussi l'inventeur du calorifère et du paratonnerre. Ambassadeur extraordinaire en Grande-Bretagne, où il séjourna de 1757 à 1762,

député de Pennsylvanie, il eut un rôle important dans la rédaction de la déclaration d'Indépendance des colonies britanniques (1776). Chargé de solliciter l'aide française dans la lutte contre l'Angleterre, il se rendit à Paris qui le reçut triomphalement. Un traité d'amitié fut alors signé entre les États-Unis et la France.
Il obtint, assisté de La Fayette, l'envoi d'une armée (1780) et d'une flotte (1781) et reçut en outre une aide financière appréciable. Président du Conseil de Pennsylvanie, il rédigea la Constitution fédérale (1787). En France, à sa mort (1790), l'Assemblée constituante vota un deuil de trois jours.

FRÉDÉGONDE

Épouse du roi de Neustrie Chilpéric, née vers 545, morte en 597. Servante de la première femme de Chilpéric, elle le séduisit, écarta sa rivale et s'empara du pouvoir. Répudiée à son tour pour Galswinthe – sœur de Brunehaut et fille du souverain des Goths – elle la fit étrangler (568) et reprit autorité sur Chilpéric qui lui donna rang d'épouse.
Brunehaut ne chercha plus désormais qu'à venger sa sœur. La haine qui anima ces deux femmes fut la cause de nombreux crimes et de la guerre entre la Neustrie et l'Austrasie. Frédégonde gouverna la Neustrie au nom de son jeune fils Clotaire II.

FRÉDÉRIC II (LE GRAND)

Roi de Prusse né à Berlin en 1712, mort à Potsdam en 1786. Formé à l'école des philosophes français et anglais, il vécut jusqu'en 1740 au château de Rheinsberg, entouré de savants et de gens de lettres. À son avènement (1740), il fit valoir ses prétentions sur la Silésie, dont il s'empara par la bataille de Molwitz (1741) et le traité de Breslau (1742).
Pendant la guerre de Sept Ans, il résista à la coalition de la France et de la Russie. En 1772, il prit part au premier partage de

la Pologne. Grand capitaine, il mena la Prusse à l'apogée de sa puissance. Sa *Correspondance*, d'un style très personnel, s'étale sur un espace de quelque soixante années. Plusieurs de ses écrits furent rédigés en français: *L'Antimachiavel* (1740), *Histoire de mon temps* (1746), *De la littérature allemande* (1780). Il invita à sa cour, dans sa résidence de « Sans Souci », Voltaire, Diderot, d'Alembert et bien d'autres personnages illustres. Il reste le type du despote éclairé.

FRÉDÉRIC-GUILLAUME II

Roi de Prusse né en 1744, neveu de Frédéric le Grand et son successeur. Il sacrifia de bons généraux et d'habiles ministres aux fantaisies de ses maîtresses et se fourvoya dans la doctrine philanthropique des *Illuminés* de Bavière.
La Prusse y perdit son hégémonie. Après son intervention dans la guerre entre la Russie, l'Autriche et la Turquie, il entra dans la coalition contre la France (1791) et ses troupes, sous les ordres du duc de Brunswick, envahirent la Champagne. Elles furent arrêtées à Valmy par Dumouriez et Kellermann (septembre 1792).
En 1795, il signa une paix séparée avec la France et mourut deux ans plus tard.

FRONDE (LA)

Guerre civile que se livrèrent en France, durant la minorité de Louis XIV, le parti d'Anne d'Autriche et de Mazarin et celui de la noblesse et du Parlement. Le désordre des finances, les frais de la guerre de Trente Ans, la création d'impôts nouveaux furent à l'origine de ces événements.
Il y eut d'abord la *Fronde parlementaire*. Mazarin, pour faire accepter les nouvelles contributions, chercha mais n'obtint pas l'appui du parlement de Paris, qui signa l'arrêt d'union (13 mai 1648) avec les autres Cours souveraines et tenta de limiter le

pouvoir royal avec la *Déclaration des 27 articles*. Il ordonna alors l'arrestation des membres les plus factieux du Parlement: le président de Blancmesnil et Broussel. Cette décision provoqua le soulèvement du peuple et ce fut la journée des Barricades (26 août 1648). La famille royale se réfugia à Saint-Germain tandis que Condé assiégeait Paris et obtenait la paix de Rueil (1649). Mais ce grand seigneur, déçu de ne pas obtenir la place de Mazarin qu'il convoitait, se rangea du côté des frondeurs.
Ce nouveau mouvement prit le nom de *Fronde des princes* et l'on vit se grouper autour de Condé son propre frère, le prince de Conti, sa sœur, la duchesse de Longueville, le duc de Beaufort, Anne de Gonzague, Gaston d'Orléans, etc. L'agitation s'amplifia au point que Mazarin, qui avait fait arrêter Condé, fut contraint de le relâcher et de se retirer lui-même à Cologne (1652). Anne d'Autriche profita de la discorde entre les princes pour rappeler son ministre.
Condé quitta Paris, souleva la Guyenne et le Poitou et s'adjoignit les Espagnols. Après la bataille de Bléneau (1652), il marcha une deuxième fois sur Paris mais se heurta à Turenne (combats du faubourg Saint-Antoine, 26 juin). L'intervention de la duchesse de Montpensier (la « Grande Mademoiselle »), qui fit tirer le canon de la Bastille, lui permit l'accès à la ville mais il en fut chassé par les bourgeois. Condé se retira alors en Espagne et Anne d'Autriche, accompagnée du jeune Louis XIV qui venait d'atteindre sa majorité, rentra dans la capitale.

FRONT POPULAIRE

Réunion des partis de gauche qui s'emparèrent du pouvoir après la victoire aux élections du 3 mai 1936. Cette réaction fit suite à la crise financière mondiale qui ébranla la France entre 1930 et 1931, ainsi qu'à la montée des régimes totalitaires en Italie (fascisme), en Allemagne (nazisme) et d'une certaine façon en France avec la formation des partis d'extrême droite (Action française, Cagoule, Croix-de-Feu, etc.). Le nouveau gouvernement, sous la présidence de Léon Blum, prit alors un certain nombre de mesures comme la semaine de 40 heures et les congés payés (accords de Matignon), la nationalisation des Chemins de fer, etc. En 1938, l'arrivée au pouvoir de Daladier marqua la fin du Front populaire.

GALLIENI (JOSEPH)

Maréchal de France né à Saint-Béat (Haute-Garonne) en 1849, mort à Versailles en 1916. Il combattit pendant la guerre de 1870. En 1881, il prit part à la conquête du Soudan, puis fut envoyé au Tonkin (1893). Gouverneur à Madagascar (1896-1905), il réprima une insurrection et organisa la mise en valeur de l'île décrétée colonie française.
En 1914, il contribua à la première victoire de la Marne en ordonnant la mobilisation des taxis parisiens afin d'envoyer du renfort à l'armée Maunoury qui affrontait les troupes de von Kluck. Il fut nommé maréchal à titre posthume (1921).

GAMBETTA (LÉON)

Homme politique français, né à Cahors en 1838. Après des études de droit, il exerça la profession d'avocat. Un violent réquisitoire contre le régime impérial le rendit célèbre (défense du journaliste Delescluze en 1868). Député l'année suivante, il entra dans l'opposition où il manifesta son hostilité à la guerre contre l'Allemagne. Après la défaite de Sedan (2 septembre 1870), il demanda la déchéance de l'Empire et proclama la

République (journée du 4 septembre). Ministre de l'Intérieur dans le gouvernement de la Défense nationale, il quitta Paris en ballon et organisa à Tours la résistance à l'ennemi. Ardent patriote, il mit sur pied les armées de la Loire, du Nord, des Vosges et de l'Est. Après la capitulation de Paris, partisan de la guerre à outrance, il donna sa démission.
Député du Bas-Rhin (février 1871), il refusa de signer la paix et quitta la Chambre après l'annexion de l'Alsace-Lorraine. Réélu dès juillet 1871, il prit la tête de l'Union républicaine et, pour répandre ses idées, créa le journal *La République française* (novembre 1871). Après l'arrivée au pouvoir du maréchal Mac-Mahon (1873), il organisa la résistance des gauches contre le projet de restauration de la monarchie du duc de Chambord.
En 1877, son parti ayant remporté la majorité aux élections, il travailla à éliminer Mac-Mahon qui démissionna deux ans plus tard. Durant le mandat de Grévy, il fut président de la Chambre et forma un ministère où il occupa lui-même les postes de président du Conseil et de ministre de la Guerre.
Renversé en 1882, il mourut peu après d'une septicémie.

GARIBALDI (GIUSEPPE)

Homme politique et général italien, né à Nice en 1807. Ardent patriote, il se rallia à Cavour et combattit pour l'unification de l'Italie. Vainqueur des Autrichiens à Varèse et à San-Fermo (1859), il conquit la Sicile (expédition des Mille) en 1860.
Opposé à l'annexion de la Savoie et de Nice, il n'en offrit pas moins ses services à la France lors du conflit franco-allemand (1870). Après l'armistice, il fut élu député dans quatre départements français (1871). Ayant donné sa démission, il revint à Caprera, dans son pays, où il mourut en 1882.
Il est l'auteur de romans et de *Mémoires* (1888).

GARNIER (CHARLES)

Architecte français né et mort à Paris (1825-1898). Il obtint le prix de Rome en 1848 ; il fut nommé architecte de la Ville de Paris (1860) et travailla au nouvel Opéra (inauguré en 1875).

GASTON DE FOIX (DUC DE NEMOURS)

Fils de Jean de Foix, vicomte de Narbonne, et de Marie d'Orléans, sœur de Louis XII, il naquit en 1489. Placé à 22 ans à la tête de l'armée française en Lombardie, il se signala par sa valeur qui lui valut le surnom de *Foudre d'Italie*. En 1512, il remporta sur les armées de la Ligue la victoire de Ravenne, mais trouva la mort en poursuivant les vaincus.

GAULE

Les Romains nommèrent Gaule deux régions occupées par les Celtes : la *Gaule transalpine*, située pour eux au-delà des Alpes et comprenant la Suisse et la Belgique, et la *Gaule cisalpine,* occupant l'Italie septentrionale. Lorsque les Celtes s'y établirent, ils se heurtèrent aux peuples déjà en place (Ligures, Ibères…). Dès le IVe siècle avant Jésus-Christ, les Grecs y avaient fondé une série de colonies en bordure de la Méditerranée. À partir de – 125, les Romains annexèrent le couloir du Rhône et le Languedoc. Sous César, en dépit de la résistance des tribus gauloises fédérées par Vercingétorix, se déroula la conquête du reste du pays (58-51 av. J.-C.). On y distingua alors deux parties : la *Province romaine* et la *Gaule chevelue*. L'ensemble comptait environ huit cents villages. Puis Auguste partagea la Gaule en quatre grandes régions : *la Narbonnaise*, *l'Aquitaine*, *la Lyonnaise* et *la Belgique*, elle-même subdivisée en Germanie supérieure et inférieure.
Sous l'Empire, le pays jouit d'une grande prospérité et les Romains y fondèrent de nombreuses villes. Puis il tomba en décadence et subit, dès le Ve siècle, les invasions barbares.

GAULLE (CHARLES DE)

Officier supérieur, homme d'État et écrivain français né à Lille en 1890. Sorti de Saint-Cyr en 1912, il servit sous les ordres de Pétain durant la Première Guerre mondiale. En 1919, il combattit en Pologne pour repousser l'Armée rouge. En 1922 et en 1924, il enseigna à l'École de guerre. Membre de l'état-major français à Beyrouth en 1929, il en ramena son *Histoire des troupes au Levant* (1931). L'année suivante, il rédigea *Le Fil de l'épée* suivi de *Vers l'armée de métier* (1934) où il développe sa conception de la guerre moderne. Violemment opposé aux accords de Munich, promu lieutenant-colonel en 1937, il maintint son unité en état d'alerte. À la déclaration de guerre, il commandait les chars de la 4e armée en Alsace.

Seul officier à avoir réussi à repousser l'ennemi pendant la campagne de France, il fut nommé général de brigade à titre temporaire le 1er juin 1940, et sous-secrétaire d'État à la Défense le 6. Apprenant la démission de Paul Reynaud et que le maréchal Pétain allait demander l'armistice, il gagna Londres le 17 juin, et c'est le lendemain que retentit son fameux *Appel* invitant les Français à la poursuite du combat aux côtés de la Grande-Bretagne. En septembre 1940 commencèrent à voir le jour les Forces françaises libres (FFL) qui regroupaient une grande partie de l'empire colonial et les volontaires venus de France.

Elles obtinrent le soutien officiel du Premier ministre sir Winston Churchill. Le 24 septembre 1941, de Gaulle dota la France libre d'un appareil politique de type gouvernemental : le Comité national. Grâce à la BBC, il entra en contact avec les clandestins du pays occupé et coordonna leur action par le relais du Bureau central de renseignements et d'action (BCRA).

À cette date, l'ensemble des Français luttant de l'extérieur et de l'intérieur contre l'envahisseur prit le nom de « France combattante ». Allant plus loin, de Gaulle souhaita le rassemblement général de toute la population pour la victoire finale, ce qui lui valut l'adhésion des grands partis politiques : la SFIO avec André Philip (juillet 1942) ; le parti communiste avec Fernand Grenier (janvier 1943) ; et les radicaux avec Édouard Herriot (avril 1943). En France, sous l'initiative et par l'intermédiaire de Jean Moulin furent créés les Mouvements unis de résistance (MUR) réunissant les trois principaux groupements de la zone libre (mars 1943) ; puis fut constitué le Conseil national de la Résistance (CNR).

Bien qu'écarté par les Anglais et les Américains lors du débarquement en Afrique du Nord (8 novembre 1942), le général de Gaulle parvint à s'imposer comme chef de la France combattante et unique représentant de tous les Français. Sous sa présidence et celle du général Giraud, il constitua à Alger, le 3 juin 1943, le Comité français de libération nationale (CFLN) qui devint un an plus tard le Gouvernement provisoire de la République. Jouissant alors d'une autorité suffisante, il s'opposa au projet des Alliés qui visait à placer le territoire français sous l'administration de l'Angleterre et des États-Unis (AMGOT).

Après le débarquement de Normandie, il entra à Bayeux le 14 juin et à Paris le 25 août. L'accueil triomphal qu'il reçut dans toutes les villes où il se présenta consacra définitivement la légitimité de son action et lui valut d'être invité officiellement aux États-Unis par le président Roosevelt.

Puis, par le traité franco-soviétique de Moscou (10 décembre 1944), il obtint que le général de Lattre de Tassigny à Berlin, et le général Leclerc en rade de Tokyo, fussent présents aux signatures de capitulation de l'Allemagne et du Japon les 8 mai et 3 septembre 1945. Il lui restait à rétablir l'État, à restaurer l'économie et à réformer la société : nationalisation, planification, instauration de la Sécurité sociale.

Élu président du Gouvernement provisoire par l'Assemblée nationale (novembre 1945), il proposa un projet de Constitution propre à renforcer le pouvoir exécutif mais se heurta aux socialo-

communistes partisans d'un pouvoir législatif. Ce désaccord le conduisit à démissionner le 20 janvier 1946, interrompant cinq années d'une épopée sans précédent. Il ne devait revenir au pouvoir qu'en 1958, alors que s'aggravait le conflit algérien. Élu à une très large majorité le 5 décembre, il devint le premier président de la Ve République après avoir fait approuver une nouvelle Constitution renforçant le pouvoir personnel du chef de l'État.
À l'intérieur, il entreprit un redressement économique, financier, social et culturel. À l'extérieur, il s'efforça de rendre à la France sa place et son prestige dans le monde. Cependant, après avoir salué l'Algérie française, il revint sur sa déclaration et, par les accords d'Évian (mars 1962), consacra l'indépendance de ce pays. Peu après, il échappait à un attentat (Petit-Clamart, août 1962) fomenté par les opposants de l'OAS (Organisation de l'Armée Secrète).
Avec le gouvernement de Georges Pompidou, il s'attacha à la réconciliation avec l'Allemagne (1963) et à un rapprochement entre l'Est et l'Ouest. En 1966 il rompit avec l'OTAN et dota la France d'une force de frappe nucléaire. Favorable à une Europe confédérée, il se déclara hostile à l'entrée de la Grande-Bretagne dans le Marché commun. Il prit position vis-à-vis du Viêt-Nam, de la Chine, du Biafra, du Proche-Orient et du Canada.
Mais à l'intérieur, il dut affronter une opposition politique et syndicale qui tenta de l'écarter. Réélu en 1965, il eut à faire face à la crise de mai 1968. Un référendum basé sur la proposition de régionalisation et de refonte du Sénat aboutit au rejet de celle-ci et le força à démissionner en 1969. Il mourut l'année suivante à Colombey-les-Deux-Eglises. Il avait écrit, entre 1954 et 1959, ses *Mémoires de guerre*. En 1971, après sa mort, parurent les *Mémoires d'espoir*.

GAUTIER (THÉOPHILE)

Écrivain français né à Tarbes en 1811, mort à Neuilly-sur-Seine en 1872. Il fut d'abord tenté par la peinture. Il prit part à la « bataille d'Hernani », scandalisant les « philistins » avec sa chevelure mérovingienne, son pourpoint cerise et son pantalon vert. Ses premiers vers parurent en 1830, mais c'est dans *Albertus* (1832) et *Les Jeunes-France* (1833) qu'il révéla son originalité. Parallèlement, et jusqu'au bout de sa carrière, il fut critique littéraire et critique d'art pour de nombreux journaux et revues. Ce fut l'esclavage de sa vie, bien qu'il y excellât. En 1838 parut *La Comédie de la mort*, puis *Le Roman de la momie* (1856) et *Le Capitaine Fracasse* (1863). Il avait commencé son recueil poétique *Émaux et Camées* en 1852 mais ne l'acheva qu'en 1872. Il pratiqua avec conviction la théorie de l'art pour l'art et, en pleine période romantique, prit le contre-pied de l'effusion sentimentale. Il s'éleva aussi contre les prétentions philosophiques, sociales, politiques de la poésie. Il écrivit aussi des récits de voyages: *Tra los montes* (1839), *España* (1845), *Italia* (1852), *Constantinople* (1854), *Voyage en Russie* (1866) et une foule d'autres livres sur des sujets variés. Ses costumes, ses attitudes, ses douze chats, le musée exotique au milieu duquel il évoluait contribuèrent à faire de lui une des physionomies les plus originales de son siècle.

GAY-LUSSAC (JOSEPH LOUIS)

Physicien et chimiste français né à Saint-Léonard-de-Noblat en 1778, mort à Paris en 1850. Élève de l'École polytechnique, il énonça tout d'abord la loi de dilatation des gaz qui porte son nom (1802). En 1804, il entreprit deux ascensions en ballon dont l'une à plus de 7000 mètres, afin de vérifier l'affaiblissement du champ magnétique en altitude. En collaboration avec Humboldt, il formula la loi des combinaisons gazeuses (1808).

Avec Thénard, après analyse de l'acide muriatique oxygéné - le chlore - il démontra qu'il s'agissait d'un corps simple (1809). Ensemble encore, ils découvrirent le bore, les acides fluoborique et fluorhydrique, étudièrent les propriétés chimiques du soufre et du phosphore. Puis Gay-Lussac étudia l'iode, isola le cyanogène et l'acide cyanhydrique (1815). Il conçut aussi le baromètre à siphon (1816), l'alcoomètre et mit au point un procédé d'affinage des métaux précieux. Élu député de la Haute-Vienne, il fut appelé à la pairie par Louis-Philippe (1831).

GEOFFROY SAINT-HILAIRE (ÉTIENNE)

Naturaliste français né à Étampes en 1772, mort à Paris en 1844. Élève de Daubenton, il enseigna la zoologie au Muséum (1793) et travailla avec Cuvier. Il créa la ménagerie du Jardin des Plantes. En 1798, il fit partie de la Commission qui accompagna Bonaparte en Égypte. À son retour, il fut nommé membre de l'Institut, puis professeur à la Sorbonne. Il est l'auteur de travaux sur les mammifères, l'anatomie comparée, et figure comme l'un des précurseurs du transformisme (loi du balancement des organes). Il fut aussi le père de l'embryologie et de la tératologie. Devenu aveugle en 1840, il cessa toute recherche.

GÉRICAULT (THÉODORE)

Peintre français né à Rouen en 1791, mort à Paris en 1824. Élève de Carle Vernet et de Guérin, il s'affirma avec *Le Chasseur de la Garde* (1812), *Le Cuirassier blessé* (1814) et surtout par sa vaste composition du *Radeau de la Méduse* (1819), qui provoqua de violentes polémiques. Son réalisme pathétique en fait un précurseur des romantiques. Son influence sur Delacroix est manifeste.

GERMANIE

Contrée de l'Europe ancienne circonscrite entre le Rhin, la mer du Nord, la Baltique, le Danube, la Vistule et les Carpathes. Les Romains appelaient Germains les divers peuples indo-européens qui y demeuraient. Aucun sentiment national ne les animait. Les cadres sociaux étaient le clan ou la tribu dont le chef était élu chaque année. Dans la famille, le père avait un droit absolu sur tous les membres qui la composaient. L'épouse était achetée. Un code, « le prix du sang », réglait les vengeances personnelles.

GIDE (ANDRÉ)

Écrivain français né et mort à Paris (1869-1951). Il commença à s'imposer avec *Les Nourritures terrestres* (1897), analyse lucide de la nature humaine. Ce livre corrosif eut une grande influence sur la jeunesse de son temps. Il poursuivit son analyse à travers des créations romanesques telles que *L'Immoraliste* (1902), *La Porte étroite* (1909), *Les Caves du Vatican* (1914) ou, plus tard, dans *Les Faux monnayeurs* (1926). On retrouve dans ses conceptions l'influence de Stendhal, de Nietzsche, de Wilde, de Dostoïevski. Elles furent jugées dangereuses et subversives.
D'autres ouvrages, en revanche, révèlent un critique de valeur : *Prétextes* (1905), *Incidences* (1924). On lui doit aussi une œuvre de traducteur (Gœthe, Tagore, W. Blake), une correspondance (Francis Jammes, Claudel, Valéry, Rilke…), des pièces de théâtre et un *Journal*. En 1909, avec Jacques Copeau, il avait fondé la *Nouvelle Revue française* (NRF).

GIRONDINS

Parti politique de la Révolution (1791-1793) qui comptait parmi ses membres plusieurs députés de la Gironde, d'où son nom. Dominant tout d'abord l'Assemblée, les Girondins furent les plus ardents à faire proclamer la République.

En avril 1792, ils votèrent la déclaration de guerre à l'Autriche. Après les événements du 10 août (destitution du roi) et les massacres de Septembre, ils s'élevèrent contre le régime de la Terreur et cherchèrent à imposer la modération. Ils se heurtèrent alors aux députés montagnards. Leurs efforts pour éloigner Marat, la trahison de Dumouriez et leurs tentatives pour retarder le procès de Louis XVI les firent accuser de conspiration contre l'unité et l'indivisibilité de la République.
Le 31 mai et le 2 juin 1793, sous la pression des Hébertistes et des Enragés, trente-deux des leurs furent arrêtés, jugés et la plupart envoyés à l'échafaud (octobre 1793).
On a souvent désigné les Girondins sous le nom de *brissotins* à cause de Brissot qui fut un de leurs chefs, ou sous celui de *fédéralistes* parce qu'ils souhaitaient faire des départements autant d'États indépendants, à l'instar des États-Unis d'Amérique.

GISCARD D'ESTAING (VALÉRY)

Né à Coblence en 1924, député en 1956, ministre des Finances (1962-1966 et 1969-1974), fondateur de la Fédération nationale des Républicains indépendants, alliée aux gaullistes alors au pouvoir, Valéry Giscard d'Estaing fut, en mai 1974, à la mort de Georges Pompidou, élu président de la République contre François Mitterrand, qui le battit à son tour en mai 1981.

GODEFROY DE BOUILLON (GODEFROY IV DE BOULOGNE, DIT)

Duc de Basse-Lorraine né à Baisy, en Belgique, vers 1061. Son oncle, Godefroy le Bossu lui laissa ses États. Il servit d'abord l'empereur Henri IV contre le pape. Mais pendant une maladie, il fit le vœu, s'il guérissait, de s'armer pour aller défendre les chrétiens en Orient. Il fut un des premiers à prendre la croix lors de la prédication de Pierre l'Ermite.

Il vendit alors son duché de Bouillon et partit pour la Terre sainte en 1096. Son histoire se confond avec celle de la première croisade dont il eut le commandement. Après la prise de Jérusalem en 1099, il fut élu roi de cette ville et prit le titre d'« Avoué du Saint-Sépulcre ». Il mourut en 1100, sans doute empoisonné par un émir.

GONCOURT (LES FRÈRES HUOT DE)

Edmond, né à Nancy en 1822, mort à Champrosay en 1896; Jules, né et mort à Paris (1830-1870). Ils travaillèrent ensemble à des ouvrages historiques et de critique d'art: *Histoire de la société française pendant la Révolution et le Directoire* (1854), *L'Art au XVIIIe siècle* (1859), *La Femme au XVIIIe siècle* et à des romans. Ensemble encore, ils firent connaître en France l'art japonais. La plupart des écrivains de cette époque fréquentèrent leur salon, le fameux « Grenier ». Dans son testament, Jules institua l'académie Goncourt et en désigna les premiers membres.

GONDI (JEAN-FRANÇOIS PAUL DE)

Voir Retz (cardinal de)

GOUJON (JEAN)

Sculpteur français né en Normandie vers 1510, mort à Bologne vers 1566. Il fut l'un des plus grands noms de la Renaissance française. Ami de Pierre Lescot et de Germain Pilon, il étudia en Italie. On lui est redevable de la *fontaine des Innocents* (1549), des *Cariatides* (1550), de la *Tribune des musiciens* (Louvre), des *Quatre Saisons* de l'hôtel de Ligneries et des bas-reliefs du jubé de Saint-Germain-l'Auxerrois (1544). Goujon, qui était calviniste, semble avoir cherché refuge à Bologne à la fin de sa vie.

GOUNOD (CHARLES)

Compositeur français né et mort à Paris (1818-1893). Élève au Conservatoire, il obtint le premier prix de Rome en 1839 et composa alors une série d'opéras dont *Sapho* (1851), *Faust* (1859), *Philémon et Baucis* (1860), *Mireille* (1864) et *Roméo et Juliette* (1867). Il écrivit aussi des symphonies, des mélodies, des oratorios, treize messes, etc. Ses opéras occupent une place importante dans l'art lyrique du XIXe siècle.

GOUVION-SAINT-CYR (LAURENT, MARQUIS DE)

Maréchal de France né à Toul en 1764. Volontaire dans les armées de la Révolution, il servit sur le Rhin. Général de brigade (1793) et de division (1794), il s'illustra au siège de Mayence (1795). En 1798, il prit la tête de l'armée de Rome et contribua, en 1800, à la victoire de Hohenlinden. Ambassadeur à Madrid sous le Consulat (1802), il participa ensuite aux campagnes de l'Empire en Prusse, en Espagne, en Russie (victoire de Polotsk qui lui valut son bâton de maréchal).
Chargé de défendre Dresde en 1813, il capitula faute de munitions. Rallié aux Bourbons en 1814, il se tint à l'écart pendant les Cent-Jours. Louis XVIII le nomma ministre de la Guerre (1815). La loi Gouvion-Saint-Cyr, votée le 10 mars 1818, régla les modalités de la conscription et de l'avancement militaires. Il mourut à Hyères en 1830.

GRENELLE (ACCORDS DE)

Nom donné aux négociations qui se déroulèrent entre le gouvernement français, les syndicats et le patronat au moment des grèves provoquées par les événements de mai 1968. Elles scellaient la réorganisation de la section syndicale au sein des entreprises (27 décembre 1968).

GRÉTRY (ANDRÉ MODESTE)

Compositeur franco-belge né à Liège en 1741, mort à Montmorency en 1813. Élève de Martini, à Rome (1760), où il fit représenter son opéra *Les Vendangeuses*. Il vint alors à Paris sur le conseil de Voltaire (1768). *Le Huron* y fut, la même année, sa première réussite. Dès lors, son activité ne devait plus cesser.
Mais son art devait culminer avec son opéra comique *Richard Cœur de Lion* (1784). Inspecteur au Conservatoire en 1795, Napoléon le fit figurer parmi les premiers chevaliers de la Légion d'honneur.

GRÉVY (JULES)

Homme politique français né et mort à Mont-sous-Vaudrey (1807-1891). Élu troisième président de la République en 1879, succédant ainsi à Mac-Mahon, il travailla au redressement du pays éprouvé par la guerre contre la Prusse, mais se heurta aux partisans de la « revanche » rassemblés autour du général Boulanger. Il dut donner sa démission (1887) à la suite d'un scandale auquel son gendre fut mêlé (trafic des décorations).

GRIMM (MELCHIOR, BARON DE)

Écrivain et critique allemand né à Ratisbonne en 1723, mort à Gotha en 1807. Il rencontra Voltaire, Rousseau, Diderot avec qui il collabora, et connut Mme d'Épinay qui lui inspira une vive passion. Il succéda à l'abbé Raynal comme rédacteur d'une correspondance littéraire, philosophique et critique (17 volumes) qui visait à renseigner certains princes (le roi de Pologne, la duchesse de Saxe-Gotha, l'impératrice Catherine II de Russie, la reine de Suède) sur la vie intellectuelle parisienne.
Il fut l'un des étrangers qui, au XVIIIe siècle, ont le mieux compris la France et parlé sa langue.

GROS (ANTOINE, BARON)

Peintre d'histoire né à Paris en 1771, mort à Meudon en 1835. Élève de David à 14 ans, il partit pour Rome en 1794, mais mobilisé deux ans plus tard, il fut incorporé dans l'armée d'Italie où il devint officier d'état-major. Protégé par Joséphine de Beauharnais, il réalisa le portrait de *Bonaparte au pont d'Arcole* (1798). Il entama alors une carrière de peintre militaire et devint l'un des chantres de l'épopée impériale : *Les Pestiférés de Jaffa* (1804), *La Bataille d'Aboukir* (1806), *Le Champ de bataille d'Eylau* (1808), *La Prise de Madrid* et les *Batailles des Pyramides* et *de Wagram* (1810).

Après la chute de Napoléon, il revint à l'art de son maître (David) mais ne retrouvant pas l'élan et l'inspiration qu'il avait connus, isolé, il se suicida en se jetant dans la Seine. Sa peinture a ouvert la voie à la future école romantique.

GROUCHY (EMMANUEL, MARQUIS DE)

Maréchal de France né au château de Villette (Seine-et-Oise) en 1766, mort à Paris en 1847. Lieutenant aux gardes en 1789, il fut nommé, pendant la Révolution, général de brigade (1792), puis de division (1794). Il servit dans l'Ouest (1795), dans l'armée d'Irlande (1796) et en Piémont sous les ordres de Moreau (1800). Il fit ensuite les principales campagnes de Napoléon et fut l'un des premiers à le rejoindre pendant les Cent-Jours, ce qui lui valut le titre de maréchal.

Victime d'une ruse de Wellington, il se rendit en grande partie responsable de la défaite de Waterloo (18 juin 1815). Exilé à Philadelphie (1815), il revint en 1821 et fut mis à la retraite. Louis-Philippe lui rendit son grade et le fit pair de France (1832).

GUERRE MONDIALE (PREMIÈRE)

Le 28 juin 1914, dans la ville bosniaque de Sarajevo, l'archiduc héritier d'Autriche-Hongrie, François-Ferdinand, neveu de l'empereur François-Joseph, est assassiné avec sa femme. Un mois plus tard, jour pour jour, débute la Première Guerre mondiale. Si cet incident met le feu aux poudres, les causes profondes du conflit sont à rechercher plus loin.

❑ En Autriche-Hongrie, de graves difficultés menacent de faire éclater l'unité de l'empire, liées à l'éveil des minorités nationales (Bohême, Croatie, Slavonie, Galicie, etc.) qui se manifestent depuis 1848.

❑ En Serbie, le nouveau roi, Pierre Ier, envisage la formation d'une grande Yougoslavie regroupant des nations qui appartiennent à l'empire austro-hongrois.

❑ En Russie, après la défaite contre le Japon (1905), l'intérêt suscité par l'Extrême-Orient s'est reporté sur les Balkans (contrôle des détroits); or le tsar soutient la Serbie contre l'Autriche.

❑ Aux Balkans, les guerres successives (1912-1913) n'ont fait qu'exciter le nationalisme serbe et mécontenter la Bulgarie, dépossédée d'une partie de son territoire.

❑ En Allemagne et en Angleterre, dès le début du XXe siècle, l'essor industriel et la remilitarisation se sont accentués, entraînant dans leur sillage les autres puissances européennes.

❑ En France enfin, depuis 1871, un esprit de revanche n'a cessé de se développer et la question de l'Alsace-Lorraine est plus que jamais présente.

Dans ce climat tendu, la course aux armements se précipite. Partout de nouvelles lois militaires sont votées, les crédits pour la défense accrus et un système d'alliance se dessine: la France et la Grande-Bretagne signent l'Entente cordiale (1904), agrandie en 1907 par l'arrivée de la Russie (Triple Entente). En Allemagne, Guillaume II assure l'Autriche de son appui inconditionnel-

nel. C'est alors que survient l'attentat de Sarajevo, prétexte pour l'Autriche d'en finir avec le foyer pro-slave que constitue la Serbie. Après concertation avec l'Allemagne, elle lui lance un ultimatum inacceptable (23 juillet) et, sur son refus de l'approuver, lui déclare la guerre cinq jours après.
Dès lors, l'intérêt de chacune jouant, les autres nations vont se laisser entraîner dans un engrenage irréversible et la guerre, qui eût pu se limiter une fois encore aux nations balkaniques, va s'étendre à la planète entière.
C'est d'abord la Russie qui, soutenant les Serbes, décrète la mobilisation générale. En réponse, l'Allemagne lui déclare la guerre, tenue par sa promesse de porter assistance à l'Autriche.
La France, liée à la Russie, s'engage à son tour dans le conflit et l'Angleterre, inquiète de voir s'établir une hégémonie allemande, suit la décision française. Seule l'Italie, pourtant membre de la Triplice qui l'attache à l'Allemagne et à l'Autriche, choisit « l'égoïsme sacré » et se réserve la possibilité d'intervenir plus tard, suivant les circonstances.
Comme la plupart des pays engagés possèdent des colonies, l'affrontement prend rapidement un caractère mondial qui s'affirme le 23 août lorsque le Japon offre son appui aux « Alliés » et que la Turquie, le 1er novembre, se joint aux « Puissances centrales ». Le sort de la guerre, cependant, se jouera en Europe qui en supportera la charge la plus lourde.
Août 1914 : une première offensive allemande s'engouffre alors en Belgique et au Luxembourg ; puis brise, en Lorraine et dans les Ardennes, la résistance française. C'est ensuite une armée franco-britannique qui est contrainte à un repli précipité pour éviter l'encerclement (21 au 5 septembre). Toutefois, une contre-offensive lancée le 6 septembre par Joffre s'achève six jours plus tard par le recul des troupes de von Kluck et von Bülow.
C'est la première victoire de la Marne. Les Russes, de leur côté, ont attaqué en Prusse orientale mais sont vaincus à Tannenberg

(24 au 26 août). Ils parviennent néanmoins à prendre la Galicie à l'Autriche. Au bout du compte, aucune action décisive n'est enregistrée, et la guerre promet d'être longue.
Avril 1915 : l'Italie entre en lice et rejoint les Alliés dans la lutte. Août : la Roumanie prend position contre les Puissances centrales. Septembre : la Bulgarie va grossir les rangs ennemis. Peu à peu, sur le front occidental, une guerre de position s'installe. Les premiers mois de combat ont révélé que toute manœuvre tentée à découvert était fauchée par le feu.
Désormais, les hommes s'enterrent. C'est « l'enfer des tranchées ». Un matériel nouveau fait son apparition : fusils-mitrailleurs, obusiers, véhicules cuirassés, gaz asphyxiants, lance-flammes. Et, pour la première fois, l'aviation entre en jeu, menant des missions de bombardement, de chasse ou d'observation. D'autre part, l'effort de guerre ne mobilise plus seulement des militaires, mais aussi des civils : réformés, retraités, femmes, tous sont utilisés dans les usines.
À partir de 1916, l'Allemagne et ses alliés comprennent que le temps travaille contre eux : depuis l'été 1914, le blocus naval étouffe progressivement leur commerce extérieur.
C'est pourquoi, au printemps 1915, le général Falkenhayn a lancé une vaste offensive à l'Est, occupant dès octobre la Pologne et la Lituanie. Pour soulager les troupes russes, la France a aussitôt attaqué en Artois (mai) et en Champagne (septembre), mais sans résultats convaincants.
En février 1916, une expédition navale anglo-française organisée par Churchill – alors premier lord de l'Amirauté – est envoyée pour tenter de forcer le détroit des Dardanelles et ouvrir une voie d'accès à la Russie. L'échec est complet sur mer et les tentatives de débarquement repoussées par les Turcs de Mustapha Kémal appuyés par les troupes du général von Sanders. Toutefois, un autre débarquement couronné de succès à Salonique va permettre l'établissement d'un front balkanique.

À l'Ouest, Falkenhayn a attaqué à Verdun (février-juin), mais Pétain a pu le contenir au prix de pertes inouïes: sept cent mille Allemands et Français sont restés sur les champs de bataille.
De juillet à décembre, les armées franco-britanniques vont à leur tour prendre l'initiative et riposter sur trois fronts à la fois, tandis que les Russes tentent de reconquérir la Pologne et que les Italiens s'emparent de Gorizia, dans le Frioul.
Mais une brève campagne suffit aux Allemands pour vaincre et occuper la Roumanie, récemment entrée dans la guerre (août), tandis qu'en France l'offensive de la Somme marque le pas.
Quand arrive le printemps 1917, une grande crise ébranle la Russie: le régime tsariste s'effondre, ce qui va conduire à la révolution d'Octobre et à la signature d'une paix séparée entre ce pays et l'Allemagne (traité de Brest-Litovsk, 3 mars 1918). Le général Nivelle, qui a remplacé Joffre, ne parvient pas à repousser l'ennemi (avril) et la lassitude commence à s'emparer des esprits, entraînant des mutineries et développant, à « l'arrière », un esprit de défaite.
L'Angleterre de son côté, très touchée par la guerre sous-marine, connaît la famine. En Italie, le désarroi gagne après le terrible désastre de Caporetto (octobre 1917) où trois cents mille hommes ont été faits prisonniers par les Allemands et d'importants stocks d'armes, dont trois mille canons, saisis. Un peu partout des grèves font leur apparition, dues non seulement à la pénurie, mais à un ensemble de crises tant politiques que morales. Et l'absence de résultats militaires décisifs accentue cet état de choses. Cependant, l'entrée en guerre des États-Unis (2 avril 1917), si elle n'a pas de portée immédiate (il n'y a pas encore d'armée américaine), écarte la menace de l'asphyxie économique en mettant à la disposition des Alliés une flotte de commerce nombreuse et intacte.
Par le traité de Brest-Litovsk, l'Allemagne a eu accès aux ressources de l'Ukraine. En outre, dégagée sur sa frontière de l'Est,

elle a pu récupérer sept cent mille hommes. Elle décide alors, sous le commandement de Hindenburg et de Ludendorff, de frapper un grand coup contre la France. Son but est d'imposer sa supériorité avant que les Américains n'aient constitué leurs contingents et n'entrent dans le conflit.

Les Alliés, prenant conscience qu'il faut aux combattants un commandement unique, décident de confier ce poste à Foch qui reçoit alors la mission de coordonner l'action interalliée sur le front Ouest le 17 avril 1918. Les offensives allemandes échouent, malgré la puissance répétée des terribles « coups de boutoir ». Finalement, les combats se soldent pour les Alliés par la seconde victoire de la Marne (juillet 1918).

Dès lors, le sort du conflit se précise: un million de soldats américains ont déjà débarqué sur le sol de France et de nouvelles unités les renforcent régulièrement. Foch, prenant à son tour l'initiative des opérations, contraint alors les troupes ennemies à des replis successifs. Au Proche-Orient, les Anglais, avec le général Allenby et le colonel Lawrence, ont soumis les Turcs et sont entrés dans Damas (septembre 1918).

Un armistice est signé le 30 octobre. En Macédoine, le maréchal Franchet d'Esperey a forcé la Bulgarie à capituler (29 septembre). L'Autriche a déposé les armes après la victoire du maréchal italien Diaz à Vittorio Veneto (3 novembre). L'Allemagne enfin, déchirée par des révolutions internes, proclame la république le 9 novembre après la fuite de Guillaume II, et le gouvernement provisoire signe le 11, à Rethondes, l'armistice qui met fin à la guerre.

Pour les deux camps, les conséquences sont désastreuses: plus de 8000000 de morts parmi les soldats (près de 2000000 de Russes, 1700000 Allemands, 1400000 Français, 800000 Anglais, 1000000 d'Austro-Hongrois) et environ 10000000 de civils, sans parler des destructions matérielles considérables.

En janvier 1919, une conférence se déroule à Paris, réunissant vingt sept pays alliés ou neutres, les vaincus et l'URSS n'étant pas présents. Elle se prolonge jusqu'en automne. Les fondements de la Société des Nations y sont discutés et adoptés par la France (Clemenceau), l'Angleterre (Lloyd George) et l'Italie (Orlando) à partir des Quatorze Points précisés par Wilson, président des États-Unis.

Puis la question allemande est débattue : la France, redoutant une nouvelle agression, exige d'énormes réparations financières et la création d'une Rhénanie indépendante visant à affaiblir son voisin d'outre-Rhin. Fidèle au principe des nationalités, Wilson s'y oppose ; et l'Angleterre l'imite en prévision d'un futur impérialisme français. En contrepartie, ces deux pays offrent leur soutien en cas d'une nouvelle confrontation. Après quoi, les traités de Versailles sont imposés aux vaincus : le 28 juin 1919 pour l'Allemagne (à Versailles) ; le 10 septembre pour l'Autriche (à Saint-Germain-en-Laye) ; le 27 novembre pour la Bulgarie (à Neuilly) ; le 6 juin 1920 pour la Hongrie (à Trianon) ; enfin, le 10 août 1920 pour la Turquie (à Sèvres).

GUERRE MONDIALE (SECONDE)

Ce drame, qui a bouleversé les structures économiques, politiques, sociales et géographiques de la planète, débute le 3 septembre 1939 pour ne s'achever que le 2 septembre 1945.

Il met en présence la plupart des nations et a pour théâtre la quasi-totalité des pays d'Europe, une vaste partie de l'Afrique, la Méditerranée, l'Atlantique, le Pacifique, l'Indonésie, l'Indochine française, la Chine (en pleine guerre civile mais où les États-Unis ont choisi d'apporter leur aide à Tchang Kaï-chek contre les communistes) et le Japon. Il oppose d'abord les puissances de l'Axe aux pays de l'ouest de l'Europe, puis dégénère en guerre totale. Une série d'événements a précédé et précipité ce conflit.

On retiendra : l'affaire de Mandchourie (1931) ; le réarmement de l'Allemagne et plus particulièrement la remilitarisation de la

rive gauche du Rhin (1936) ; l'invasion de l'Éthiopie par Mussolini (1936) ; l'agression japonaise en Chine (1937) ; l'absorption de l'Autriche par le IIIe Reich (*Anschluß*, mars 1938) ; les accords de Munich (septembre 1938), signés par les Français, les Britanniques, les Italiens, les Allemands qui imposent à la Tchécoslovaquie la cession des territoires situés au pied des monts Sudètes et peuplés par une majorité germanique ; le pacte de non-agression conclu entre Hitler et Staline (29 août 1939) ; enfin, le 1er septembre 1939, l'invasion de la Pologne et sa conquête en trois semaines, révélant l'efficacité de l'usage concomitant de l'aviation d'assaut et des chars (le *Blitzkrieg* : la guerre éclair).
À la suite de ce dernier coup de force, la Grande-Bretagne et la France déclarent la guerre à l'Allemagne (3 septembre). Pendant huit mois, de part et d'autre de la frontière du Rhin, Français et Allemands s'observent. C'est la « drôle de guerre ».
Pendant ce temps, les Russes envahissent la Finlande dont la résistance étonne le monde ; puis, le 9 avril, la *Wehrmacht* (l'armée allemande) s'empare du Danemark et occupe la Norvège d'Oslo à Narvik, ouvrant à sa marine un large accès sur l'Atlantique Nord.
Mis en confiance par ses succès, le 10 mai 1940, Hitler lance une grande offensive contre le Luxembourg, la Belgique et la Hollande qu'il submerge en quelques jours ; puis contre la France où les armées, commandées par le général Gamelin, puis par le général Weygand, sont forcées de capituler au bout d'un mois.
Un armistice est alors signé le 25 juin par le maréchal Pétain qui prend la tête de « l'État français » tandis qu'à l'instigation du général de Gaulle, passé en Angleterre, commence à s'organiser ce qui prendra plus tard le nom de Résistance (appel du 18 juin).
Désormais, la France est découpée en trois zones : les territoires annexés au Reich (Alsace-Lorraine) ; les régions dites « occupées », délimitées par la « ligne de démarcation » et comprenant

tout le nord du pays jusqu'à la Loire, plus un espace longeant la côte atlantique de Nantes à l'Espagne ; le reste du territoire enfin, nommé « zone libre ». À la suite de quoi, une paix est proposée au Royaume-Uni lui laissant la maîtrise des mers tandis que l'Allemagne conserverait celle du continent.
Sur le refus du nouveau Premier ministre, sir Winston Churchill – qui n'hésite pas, pour montrer sa détermination, à couler la flotte française basée à Mers el-Kébir –, Hitler décide l'invasion des îles Britanniques et entreprend une série de raids aériens qui va se solder par l'échec de l'aviation allemande. Ce sera la « bataille d'Angleterre ». Roosevelt, dont le pays se maintient encore dans un isolationnisme prudent, apporte cependant une aide en matériels et en armes qu'acheminent des convois protégés par des bâtiments militaires.
La lutte sous-marine va connaître une extension prodigieuse et les submersibles allemands (*U-Boote*) dominent momentanément l'océan. En juin 1940, l'Italie est entrée en guerre aux côtés des Allemands. Mais il s'avère rapidement que cette alliée, dépourvue des bases industrielles indispensables, ne pourra entreprendre d'actions réellement efficaces.
C'est ainsi qu'en Libye, Graziani est mis en déroute par les Anglais dès la fin de l'année ; que l'Erythrée et l'Éthiopie sont reconquises ; que la marine italienne subit un terrible revers à Tarente (11 novembre 1940) et que la campagne de Grèce entreprise par Mussolini se solde par un cuisant échec.
L'Allemagne doit alors soutenir son alliée. L'Afrikakorps du maréchal Rommel rétablit la situation dans le désert tandis que les escadrilles de la Luftwaffe, basées en Sicile, bombardent l'aérodrome de Malte afin de protéger les convois de navires.
Puis, du 6 au 30 avril 1941, Hitler envahit la Yougoslavie et occupe la Grèce que les Anglais doivent évacuer hâtivement. Après quoi, il s'empare de la Crète (31 mai). Les forces britanniques, ébranlées, occupent alors, avec l'aide d'unités gaullistes, les États du Levant restés sous le contrôle de Vichy.

Cependant, le 22 juin 1941, le monde apprend avec stupeur que Hitler a lancé ses divisions contre la Russie. Le *Blitzkrieg* reprend et prouve encore une fois sa remarquable efficacité : Smolensk atteinte, Léningrad encerclée, l'Ukraine conquise et trois millions d'hommes faits prisonniers.

Toutefois, la résistance s'organise, contre laquelle va se heurter l'armée allemande confrontée, en outre, à d'énormes difficultés de ravitaillement créées par les distances et le mauvais réseau routier. Kiev est encerclée, mais le froid va sauver Mouscou. Hitler touche à la limite de ses conquêtes. Après un effroyable hiver, il réussit pourtant à maintenir ses positions.

Mais le 7 décembre 1941, les Japonais, sans déclaration de guerre, ont bombardé la base aéronavale de Pearl Harbor, forçant les États-Unis à entrer dans le conflit. Dès lors, pendant cinq mois, les forces nippones vont remporter une suite de victoires qui mettront sous leur domination la Thaïlande, Guam, Wake, Hong-Kong (décembre 1941), la Malaisie, Singapour (février 1942), Sumatra, Java, les Philippines, la Birmanie.

Le Sud-Est asiatique passe entre leurs mains et, au mois de mai, les Japonais se retrouvent aux frontières de l'Inde et aux portes de l'Australie. Dans l'Atlantique, sous le commandement de l'amiral Dönitz, la guerre sous-marine fait rage et menace les liaisons entre l'Amérique et la Grande-Bretagne.

En Afrique du Nord, Rommel remporte les victoires de Bir-Hakeim, de Tobrouk et atteint El-Alamein. En Russie, Hitler s'empare de Sébastopol (juillet 1942), traverse le Kouban et vise le pétrole du Caucase. Ce sont les ultimes poussées des puissances de l'Axe. En effet, du 23 octobre au 4 novembre 1942, la 8e armée britannique contre-attaque à El-Alamein. À l'Est, les combats commencent pour Stalingrad.

Dans le Pacifique, après les affrontements de Midway (juin 1942) et ceux de Guadalcanal (juillet 1942-février 1943), les forces japonaises et américaines s'équilibrent.

Puis, à partir de 1943, le renversement du conflit s'amorce sur tous les fronts. À Stalingrad, Paulus est contraint de capituler avec trois cent mille hommes (début février) et les troupes engagées dans le Caucase doivent se replier rapidement. En Afrique du Nord, au moment du débarquement anglo-américain (8 novembre 1942), le maréchal Montgomery s'est emparé d'El-Alamein et les forces françaises d'Afrique sont entrées dans la guerre. Dans les mois qui vont suivre, Allemagne et Italie abandonneront quelque deux cent mille prisonniers. Dans le Pacifique enfin, après le succès de Guadalcanal, l'usure japonaise se fait sentir.

Janvier 1943 : la conférence de Casablanca a réuni Churchill et Roosevelt qui ont adopté, vis-à-vis de l'Allemagne, le principe discutable de la « reddition sans conditions ». Réplique immédiate de Hitler : guerre totale. Pour les Alliés, l'objectif principal reste l'Allemagne ; la priorité est donnée à la bataille de l'Atlantique et aux bombardements sur les villes du Reich. À ce moment, la production des industries de guerre s'intensifie partout, mais c'est aux États-Unis que l'effort est le plus remarquable. Ce pays constituera bientôt « l'arsenal des démocraties ».

En juillet, les Alliés débarquent en Sicile, soumettent l'île et entraînent par leur victoire la chute de Mussolini. Tandis que l'Italie capitule (8 septembre 1943) et que le gouvernement Badoglio se met en place, un nouveau débarquement se déroule à Salerne. La réaction allemande est brutale : désarmement des troupes italiennes ; enlèvement et libération par un commando SS du « Duce » qui se voit contraint de prendre la tête d'une « République sociale fasciste » au service du Reich ; contre-attaque sévère en Italie du Sud qui va bloquer pendant six mois, à Monte Cassino, l'avance alliée vers Rome.

À l'Est, après l'immense bataille de chars de Koursk, la Wehrmacht opère son repli, abandonnant la Crimée et l'Ukraine. De plus, partout, la Résistance maintenant organisée dans toute l'Europe, s'est durcie et multiplie les actions de sabotage et les attentats. Les maquis, réaction contre le Service du travail obligatoire (STO), font leur apparition et immobilisent d'importants effectifs ennemis.

En novembre 1943, Roosevelt, Churchill et Staline se rencontrent à Téhéran. Le Britannique, inquiet d'une trop grande avance des troupes russes à l'Ouest, préconise l'invasion des Balkans qui leur couperait la route. Mais Roosevelt s'y oppose, à la grande satisfaction du leader soviétique qui promet une grande offensive pendant les préparatifs du débarquement de Normandie. Celui-ci se déroule le 6 juin 1944 malgré les défenses du « mur de l'Atlantique ». C'est l'opération « Overlord », nom codé de l'assaut sur les plages de la Manche. La libération de la France et de la Belgique va commencer et se poursuivra toute l'année. Le 15 août, c'est « Anvil », le débarquement de Provence et la remontée de la vallée du Rhône. À la mi-septembre, les Alliés sont aux portes de l'Allemagne.

De son côté, l'Armée rouge a libéré la Russie blanche et l'on apprend la volte-face de la Roumanie. La Wehrmacht doit alors évacuer la Bulgarie, la Grèce et une large partie de la Yougoslavie. Cependant, de durs combats arrêtent encore l'avance alliée en Hollande (bataille d'Arnehm, septembre 1944) et, le 16 décembre, Hitler lance les blindés de von Rundstedt à travers les Ardennes et perce sur plus de cent kilomètres les défenses américaines. Ce sera le dernier sursaut avant l'effondrement.

Ensuite, sous les bombardements toujours intensifiés des Alliés de l'Ouest et l'avance des armées soviétiques, l'Allemagne, privée de ses voies de communication et de son industrie, sans carburant, se paralyse. Les derniers combats, opposant les débris de la Wehrmacht et quelques troupes SS, se déroulent à Berlin. Fin avril, Hitler se suicide et, le 7 mai, le Reich capitule. C'est la fin de la guerre en Europe.

Parallèlement, la situation du Japon s'est aggravée. Ses ressources aussi s'épuisent tandis que la production américaine bat les records. Le général MacArthur et l'amiral Nimitz ont entrepris la reconquête des îles envahies par les forces nippones. Le 24 octobre, près de l'île de Leyte, dans les Philippines, commence la plus grande bataille navale de tous les temps. Elle s'achève le 26 et sonne le glas de la flotte japonaise. C'est alors qu'apparaissent les premiers avions-suicide, les kamikaze, réaction désespérée du gouvernement de Hiro-Hito. Privé de marine de guerre et de commerce, le Japon agonise à son tour. L'URSS lui déclare alors la guerre (8 août 1945). Deux jours avant a éclaté la première bombe atomique lancée par les États-Unis sur Hiroshima, suivie d'une seconde, le 9, sur Nagasaki. Hiro-Hito signe alors la capitulation de son pays, le 2 septembre, à bord du cuirassé américain *Missouri*.

En février 1945, États-Unis, Grande-Bretagne et URSS s'étaient à nouveau consultés à Yalta pour régler le sort des pays vaincus. Puis, en juillet-août, à Potsdam, les mêmes avaient précisé les questions débattues à Yalta et adressé un ultimatum au Japon.

Au lendemain de la guerre, on a évalué le nombre de morts à quelque cinquante millions d'hommes et de femmes, dont environ six millions de Juifs assassinés par les nazis. Les destructions matérielles, elles aussi, sont considérables. L'Allemagne occupée est divisée en quatre zones : américaine, soviétique, britannique et française. Un procès s'ouvre à Nuremberg pour juger les survivants du régime nazi. L'ONU remplace la SDN Les pays soumis par le Reich à l'Est passent sous la domination de Staline.

À l'Ouest, les États-Unis établissent des bases militaires et entreprennent la reconstruction ; ils pratiqueront de même au Japon dont le territoire reste sous le contrôle du général MacArthur.

Les empires coloniaux sont à la veille de leur dislocation et, tandis qu'en Chine le champ est ouvert à la guerre civile qui oppose Tchang Kaï-chek à Mao Tsé-toung, la guerre froide va commencer entre les Alliés de l'Ouest et l'empire soviétique.

GUESDE (JULES BAZILE DIT)

Homme politique français né à Paris en 1845, mort à Saint-Mandé en 1922. Il fut le porte-parole du marxisme en France et créa, avec Lafargue, le Parti ouvrier français (1880) ainsi que le journal *L'Égalité*. Partisan de la révolution, il se sépara de Jaurès qui acceptait de collaborer avec les ministères bourgeois. Il assuma néanmoins le poste de ministre d'État en 1914 et adopta une position nationaliste lors de la Première Guerre mondiale.

GUILLAUME Ier (DIT LE CONQUÉRANT OU LE BÂTARD)

Né à Falaise vers 1027. Duc de Normandie puis roi d'Angleterre, il était le fils naturel de Robert Ier le Magnifique, dit Robert le Diable, et d'une blanchisseuse de Falaise. À la mort de son père (1035) il eut à disputer son héritage et ne s'imposa en Normandie qu'en 1047, avec l'aide du roi de France Henri Ier. Plus tard, en conflit avec ce dernier, il le battit à Mortemer (1054) puis à Varaville (1058). À la mort d'Édouard le Confesseur, prétendant à la succession au trône d'Angleterre et soutenu par le pape Alexandre II, il débarqua dans ce pays. Il y tua Harold, qui avait pris le pouvoir, à la bataille d'Hastings (1066).

Il se fit alors couronner à sa place. Puis, affermissant ses conquêtes, il imposa sa suzeraineté au roi d'Écosse (1072). Il mourut près de Rouen, à la suite d'une chute de cheval (1087).

GUILLAUME III D'ORANGE-NASSAU

Roi d'Angleterre, d'Écosse et d'Irlande, né à La Haye en 1650, mort à Kensington en 1702. Lors de l'invasion de la Hollande par les Français (1672), il fut nommé stathouder et sauva son pays en y provoquant une inondation, puis en ménageant d'habiles alliances (paix de Nimègue, 1678).

Il fut alors le champion du protestantisme contre l'hégémonie française catholique. Il forma ensuite contre Louis XIV la ligue d'Augsbourg (1686), se constitua un parti puissant en Angleterre où il débarqua (1688) pour s'y faire couronner l'année suivante. Battu par la France à Steinkerque (1692) et à Neerwinden (1693), il n'en fut pas moins reconnu, au traité de Ryswick (1697), roi d'Angleterre par Louis XIV.

GUILLAUME Ier (DE HOHENZOLLERN)

Roi de Prusse et empereur d'Allemagne né et mort à Berlin (1797-1888). Second fils de Frédéric-Guillaume et de la reine Louise, il combattit Napoléon Ier pendant la campagne de France en 1815. En 1848, il réprima l'insurrection de Berlin.
Succédant à son père en 1861, il prit pour ministre Bismarck l'année suivante. Avec l'aide de l'Autriche, il écrasa le Danemark qui dut lui céder les duchés du Schleswig et du Holstein (1864). Puis il se retourna contre son alliée, qu'il vainquit à Sadowa. Enfin, en 1870, vainqueur de la France, il s'empara de l'Alsace et d'une partie de la Lorraine. On peut dire que c'est au cours de ces trois guerres que se fit l'unité allemande. Guillaume fut proclamé empereur au château de Versailles en 1871.

GUILLAUME II (DE HOHENZOLLERN)

Empereur d'Allemagne né à Potsdam en 1859. Petit-fils de Guillaume Ier, fils de Frédéric III et de Victoria (sœur du roi d'Angleterre Édouard VII), il régna à partir de 1888. Partisan des thèses pangermanistes, il écarta Bismarck afin de gouverner seul et selon ses méthodes. Il développa l'économie de son pays et renforça sa puissance militaire et coloniale. Mais, entraîné par l'idée qu'il se faisait de sa mission, il précipita l'Allemagne dans la guerre en 1914. Après l'armistice de 1918, il abdiqua et s'exila à Doorn, en Hollande, où il mourut en 1941.

GUISE (MAISON DE)

Célèbre famille française dont le chef, cinquième fils de René II, duc de Lorraine, fut Claude Ier, comte d'Aumale (mort en 1550), qui vint s'établir en France. Il obtint de Louis XII (1506) des lettres de naturalisation et fut créé duc de Guise par François Ier en récompense de ses nombreux services militaires. De sa femme, Antoinette de Bourbon, il eut huit fils et quatre filles.

❒ Jean de Guise (1498-1550), frère du précédent, cardinal de Lorraine, évêque de Metz, fut ministre d'État sous François Ier et Henri II.

❒ François, deuxième duc de Guise (1509-1563), dit *le Balafré*, fils de Claude, soutint victorieusement contre Charles Quint le siège de Metz (1553) et gagna contre lui la bataille de Renti (1554). En 1557, le pape Paul IV lui confia la conquête du royaume de Naples défendu par le duc d'Albe, mais il échoua dans cette expédition. Son prestige grandit lorsqu'en 1558 il reprit Calais aux Anglais et Thionville aux Espagnols (paix de Cateau-Cambrésis, 1559). À l'avènement de François II (1558), il s'était vu confier les rênes de l'État, mais son gouvernement ne fut qu'une suite de complots (il déjoua la conjuration d'Amboise). À la mort du jeune roi (1559), il essaya de s'opposer aux tentatives de conciliation que Catherine de Médicis rechercha d'abord entre catholiques et protestants. Mais, avec le massacre de Wassy qu'il provoqua (en mars 1562, ses hommes tuèrent des calvinistes qui chantaient des psaumes dans une grange), il ouvrit la période des guerres de Religion. L'année suivante, il fut assassiné près d'Orléans par un huguenot.

❒ Charles (1525-1574), cardinal de Lorraine, frère du précédent, fut ministre de François II et de Charles IX, et l'un des principaux responsables des guerres de Religion par son catholicisme intransigeant.

❒ Louis Ier de Lorraine (1527-1578), cardinal de Guise, évêque de Metz, frère du précédent fut, selon le chroniqueur L'Estoile,

« peu remuant, ne se mêlant guère d'autres affaires que celles de la cuisine. »

❒ Henri Ier, dit, comme son père François *le Balafré*, troisième duc de Guise (1550-1588), montra très tôt sa valeur militaire. Il fut le principal artisan du massacre de la Saint-Barthélemy. Vainqueur de la bataille de Dormans contre les protestants (1575), il organisa la Ligue dans tout le royaume, ce qui le rendit plus puissant que le roi. Il pactisa avec les Espagnols et le pape, battit en 1587 les troupes allemandes venues au secours des protestants français et se fit nommer lieutenant-général du royaume (4 août 1588). S'étant rendu aux États généraux de Blois, il y fut assassiné sur l'ordre du roi Henri III, le 23 décembre 1588. Sa mort provoqua une insurrection générale contre Henri III (qui aurait dit, devant son cadavre: « Il est encore plus grand mort que vivant »), qui dut s'allier à Henri de Navarre, chef des protestants.

❒ Louis II de Lorraine, cardinal de Guise, archevêque de Reims (1556-1588) et frère du précédent; il fut lui aussi tué à Blois, le lendemain du meurtre de son frère.

❒ Charles de Lorraine, fils aîné d'Henri Ier duc de Guise (1571-1640), devint chef de la Ligue trois ans après la mort de son père. Il se réconcilia avec Henri IV qu'il aida, après la prise de Paris, à soumettre les pays encore en insurrection. Le roi lui donna le gouvernement de la Provence avant qu'il ne se retire à Florence. D'autres Guise s'illustrèrent militairement, mais loin du pouvoir royal. La maison de Guise s'éteignit en 1671.

GUIZOT (FRANÇOIS)

Homme d'État et historien français, né à Nîmes en 1787. Il occupa, en 1805, une chaire à la Sorbonne. Avec Royer-Collard, il créa le parti des doctrinaires, hostile aux ultras. Secrétaire du ministre de l'Intérieur en 1814, il occupa après les Cent-Jours les postes de secrétaire général et de maître des requêtes au ministère

de la Justice de 1816 à 1820. Il écrivit alors un certain nombre d'ouvrages historiques. Député de Lisieux en 1830, il protesta contre les ordonnances de Saint-Cloud, qui provoquèrent l'insurrection des 27, 28 et 29 juillet et le départ de Charles X. Ministre de l'Intérieur, puis ministre de l'Instruction publique sous Louis-Philippe, il s'engagea dans une politique délibérément conservatrice et fit voter une loi pour la liberté de l'enseignement (loi Guizot du 28 juin 1833).
Entré au ministère Soult (1840), il y reçut le portefeuille des Affaires étrangères qu'il garda jusqu'en 1848. À cette époque, interdisant la campagne des Banquets favorable à une réforme électorale et parlementaire, il précipita les événements qui renversèrent la monarchie de Juillet. Dès lors, il cessa de jouer un rôle politique et mourut à Val-Richer (Calvados) en 1874. On lui doit des *Mémoires pour servir à l'histoire de mon temps* (1858-1867). (Académie française.)

GUSTAVE-ADOLPHE (GUSTAVE II LE GRAND)

Roi de Suède, né à Stockholm en 1594. Succédant à son frère Charles IX en 1611, il signa des traités de paix avec le Danemark (1613), la Russie (1617) et la Pologne (1629). Pendant la guerre de Trente Ans, allié de la France face aux Impériaux, il soutint les princes protestants : victoires de Breintenfeld (1631) et de Lützen, où il battit Wallenstein qui commandait les troupes de l'empereur Ferdinand II (1632). Il trouva la mort dans cette bataille. Il laissait une fille de cinq ans, la future reine Christine.

GUTENBERG (JOHANNES GENSFLEISCH, DIT)

Imprimeur allemand né à Mayence entre 1394 et 1399, mort en 1468. Inventeur de la typographie (vers 1440). Associé au banquier Jean Fust, il imprima la Bible dite à « quarante-deux lignes ». Protégé par le duc Adolphe de Nassau, il reçut le titre de gentilhomme et une pension.

HABSBOURG (MAISON DE)

Dynastie qui régna sur l'Autriche de 1278 à 1918. Un seigneur souabe du Xe siècle, Gontran le Riche, peut en être considéré comme l'ancêtre direct le plus lointain. Son petit-fils fit ériger en Argovie le château de Habsbourg vers 1020 et l'un de ses descendants mort en 1096, Werner, prit le titre de comte de Habsbourg. Cette famille acquit, grâce à Frédéric Barberousse, des territoires en Suisse, en Alsace et en Souabe. Par une habile politique de mariages, elle étendit ensuite ses possessions. Au XVIe siècle, les Habsbourg étaient empereurs d'Allemagne, rois de Bohême, de Hongrie et d'Espagne ; ils dominaient l'Europe et leur souveraineté s'étendit même au Nouveau Monde. Ils se firent alors les champions de la foi catholique et aspirèrent à la monarchie universelle. Cependant, la Réforme brisa leur puissance en Allemagne et la France fit obstacle à leur hégémonie européenne. Les contrecoups de la Révolution de 1789 entraînèrent la perte des Pays-Bas et de leurs provinces italiennes. Puis la Prusse les exclut de la confédération allemande. À partir de 1804, ils prirent le titre d'empereurs d'Autriche et, en 1867, de roi de Hongrie. Le dernier empereur, Charles Ier, abdiqua en 1918.

HÉBERT (JACQUES RENÉ)

Journaliste et homme politique français, né à Alençon en 1757. Partisan des idées révolutionnaires, il fonda en 1789 le journal *Le Père Duchesne*. Nommé substitut du procureur général de la Commune après le 10 août 1792, il devint chef du club des Cordeliers et s'acharna contre les Girondins. Ceux-ci le firent arrêter, mais cette arrestation provoqua l'insurrection sans-culotte des 31 mai-2 juin 1793 et il fut relâché presque aussitôt.
Instigateur de la chute de la Gironde, il travailla au mouvement de déchristianisation et dénonça le parti des indulgents (Camille Desmoulins, Danton) qui souhaitait la fin de la Terreur. Arrêté sur l'ordre du Comité de salut public (Robespierre), il fut condamné par le Tribunal révolutionnaire et guillotiné le 24 mars 1794.

HÉBERTISTES

On a donné ce nom aux partisans ultra-révolutionnaires de Jacques René Hébert. Parmi eux, Chaumette, Fouché, Collot-d'Herbois, Billaud-Varenne, etc. Ils sont à l'origine des mesures d'exception comme la *loi du maximum*, la *loi des suspects*, les manifestations anticatholiques (1793) et l'instauration du culte de la Raison. Maîtres de la Commune insurrectionnelle et des Cordeliers, ils prirent la tête du mouvement des sans-culottes. Attaqués par Robespierre, qui voyait un rival en la personne de leur chef, ils furent arrêtés et condamnés à l'échafaud avec les dantonistes (mars 1794).

HÉLOÏSE

Voir Abélard.

HELVÈTES

Peuplade gauloise qui occupait, vers le Ier siècle avant Jésus-Christ, le territoire correspondant à peu près à la Suisse actuelle. Sous la pression des invasions germaniques, elle menaça à plusieurs reprises ses voisins de l'Ouest. César la repoussa deux fois et, sous Auguste, son territoire fut rattaché à la Belgique, puis à la Province lyonnaise.

HENRI Ier

Fils de Robert II le Pieux et de la reine Constance, né en 1008, mort à Vitry-aux-Loges (près d'Orléans) en 1060. Roi de France en 1027. Lors de son avènement, il eut à lutter contre les grands vassaux qui voulaient, avec l'appui de la reine Constance, faire accéder au trône son jeune frère Robert. Il parvint à les vaincre mais dut céder la Bourgogne à son frère. Après avoir soutenu Guillaume le Conquérant en Normandie, il envahit ses terres mais fut battu à Mortemer en 1054.
En 1051, il avait épousé en secondes noces Anne de Kiev dont il avait eu deux enfants. Philippe, l'aîné, lui succéda sur le trône.

HENRI II

Fils de François Ier et de la reine Claude, né à Saint-Germain-en-Laye en 1519, mort à Paris en 1559. D'abord influencé par le connétable de Montmorency, il subit ensuite l'ascendant de sa maîtresse, Diane de Poitiers et, par elle, celui des Guise. En 1533, il épousa Catherine de Médicis dont il eut dix enfants. Succédant à son père en 1547, il poursuivit, allié aux princes protestants allemands et aux Turcs, la lutte contre Charles Quint, et s'empara des trois évêchés (Metz, Toul et Verdun, 1552). Charles Quint tenta alors vainement de reprendre Metz (1553) mais, après la défaite de Renty, il dut signer la trêve de Vaucelles (1556). Henri II rompit cette trêve après l'abdication de Charles

Quint mais ses troupes furent battues par le successeur de ce dernier et ses alliés anglais (Saint-Quentin, 1557).
C'est à ce moment qu'il rappela le duc de Guise, alors en Italie, pour lui confier le commandement de son armée. La prise de Calais, possession des Anglais depuis plus de deux cents ans, et celle de Graveline, (1558) effacèrent les récents désastres.
Cependant, des difficultés intérieures au royaume le contraignirent à signer le désastreux traité de Cateau-Cambrésis (1559) qui, s'il mettait fin aux guerres d'Italie, lui enlevait la Savoie ainsi que les principales villes du Piémont. Il mourut peu après, lors d'un tournoi, d'une blessure à la tête que lui fit le comte de Montgomery.

HENRI III

Troisième fils d'Henri II et de Catherine de Médicis, il naquit à Fontainebleau en 1551. Nommé duc d'Anjou, puis duc d'Orléans, il s'illustra aux batailles de Jarnac et de Moncontour contre les protestants (1569). En 1573, les Polonais le choisirent pour souverain à la place de Sigismond-Auguste mort sans héritier. Mais le décès du roi Charles IX, son frère, le rappela en France (1574) pour assurer la succession. Trois partis divisaient alors la France : les calvinistes, avec le prince de Condé et Henri de Navarre ; les politiques (catholiques modérés alliés aux protestants), avec le duc d'Alençon, frère du roi ; les catholiques extrémistes enfin avec le duc de Guise. Après quelques hostilités contre les protestants, le roi leur accorda la paix de Monsieur (1576) qui provoqua la formation de la Ligue. Ce mouvement, soutenu par les Espagnols, visait à l'extermination des réformés. Henri III s'en déclara le chef et dut reprendre la lutte contre eux. Une nouvelle paix leur fut accordée à Nérac (1580). La mort du duc d'Alençon désignant le huguenot Henri de Navarre comme futur roi de France vint réveiller la discorde. Ce fut la guerre des « trois Henri » : Henri III à la tête des royalistes, Henri de Guise dirigeant la Ligue et Henri de Navarre regroupant les protestants. La défaite de l'amiral de Joyeuse à Coutras (1587) et la journée des Barricades contraignirent le roi à fuir Paris. C'est alors qu'il prit la terrible décision de faire assassiner Henri de Guise (1588). « Je suis redevenu roi de France, ayant fait tuer le roi de Paris » devait-il confier à sa mère. Ce meurtre souleva la France contre lui et il dut avoir recours à Henri de Navarre avec qui il assiégea la capitale. Il était sur le point de s'en emparer quand il fut mortellement frappé par le moine ligueur Jacques Clément, le 1er août 1589. Il mourut le lendemain. L'Histoire l'a flétri en raison des débauches auxquelles il s'adonna avec ses « mignons ».

HENRI IV

Né à Pau en 1553. Roi de Navarre (1572), fils d'Antoine de Bourbon et de Jeanne d'Albret. La mort du duc d'Alençon, frère d'Henri III, fit de lui l'héritier naturel de la couronne de France (1589). Mais, de religion protestante, il dut s'imposer aux catholiques peu disposés à l'accepter. Sa valeur militaire l'y aida (victoires d'Arques, 1589, et d'Ivry, 1590, sur le duc de Mayenne et la Ligue), et surtout son abjuration du calvinisme (1593).
Paris lui ouvrit alors ses portes (1594) et les chefs de la Ligue se soumirent. En 1598, il publia l'édit de Nantes par lequel il assurait aux réformés la liberté religieuse et signa la même année le traité de Vervins qui mettait fin à la guerre contre les Espagnols. Il travailla alors, avec Sully, Jeannin et Serres, à restaurer les finances, l'industrie et l'agriculture du pays. Son mariage avec Marguerite de Valois ayant été annulé (1599), il épousa en 1600 Marie de Médicis, rétablissant ainsi l'influence française sur l'Italie. Un nouveau conflit contre l'Espagne se dessinait lorsqu'il fut assassiné par Ravaillac, le 14 mai 1610. Il laissait le souvenir d'un grand capitaine (ses soldats l'appelaient le « roi des braves ») et d'un monarque généreux. Sa vie sentimentale mouvementée lui valut le surnom de *Vert Galant*.

HENRI VIII D'ANGLETERRE

Né à Greenwich en 1491, mort à Westminster en 1547. Fils d'Henri VII auquel il succéda en 1509. Il engagea une lutte contre la France qu'il vainquit à la bataille de Guinegatte (1513), mais dut retourner en Angleterre pour réduire une invasion des Écossais. Il fut plus tard l'allié de Charles Quint contre François Ier.
À cette époque, lassé de son épouse Catherine d'Aragon, il ne put obtenir du pape l'annulation de son mariage. En conséquence, il rompit avec le Saint-Siège et se fit proclamer par le Parlement chef suprême de l'Église d'Angleterre (1534). Il épousa alors en secondes noces Anne Boleyn, l'une des dames d'honneur de Catherine. Le schisme était consommé, l'Église anglicane naissait. Aussitôt commencèrent les persécutions contre le clergé catholique: dispersion des ordres religieux et saisie de leurs biens, exécution de Thomas More, son ministre.
Henri VIII épousa successivement six femmes dont deux furent décapitées sur son ordre.

HEREDIA (JOSÉ MARIA DE)

Poète français né à Santiago de Cuba en 1842, mort à Condé-sur-Vesgre en 1905. Issu d'une riche famille cubaine, il reçut son éducation en France. Il fut, avec son maître Leconte de Lisle, un des principaux représentants de la poésie parnassienne. Il composa *Les Trophées*, recueil de cent dix-huit poèmes paru en 1893. (Académie française.)

HERRIOT (ÉDOUARD)

Homme politique et écrivain français né à Troyes en 1872, mort à Saint-Genis-Laval (Rhône) en 1957. Il fut un des chefs du parti radical. Maire de Lyon en 1904, il entra au Sénat en 1912. Après la victoire du Cartel des gauches, dont il mena la campagne (1924), il fut nommé président du Conseil. Il fut renversé l'année suivante et remplacé par Poincaré, celui-ci lui confia le portefeuille de l'Instruction publique (1926-1928). Favorable à Pétain en 1940, il s'en désolidarisa bientôt, ce qui lui valut d'être mis en résidence surveillée. Déporté en Allemagne en 1944, il fut, après la guerre, président de l'Assemblée nationale (1947) mais démissionna pour raisons de santé.

HITLER (ADOLF)

Homme d'État allemand, d'origine autrichienne, né à Braunau-sur-Inn (Haute-Autriche) en 1889. Il adhéra en 1919 au Parti national des travailleurs allemands qui devint l'année suivante le Parti national-socialiste des travailleurs. Il en fut élu président. En 1923, après le putsch de Munich, il tenta de s'emparer du pouvoir. Emprisonné, il rédigea *Mein Kampf*, où il présente ses idées sur la supériorité de la race aryenne et sa théorie de l'espace vital (*Lebensraum*). Amnistié en 1924, il réorganisa son parti qui connut un développement extraordinaire. Candidat aux élections pour la présidence du Reich (1932), il échoua de peu. En 1933, Hindenburg l'appela à la chancellerie où son pouvoir ne cessa de croître. Maître absolu du pays à la mort du maréchal, il établit sa dictature et prit le nom de *Führer*. Le Parti nazi fut alors proclamé parti unique. Il réduisit toute opposition par la force et s'attaqua systématiquement au programme d'agression développé dans *Mein Kampf*: remilitarisation de la Rhénanie (1936); annexion de l'Autriche (*Anschluß*, 1938); signature des accords de Munich qui octroyaient à l'Allemagne une partie de la Tchécoslovaquie (1938); et, le 1er septembre 1939, invasion de la Pologne qui marqua le début de la Seconde Guerre mondiale. Le 30 avril 1945, ayant désigné l'amiral Dönitz pour lui succéder à la tête d'une Allemagne ravagée par les bombardements, Hitler se donna la mort dans les bâtiments de la chancellerie à Berlin.

HOCHE (LAZARE)

Général français né à Versailles en 1768, mort à Wetzlar en 1797. Simple sergent à la Garde nationale, il gravit rapidement les échelons et, remarqué par Carnot, fut nommé chef de bataillon, puis commandant en chef de l'armée de Moselle (1793). Après une défaite contre les Austro-Prussiens à Kaiserlautern, il les écrasa quelques semaines plus tard à Wœrth, reprit Wissembourg, débloqua Landau et repoussa l'ennemi au-delà du Rhin (1793). Dénoncé comme suspect par Pichegru qui le jalousait, il fut mis en prison à la Conciergerie. Libéré le 9 thermidor (27 juillet 1794), il reprit alors son commandement et fut chargé de la pacification des régions de l'Ouest. Il réduisit la chouannerie et conclut avec les royalistes le traité de la Jaunaye (1795). Quelques mois plus tard, il battait à Quiberon l'armée des émigrés à la solde de l'Angleterre. Il ne parvint pas, l'année suivante, à débarquer en Irlande à cause d'une tempête. En 1797, à la tête de l'armée de Sambre-et-Meuse, il défit les Autrichiens à Neuwied et à Altenkirchen, mais mourut peu après d'une maladie de poitrine.

HÔ CHI MINH (NGUYEN AI QUÔC)

Homme politique vietnamien né à Kiem Lien en 1890, mort à Hanoi en 1969, fondateur de la république du Viêt-nam.

Émigré en Grande-Bretagne (1914), puis en France (1917), il entra au parti communiste et créa le journal *Le Paria*. Membre du Komintern après un séjour en URSS, il partit pour Hong Kong (1930) où il organisa les bases du Parti communiste vietnamien. En 1941, il mit sur pied la *Ligue révolutionnaire pour l'indépendance du Viêt-nam* (Viêt-minh).

Au lendemain de la Seconde Guerre mondiale, revenu dans son pays, il entama son combat contre la France (1946). Après le retrait des troupes françaises (Diên Biên Phû, 1954) et le partage

du pays (conférence de Genève, juillet 1954), il fut élu président de la République démocratique du Nord Viêt-nam.
Plus tard, lors de l'intervention américaine à Saigon (1965), il bénéficia d'une aide massive des Soviétiques et organisa jusqu'à sa mort la résistance aux raids aériens.

HOUDON (JEAN ANTOINE)

Sculpteur français né à Versailles en 1741, mort à Paris en 1828. Prix de Rome en 1761, il séjourna une dizaine d'années en Italie. Pour l'Amérique, il réalisa la statue en pied de Washington (actuellement en Virginie) et le buste de Franklin. Pour la Russie, celui de Catherine II. En France, il sculpta les visages de Louis XVI, Buffon, Mirabeau, La Fayette, Direrot, Rousseau et le célèbre Voltaire assis, tous d'un réalisme saisissant.

HUGO (VICTOR)

Écrivain français né à Besançon en 1802. Fils du général d'empire Joseph Léopold Hugo, il suivit son père de garnison en garnison, notamment en Espagne et en Italie. Élève au lycée Louis-le-Grand, destiné à Polytechnique, il préféra la voie des lettres et dès 1919, créa le *Conservateur littéraire* avec son frère Abel et Alfred de Vigny. Ce journal ne dura qu'un an.
Puis son premier ouvrage, *Odes et Ballades*, vit le jour en 1822, complété et achevé en 1828. Dans l'intervalle, il avait collaboré à la *Muse Française*, organe du premier Cénacle. Avec la préface de son *Cromwell*, il s'affirma comme chef de l'école romantique (1827). Il produisit alors la série de pièces lyriques et de drames en vers : *Les Orientales* (1828), *Hernani* (1830), *Marion Delorme* (1830), *Les Feuilles d'automne* (1831), *Le Roi s'amuse* (1832), *Les Voix intérieures* (1837), *Ruy Blas* (1838), *Les Rayons et les Ombres* (1840), *Les Burgraves* (1843). Entre-temps, en prose, il avait écrit *Lucrèce Borgia* et *Marie Tudor* (1833), le

roman historique *Notre-Dame de Paris* (1831). Reçu à l'Académie française en 1841 et nommé pair de France en 1845, il se tourna peu à peu vers la politique. D'abord « vendéen », il pencha ensuite vers le libéralisme et évolua vers des idées républicaines. Hostile à Louis-Napoléon Bonaparte, il fut porté sur la liste des proscrits et passa dix-huit ans en exil (Bruxelles, Jersey et Guernesey). Il y écrivit le pamphlet *Napoléon le Petit* et le poème satirique *Les Châtiments* (1853). Puis vinrent *Les Contemplations* (1856), la première partie de *La Légende des siècles* (1859), *les Misérables* (1862), *Les Travailleurs de la mer* (1866), *L'Homme qui rit* et *Quatre-vingt-treize* (1874).
Rentré à Paris à la chute de l'Empire, il fit paraître *L'Année terrible* (1872), la deuxième partie de *La Légende des siècles* (1877), puis la troisième en 1883. Il faut encore citer *L'Art d'être grand-père*, écrit en 1877, et *Les Quatre Vents de l'esprit* (1881). Il mourut en 1885 et la nation lui fit des funérailles grandioses. Ses restes reposent au Panthéon. Dans son œuvre, il embrasse tous les domaines : la nature, l'homme, l'histoire. Tour à tour élégiaque, dramatique, épique ou satirique, il a su utiliser tous les registres et tous les genres. Seule la philosophie lui est restée étrangère.

HUGUENOTS

Nom qui désigna en France et en Suisse les partisans de la Réforme et plus particulièrement les disciples de Calvin. Ce mot viendrait du vocable allemand *Eidgenoßen* (confédérés, liés par serment).

HUGUES CAPET

Fils d'Hugues le Grand, né vers 941, mort en 996. Comte de Paris et d'Orléans, il comptait parmi les huit grands vassaux du royaume. Héritier du duché de Bourgogne après le décès de son frère Othon, investi de la suzeraineté du Poitou par son mariage avec Adèle, fille du duc d'Aquitaine, il se trouva tout désigné pour régner lorsque le trône fut vacant à la mort du Carolingien Louis V le Fainéant (956).
Il occupa le trône au détriment de Charles de Lorraine, oncle de Louis V, sur approbation de l'assemblée des Grands.
Ainsi naquit la dynastie des Capétiens qu'il assura en faisant sacrer de son vivant son fils Robert (987) avec qui il partagea le gouvernement.

HUNS

Nom donné à des peuplades turko-mongoles établies tout d'abord vers la mer d'Aral et le Causase et qui, du Ier au Ve siècle, menacèrent ou soumirent tantôt leurs voisins méridionaux, tantôt ceux de l'Orient, tantôt ceux de l'Occident.
À plusieurs reprises, ils faillirent se rendre maîtres de l'Empire chinois, mais en furent repoussés vers la fin du Ier siècle. Se retournant alors vers les territoires situés à l'Ouest, ils furent à l'origine des Grandes Invasions. En 405, ils occupèrent le bassin du Danube. En 406, divisés en plusieurs branches, ils pillèrent la Perse et ravagèrent le royaume des Burgondes.
Le Romain Aetius les repoussa aux champs Catalauniques (451), et ils quittèrent la Gaule. La mort de leur chef Attila (453) entraîna la dislocation de leur empire, et les peuples qu'ils avaient soumis reprirent leur indépendance.

HUYGHENS (CHRISTIAN)

Mathématicien, physicien et astronome hollandais né et mort à La Haye (1629-1695). Il séjourna en France entre 1665 et 1685 à la demande de Colbert. Il inventa l'horloge à balancier, proposa une théorie ondulatoire de la lumière, découvrit le premier satellite de Saturne, travailla aussi sur le calcul des probabilités, étudia la loi du choc des corps, écrivit de nombreux traités.
Au moment de la révocation de l'édit de Nantes (1685), il regagna son pays.

INDOCHINE

C'est entre 1867 et 1898 que s'est constituée l'Indochine française. Napoléon III en organisa la conquête sous prétexte de protéger les missionnaires installés dans ces régions. Il envahit d'abord la Cochinchine orientale et occidentale. Puis il créa les protectorats du Cambodge, du Tonkin, de l'Annam et du Laos. Il s'empara enfin du territoire chinois de Kuang-chou Wan.
Un projet de fédération indochinoise rattachée à la France fut vainement tenté après la Seconde Guerre mondiale. En 1954, lors de la conférence de Genève, l'indépendance de ces États fut proclamée.

INGRES (JEAN AUGUSTE DOMINIQUE)

Peintre et dessinateur français né à Montauban en 1780, mort à Paris en 1867. Il étudia à l'académie de Toulouse, puis se rendit à Paris où il entra à l'atelier de David (1797). Prix de Rome en 1801, il exécuta un *Napoléon Ier sur le trône impérial* (1806). À cette date, il repartit pour Rome où il séjourna jusqu'en 1820. Il y peignit *La Baigneuse* (1808), *L'Odalisque* (1814), etc. Revenu à Paris, il s'opposa au courant romantique et défendit la tradition néo-classique avec, entre autres, *Le Martyre de saint Symphorien* (1834). Puis il obtint le poste de directeur de l'Académie de France à Rome. Influencé un moment par l'Orient, il réalisa *L'Odalisque à l'esclave* (1839). De nouveau à Paris (1840), il se fixa définitivement dans la capitale. Il est aussi l'auteur de nombreux portraits et de nus (*La Source*, 1856, *Le Bain turc*, 1863) et d'une grande quantité de dessins.

JACOBINS (CLUB DES)

Cette société républicaine d'abord connue sous le nom de Club breton fut créée à Versailles en 1789. Lorsque l'Assemblée constituante fut transférée à Paris, les membres de ce Club breton prirent l'habitude de se réunir dans l'ancien couvent des Jacobins, rue Saint-Honoré, d'où leur nouveau nom. Partisans d'une monarchie constitutionnelle, ils affichèrent au début une tendance modérée.

Après la fuite manquée de Louis XVI à Varennes et les événements du Champ-de-Mars (17 juillet 1791), le club se divisa en deux factions, les modérés (Barnave, La Fayette, etc.) qui fondèrent le *club des Feuillants*, et ceux qui se prononcèrent pour la déchéance du roi (Robespierre, Brissot, etc.) dont le groupe s'intitula *Société des amis de la liberté et de l'égalité*.

Ce nouveau parti jacobin, après l'abolition de la royauté, compta parmi ses représentants les républicains les plus exaltés. Sous la Terreur, ils jouirent d'une autorité illimitée et devinrent l'âme de la Montagne. Ils perdirent tout crédit à la chute de Robespierre et leur club disparut lors de la réaction thermidorienne.

JANSÉNISME

Cette doctrine religieuse se développa aux XVIe et XVIIe siècles à partir des écrits de Cornélius Jansen, dit Jansénius, et plus précisément de son traité intitulé *Augustinus*. Ce livre se proposait d'exposer la véritable opinion de saint Augustin sur la grâce, le libre arbitre et la prédestination. Les Jésuites en obtinrent la condamnation par l'Inquisition (1641) et par la bulle *In eminenti* du pape Urbain VIII (1642). Un parti janséniste se forma, qui divisa l'Église de France. Sous la régence déjà, ses partisans s'étaient attiré la colère de Richelieu. C'est ainsi que le cardinal de Bérulle avait été disgracié et l'abbé de Saint-Cyran mis en prison. Plus tard, d'autres personnalités s'associèrent à ce mouvement comme Antoine Arnaud, ses enfants Arnaud d'Andilly et Mère Angélique – réformatrice de Port-Royal –, Pierre Nicole, Pascal, etc. Comme ils formaient un parti hostile à son absolutisme, Louis XIV entreprit de les réduire en les persécutant. Au XVIIIe siècle, le jansénisme existait encore et contribua à la suppression temporaire des Jésuites (1764).

JAURÈS (JEAN)

Homme politique et historien français né à Castres en 1859. Agrégé de philosophie, maître de conférence à la faculté des lettres de Toulouse, il se tourna bientôt vers la politique. Deux fois député du Tarn, il s'affirma comme chef de file du socialisme. En 1893, il adhéra au Parti ouvrier de Jules Guesde, prit position dans le camp des dreyfusards (1898) et fonda (1905), avec Guesde et Vaillant, la Section française de l'Internationale ouvrière (SFIO). Il fut assassiné à Paris au lendemain de la victoire des gauches et à la veille de la guerre (31 juillet 1914). Auteur de *L'Action socialiste* (1899), d'*Études sociales* (1904), de *L'Armée nouvelle* (1911), etc.

JEAN II LE BON

Né au château du Gué de Maulny, près du Mans, en 1319, il succéda à son père Philippe de Valois en 1350. Marié d'abord à Bonne de Luxembourg, il épousa en secondes noces Jeanne de Boulogne. Son règne débuta par des démêlés avec le roi de Navarre, Charles le Mauvais, qui aspirait à la couronne.
Puis des difficultés financières nécessitèrent plusieurs convocations des états généraux. Plus tard, opposé au prince de Galles (Prince Noir) dans la bataille de Poitiers (1356), il subit la domination anglaise et fut emmené en captivité à Londres. Pendant son absence, la tentative révolutionnaire d'Étienne Marcel, prévôt des marchands de Paris, échoua. Il en fut de même du soulèvement paysan plus connu sous le nom de « jacquerie ».
Après le traité de Brétigny (1360), qui livrait à l'Angleterre l'Aquitaine, le Limousin, le Quercy, le Rouergue et la Bigorre, Jean le Bon put rentrer dans son royaume où son fils aîné, le dauphin Charles, avait assuré le gouvernement.
En outre, il dut payer l'exorbitante rançon de quatre mille écus. En otages, il laissait ses autres fils aux mains d'Édouard III. Mais l'un d'eux, Louis d'Anjou, s'étant évadé, il s'offrit à le remplacer et revint à Londres se constituer prisonnier (1364). Il y mourut quelques mois plus tard.

JEAN SANS PEUR

Duc de Bourgogne et comte de Nevers, né à Dijon en 1371. Il succéda à son père Philippe le Hardi en 1404. Lorsque le roi de France Charles VI devint fou (1392), il disputa la couronne au frère du monarque, le duc Louis d'Orléans, qu'il fit assassiner en 1407. Ce meurtre déclencha la guerre civile qui opposa les armagnacs (parti du duc d'Orléans) aux bourguignons. Soutenu par la reine Isabeau de Bavière, l'Université et les bourgeois, Jean tenta d'organiser un nouveau gouvernement mais ne sut tirer

parti de la sanglante révolte populaire des Cabochiens (du nom de leur chef, le boucher Caboche).
Chassé de Paris (1413), il fit alliance avec l'Angleterre et chercha à se réconcilier avec le futur Charles VII. Mais il périt à Montereau (1419), assassiné à son tour par l'entourage du dauphin Charles VII en représailles du meurtre qu'il avait lui-même perpétré sur la personne du duc d'Orléans.

JEAN SANS TERRE

Roi d'Angleterre, quatrième fils d'Henri II et d'Aliénor d'Aquitaine, né à Oxford en 1167, mort au château de Newark en 1216.
À la mort de son frère Richard Cœur de Lion (1199), il usurpa la couronne au détriment de l'héritier légitime, son neveu Arthur Ier de Bretagne. En 1202, condamné par la cour des pairs de France pour l'enlèvement d'Isabelle d'Angoulême, il fut dépossédé de ses domaines français: la Normandie, l'Anjou, le Maine et la Touraine. L'année suivante, il assassina Arthur de ses propres mains, provoquant le soulèvement de la Bretagne.
Battu par la France à La Roche-aux-Moines, il se heurta ensuite aux barons d'Angleterre qui le contraignirent à signer la Grande Charte (1215), laquelle garantissait les droits féodaux, les libertés de l'Église et instituait le contrôle des impôts.
Comme il ne respectait pas son serment, les barons élirent roi le futur Louis VIII de France. Mais la mort de Jean (1216) modifia cette décision à laquelle étaient hostiles les barons anglais, et c'est finalement son fils Henri III qui monta sur le trône.

JEANNE D'ARC (SAINTE, DITE LA PUCELLE D'ORLÉANS)

Née à Domrémy, en Lorraine, en 1412. D'après son témoignage, elle entendit des voix célestes qui l'invitaient à sauver la France alors sous la domination anglaise et bourguignonne. Elle obtint de se faire conduire auprès de Charles VII dont la cour se tenait à Chinon, le reconnut parmi la foule et parvint à le convaincre de sa mission. À la tête d'une armée que le roi lui fournit, elle délivra la ville d'Orléans assiégée par Suffolk et Talbot (mai 1429). Le mois suivant, elle vainquit encore les Anglais à Patay, prit Auxerre, Troyes, Chalons et s'ouvrit la route de Reims où elle fit sacrer Charles le 17 juillet 1429.
Elle ne put prendre Paris (septembre 1429) mais s'empara peu après de Compiègne ; tentant une sortie le 24 mai 1430 sous les remparts de cette ville, elle tomba aux mains de Jean de Luxembourg qui la vendit aux Anglais.
À la suite d'un inique procès de trois mois, elle fut condamnée à être brûlée vive comme hérétique et sorcière, par un tribunal ecclésiastique que présidait Pierre Cauchon, évêque de Beauvais. Son supplice eut lieu sur la place du Vieux Marché, à Rouen, le 30 mai 1431. Un second procès aboutit en 1456 à sa solennelle réhabilitation.
Béatifiée en 1909, elle fut canonisée en 1920.

JEU DE PAUME (SERMENT DU)

Épisode de la Révolution française qui se déroula le 20 juin 1789 dans une salle de jeu de paume, à Versailles, et au cours duquel les députés du tiers état prêtèrent le serment solennel « de ne jamais se séparer et de se rassembler partout où les circonstances l'exigeraient, jusqu'à ce que la constitution du royaume soit affermie sur des fondements solides ».

JOFFRE (JOSEPH)

Maréchal de France né à Rivesaltes en 1852, mort à Paris en 1931. Il participa à l'exploration et à la conquête de l'Afrique occidentale française et de Madagascar (1902). Chef d'état-major de l'armée en 1911, il fut nommé généralissime des forces françaises au début de la Grande Guerre.

Après un échec à la bataille des Frontières (août 1914), il contre-attaqua et remporta la première victoire de la Marne (septembre 1914) avec l'appui de Gallieni. En 1916, il infligea de nouveaux échecs aux Allemands, mais les résultats étant estimés trop faibles, il fut remplacé par le général Nivelle.

En 1917, il fut ambassadeur en Amérique.

JOLIOT-CURIE (JEAN FRÉDÉRIC JOLIOT, DIT)

Physicien français né et mort à Paris (1900-1958). Entré à l'Institut du radium en 1925, il y travailla avec Marie Curie dont il épousa la fille Irène l'année suivante. Ensemble, ils découvrirent la radioactivité artificielle (1934). Professeur au Collège de France, il réalisa la première pile atomique française (1948).

Directeur du CNRS et premier commissaire à l'Énergie atomique depuis 1946, il fut démis de ses fonctions au moment de la guerre froide en raison de son engagement dans le parti communiste (1950). Sa femme, Irène, participa à tous ses travaux et partagea avec lui le prix Nobel de chimie en 1935. Elle fut placée à la tête de l'Institut du radium en 1946.

JOSÉPHINE (MARIE-JOSÈPHE ROSE TASCHER DE LA PAGERIE)

Impératrice de France, née à la Martinique en 1763, morte à la Malmaison en 1814. Elle avait épousé en premières noces le vicomte Alexandre de Beauharnais mort guillotiné en 1794. Elle s'unit à Bonaparte en 1796 mais fut répudiée en 1809, n'ayant pu avoir d'enfants.

JOUBERT (BARTHÉLÉMY CATHERINE)

Général français des armées de la République, né à Pont-de-Vaux en 1769. Volontaire en 1791, il combattit d'abord sur le Rhin, puis en Italie sous le commandement de Kellermann (1795). Ses actions héroïques à Montenotte, Mondovi, Castiglione et Rivoli lui valurent la promotion au grade de général de division. Chargé par Bonaparte de présenter au Directoire les drapeaux pris à l'ennemi, il fut ensuite nommé successivement général en chef des armées de Hollande (1797), de Mayence et d'Italie (1798). Il conquit le Piémont mais mourut dans les combats de Novi alors qu'il cherchait à rallier ses troupes mises en déroute par celles de Souvorov (1799).

JOURDAN (JEAN-BAPTISTE, COMTE)

Maréchal de France né à Limoges en 1762, mort à Paris en 1833. Tout jeune, il participa à la guerre d'indépendance de l'Amérique. En 1792, il rejoignit Dumouriez dans l'armée du Nord et, après les batailles de Jemmapes et de Neerwinden, obtint le grade de général pour sa conduite exemplaire. Nommé généralissime des mêmes troupes après la trahison de Dumouriez, il remporta la victoire de Wattignies (16 octobre 1793) avec Lazare Carnot, puis celle de Fleurus (janvier 1794).

Remplacé par Hoche à la suite de plusieurs défaites, il entra aux Cinq-Cents et fit voter la loi sur la conscription militaire. En désaccord avec le coup d'État du 18 brumaire, il n'en fut pas moins nommé par Bonaparte ambassadeur de la République cisalpine, puis maréchal d'Empire en 1804.
Toutefois, il n'eut plus de commandement important. En 1808, il suivit Joseph Bonaparte en Espagne en qualité de conseiller militaire. Wellington le vainquit à Vitoria (2 juin 1813). Après la chute de Napoléon, il se rallia aux Bourbons, obtint le titre de comte (1816), fut fait pair (1819), et devint gouverneur des Invalides à partir de 1830.

JUSSIEU

Famille de botanistes français dont le plus célèbre, Antoine-Laurent, naquit à Lyon en 1748 et mourut à Paris en 1836. Il étudia cette science avec son oncle Bernard et fut nommé professeur au Jardin du roi, puis directeur du Muséum. Il est l'auteur du *Genera plantarum secundum ordines naturales disposita*, ouvrage fondamental qui provoqua l'abandon de la classification des plantes de Linné.

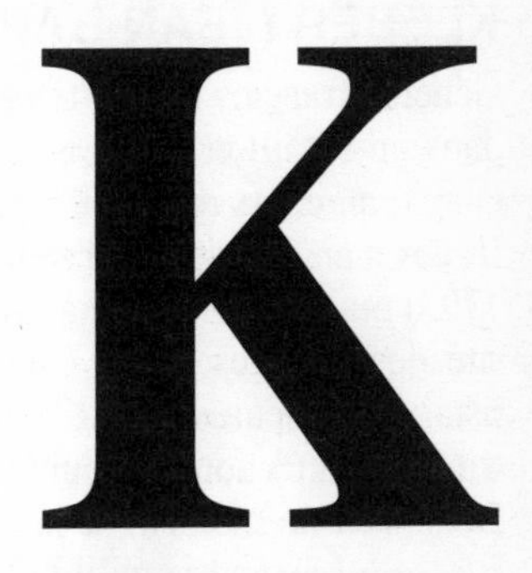

KELLERMAN (FRANÇOIS CHRISTOPHE, DUC DE VALMY)

Maréchal de France né à Strasbourg en 1735, mort à Paris en 1820. Il se distingua sous l'Ancien Régime pendant la guerre de Sept Ans. S'étant rallié à la Révolution, il fut chargé de défendre l'Alsace, époque à laquelle il reçut le grade de lieutenant général (1792). La même année, avec Dumouriez, il défit les Prussiens à Valmy. Incarcéré comme suspect en 1793, il ne retrouva la liberté qu'après le 9 thermidor (chute de Robespierre). Il prit alors le commandement de l'armée des Alpes (1795-1797).
Fait maréchal en 1804, duc de Valmy en 1808, il n'eut plus qu'un rôle effacé dans les armées de réserve du Rhin et d'Espagne. En 1814, il se rallia aux Bourbons. Son fils, François Étienne (1770-1835), fit brillamment les campagnes de Prusse, d'Italie, d'Espagne et de France. Il s'illustra à Marengo, Austerlitz, Bautzen et à Waterloo. Il était général de division en 1814.

KLÉBER (JEAN-BAPTISTE)

Général français né à Strasbourg en 1753. Engagé volontaire dans un bataillon alsacien, il se distingua au siège de Mayence (1793) au cours duquel il obtint le grade de général de brigade. Envoyé en Vendée, il remporta la victoire de Savenay (déc. 1793) mais il fut rappelé à Paris pour avoir désapprouvé la sévérité des mesures prises contre les Vendéens. Il s'illustra à la bataille de Fleurus (juin 1794). Trois mois plus tard, il prit Maastricht. Ayant à nouveau quitté l'armée (1797), il y fut rappelé par Bonaparte au moment de la campagne d'Égypte (1798).
Blessé à Alexandrie qu'il prit d'assaut, il remporta sur les Turcs la victoire du Mont-Thabor (1799). Bonaparte, retournant en France, lui confia le commandement de l'armée d'Égypte (août 1799). La situation étant difficile, Kléber signa avec les Anglais la convention d'évacuation d'El-Arich (24 janvier 1800). Trompé par les négociateurs, il reprit le combat, écrasa les Turcs à Héliopolis et étouffa la révolte du Caire. Il préparait la réorganisation de l'administration du pays lorsqu'il fut assassiné par un fanatique musulman (14 juin 1800).

KOUTOUZOV (MIKHAIL ILLARIONOVITCH)

Prince de Smolensk, feld-maréchal russe, né à Saint-Pétersbourg en 1745. Il fit toutes les campagnes de la fin du règne de Catherine II (Pologne, Turquie, Crimée, de 1764 à 1769) et commanda, en 1805, l'armée envoyée au secours de l'Autriche contre la France. En 1812, à la tête des troupes russes, il livra et perdit la bataille de la Moskova contre Napoléon. Lors de la retraite française, il battit Ney et Davout à Smolensk (17 nov. 1812). Il mourut de maladie à Bunzlau, en Silésie, en 1813.

KRACH DE WALL STREET (« JEUDI NOIR »)

Il se produisit le 24 octobre 1929 au centre boursier de New York. La production industrielle s'étant développée trop rapidement et, dans le même temps, le crédit s'étant accru de manière anarchique afin de ne pas entraver les ventes, la spéculation s'amplifia dans des proportions incontrôlables. Une simple panique boursière déclencha l'effondrement de l'économie des États-Unis. Du plan boursier, la crise passa au plan bancaire : les banques cessèrent alors tous nouveaux prêts aux spéculateurs, aux industriels, aux consommateurs. Les débouchés intérieurs se bloquant, la production industrielle tomba, les investissements s'arrêtèrent et le chômage qui en résulta entraîna un nouveau coup d'arrêt à la consommation.

Dès lors, les débiteurs – c'est-à-dire la majorité des Américains – ne pouvant plus ni rembourser le capital ni payer les intérêts, les faillites bancaires se multiplièrent. L'onde gagna rapidement l'Amérique latine et de nombreux pays européens, n'épargnant aucun domaine. Sur le plan politique, ce krach ne fut pas sans relation avec l'apparition des régimes fascistes. Les structures du capitalisme en furent profondément atteintes et l'événement s'avéra l'un des plus marquants de la première moitié du XXe siècle.

LA BRUYÈRE (JEAN DE)

Moraliste français né à Paris en 1645, mort à Versailles en 1696. Après des études de droit, il acheta, en 1673, un office de trésorier des finances dans la généralité de Caen. En 1684, introduit par Bossuet, il entra dans la maison des Condé comme précepteur du jeune duc de Bourbon. Libéré de cette tâche ingrate, il resta comme gentilhomme de Monsieur le duc et put consacrer son temps à l'observation et à l'écriture. C'est en 1688 qu'il fit paraître les *Caractères* qui lui valurent autant d'approbateurs que d'ennemis. Ses remarquables portraits sont le fruit d'une observation rigoureuse, et la verve satirique qu'il y déploie s'impose dans un style souple, précis et par l'extraordinaire richesse du vocabulaire. Des personnages de son temps s'y sont reconnus.

LACÉPÈDE (BERNARD GERMAIN ÉTIENNE DE LA VILLE, COMTE DE)

Naturaliste français né à Angers en 1756, mort à Épinay-sur-Seine en 1825. Conseillé par Buffon, il abandonna des projets musicaux pour s'adonner aux sciences naturelles. Nommé sous-démonstrateur au Jardin du roi, il collabora à l'*Histoire naturelle*

de Buffon et y ajouta l'*Histoire générale et particulière des quadrupèdes ovipares et des serpents* (1788-1789), l'*Histoire naturelle des reptiles* (1789), l'*Histoire naturelle des poissons* (1789-1803) et l'*Histoire naturelle des cétacés* (1804).
Président de l'Assemblée législative, il s'enfuit de Paris au moment de la Terreur pour n'y rentrer qu'après le 9 thermidor. Il fut plus tard président du Sénat (1801) et ministre d'État (1804). Il reçut de Napoléon le titre de comte et acheva sa vie en rédigeant une *Histoire générale de l'Europe*, qui ne fut éditée qu'après sa mort.

LACORDAIRE (HENRI)

Prédicateur français né à Recey-sur-Ource (Côte-d'Or) en 1802, mort à Sorèze en 1861. Il débuta comme avocat au barreau de Paris. Entré au séminaire de Saint-Sulpice en 1824, il fut ordonné prêtre trois ans plus tard. Aumônier de la Visitation, puis du collège Henri-IV, il s'attacha à Lamennais et fut un de ses collaborateurs au journal *L'Avenir* (1830).
Après la condamnation de ce quotidien par Rome, il prit ses distances et fit ses débuts dans la prédication. Devenu dominicain, il s'occupa du rétablissement de cet ordre en France et de l'éducation de la jeunesse au collège de Sorèze (Tarn). Élu député à l'Assemblée nationale en 1848, il démissionna aussitôt. Dans ses célèbres *Conférences*, il a développé le côté social et humain du christianisme. On lui doit une *Vie de saint Dominique* (1841).

LAENNEC (RENÉ)

Médecin français né à Quimper en 1781, mort à Kerlouarnec en 1826. Il inventa le stéthoscope et vulgarisa la méthode de l'auscultation. Il étudia aussi les cirrhoses du foie dues à l'alcool.

LA FAYETTE (MARIE JOSEPH PAUL, MARQUIS DE)

Général et homme politique français né à Chavaniac (Auvergne) en 1757, mort à Paris en 1834. À 20 ans, il partit combattre en Amérique dans les rangs des insurgés et s'illustra aux côtés de Washington. Revenu en France deux ans plus tard, il fut de ceux qui convainquirent le gouvernement d'intervenir dans la guerre d'Indépendance américaine. Repartit aussitôt pour l'Amérique (1780), il y fut nommé maréchal de camp et contribua à la fondation de la république des États-Unis.

Sa renommée le fit accueillir en France dans l'Assemblée des notables (1787). Il fut ensuite élu député de la noblesse aux États généraux (1789). Après la prise de la Bastille, il organisa la Garde nationale et s'interposa entre le peuple et la famille royale pendant les journées d'octobre (Versailles). Son rôle dans la répression de l'émeute du Champ-de-Mars (17 juillet 1791), qui réclamait la déchéance du roi, ébranla sa popularité. Il prit alors la tête de l'armée du Centre, puis du Nord pour repousser l'invasion étrangère.

Opposé à l'abolition de la royauté, il cessa le combat et fut alors pris et interné par les Autrichiens jusqu'en 1797. Il n'eut aucun rôle sous le premier Empire et vota seulement l'abdication pendant les Cent-Jours. Député sous la Restauration, il s'opposa aux Bourbons. Au moment de la révolution de Juillet (1830), il facilita l'accès au trône de Louis-Philippe.

LAFFITTE (JACQUES)

Financier français né à Bayonne en 1767, mort à Paris en 1844. Il fut régent, puis gouverneur de la Banque de France (1814). Après Waterloo, Napoléon lui confia les restes de sa fortune.

À partir de 1816, il siégea à la Chambre dans l'opposition comme député de Paris. En 1830, il se lança dans l'insurrection et sa demeure devint le centre de la révolution. Il fit appel au duc d'Orléans à qui les députés, sous sa présidence, offrirent le trône. Il fut alors ministre des Finances. Opposé à la politique extérieure de Louis-Philippe, il démissionna en 1831.

LA FONTAINE (JEAN DE)

Poète français né à Château-Thierry en 1621. Fils d'un maître des Eaux et Forêts, il occupa lui-même cette charge jusqu'en 1672. Marié à 27 ans à Marie Héricart, il « oublia » son épouse pour s'adonner aux lettres. Protégé par Fouquet, il le célébra dans *le Songe de Vaux* et prit son parti lorsqu'il fut tombé en disgrâce. Ami de Molière, de Racine, de Boileau, de la duchesse de Bouillon et de Mme de La Sablière chez laquelle il demeura vingt ans, il se fit connaître en 1664 par ses *Contes et Nouvelles*, pages quelque peu licencieuses où perce l'influence de Boccace. Quatre ans plus tard commencèrent à paraître ses *Fables* dont l'écriture est un des fleurons de la langue française. Elles eurent l'approbation des gens de goût mais non le succès qu'elles méritaient, et n'obtinrent jamais les faveurs de Louis XIV, qui reprochait au fabuliste la hardiesse de ses *Contes*. Il mourut à Paris en 1695, ramené vers la religion qu'il avait négligée toute sa vie.

LAGRANGE (JOSEPH LOUIS, COMTE DE)

Mathématicien français né à Turin en 1736, mort à Paris en 1813. Il était professeur de mathématiques à l'école d'artillerie de Turin. Son *Mémoire sur les variations* (1762) l'éleva au rang des savants de l'époque. Des travaux d'astronomie sur la Lune, Jupiter et ses satellites lui firent obtenir le prix de l'Académie des sciences de Paris. Il séjourna ensuite pendant vingt ans à Berlin où il occupa le poste de directeur de l'Académie de Frédéric II (1766-1786). Installé en France à partir de 1787, il travailla, sous la Révolution, au nouveau système décimal des poids et mesures. Professeur à l'École normale, puis à Polytechnique, il fut nommé membre de l'Institut. Après Pascal, il étudia la théorie des probabilités. Il a laissé de nombreux ouvrages dont une *Mécanique analytique* (1788), la *Théorie des fonctions analytiques* (1797) et la *Résolution des équations numériques* (1898). Ses restes reposent au Panthéon.

LAMARCK (JEAN-BAPTISTE DE MONET, CHEVALIER DE)

Naturaliste français né à Barentin (Somme) en 1744, mort à Paris en 1829. Protégé par Buffon, il se fit connaître en publiant sa *Flore française* (1778). Il fut alors accueilli à l'Académie des sciences (1779). Collaborateur de Daubenton au Jardin du roi, il reçut la chaire des animaux invertébrés au Muséum. Il écrivit alors l'*Histoire des animaux sans vertèbres* (1815-1822,) où il développe les thèmes qu'il avait ébauchés dans sa *Philosophie zoologique* et qui présentaient l'idée de la formation progressive d'organismes de plus en plus complexes. C'est ainsi qu'il jeta les bases du transformisme que devaient reprendre Darwin et Spencer. Cuvier s'opposa à sa théorie.

LAMARTINE (ALPHONSE DE)

Poète et homme d'État français, né à Mâcon en 1790. Après des études chez les Jésuites, il fit un voyage en Italie (1811-1812). Il fut ensuite quelque temps garde du corps de Louis XVIII.

Au cours d'une cure à Aix-les-Bains (1816), il s'éprit de la jeune Mme Charles, qui mourut peu après (1817). C'est sous le coup de cette passion brisée qu'il composa ses *Méditations*, publiées en 1820. Le succès fut immense.

Nommé par le roi secrétaire d'ambassade à Florence (1821), il poursuivit son œuvre littéraire (*Nouvelles Méditations* et la *Mort de Socrate* [1823], *Harmonies poétiques et religieuses* [1829] que

Liszt mit plus tard en musique). En 1830, il fut élu à l'Académie française. Après la chute de Charles X, il entreprit un voyage en Orient (1832) dont il publia le récit. Député en 1833, il n'en abandonna pas pour autant sa carrière de poète et fit paraître *Jocelyn* (1836), *La Chute d'un ange* (1838) et *Recueillements* (1839).
En 1847, il écrivit l'*Histoire des Girondins*. La révolution de 1848, dont il avait pris la tête, le fit ministre des Affaires étrangères, mais le coup d'État de décembre (élection de Louis-Napoléon) l'écarta définitivement de la politique. Il revint aux lettres et composa, entre autres, ses *Confidences* (1849), *Graziella* (1852) et ses *Cours familiers de littérature* (1856).
Les soucis financiers dus à la fois à son désintéressement et à sa prodigalité le condamnèrent aux « travaux forcés littéraires », selon sa propre expression, et il serait mort dans la misère sans le secours du gouvernement impérial qui lui fit don, à titre de récompense nationale, d'un demi-million et d'un chalet à Passy où il mourut en 1869.

LAMBALLE (MARIE-THÉRÈSE LOUISE DE SAVOIE-CARIGNAN, PRINCESSE DE)

Née à Turin en 1749, morte à Paris en 1792. Épouse de Louis de Bourbon-Penthièvre, prince de Lamballe, elle resta veuve à 19 ans. Nommée surintendante de la maison de la reine (1774), elle en devint l'amie et lui resta attachée dans la tourmente de la Révolution.
Incarcérée au Temple, puis à la prison de la Force, elle fut une des victimes des massacres de septembre 1792, tuée à coups de marteau et décapitée ; son corps fut promené au Temple sous les fenêtres de Marie-Antoinette.

LAMENNAIS (FÉLICITÉ ROBERT DE)

Écrivain français né à Saint-Malo en 1782, mort à Paris en 1854. Sa première publication, *Réflexions sur l'état de l'Église* (1808), fut interdite par la police impériale en raison des propos qu'elle développait sur le Concordat. Ordonné prêtre en 1816, il publia l'année suivante un *Essai sur l'indifférence en matière de religion* qu'il compléta en 1823. Il y attaquait le déisme du XVIIIe siècle et la doctrine protestante. Un groupe de jeunes catholiques se forma autour de lui, parmi lesquels Montalembert et Lacordaire. En 1830, il créa le journal *L'Avenir* dont l'épigraphe était « Dieu et Liberté » et qui fut condamné par Rome, ce qui entraîna l'éloignement de ses amis.

Avec *Paroles d'un croyant* (1834), il rompit définitivement avec l'Église et se consacra désormais à soutenir les idées qui l'avaient fait condamner. Parurent alors *Les Affaires de Rome* (1836), *Le Livre du peuple* (1838) et *Esquisse d'une philosophie* (1841) où il développe une pensée chrétienne socialiste qui lui valut un an d'emprisonnement. Député en 1848, il siégea à l'extrême gauche.

LANNES (JEAN, DUC DE MONTEBELLO)

Maréchal de France, né à Lectoure en 1769. L'un des plus intrépides lieutenants de Napoléon. Volontaire en 1792, son courage lui valut un avancement rapide, et c'est en tant que général de brigade qu'il fit la campagne d'Italie. Il s'y illustra à la prise de Mantoue et pendant la bataille d'Arcole (1796).

Parti en Égypte avec Bonaparte, il revint avec lui et le seconda dans le coup d'État du 18 brumaire. Pendant la seconde campagne d'Italie, il se couvrit de gloire à Montebello (juin 1800) et contribua à la victoire de Marengo. Maréchal en 1804, il participa à toutes les grandes batailles de l'Empire : Ulm (octobre 1805), Austerlitz (décembre 1805), Iéna (1806), Eylau (février

1807), Friedland (juin 1807). Napoléon le fit duc de Montebello (1808). En Espagne la même année, il vainquit à Tudela et dirigea le siège de Saragosse.

En 1809, victorieux des Autrichiens à Abensberg et à Amstetten, il résista pendant toute la journée aux forces bien supérieures de l'archiduc Charles, mais à la fin de la bataille d'Essling, un boulet perdu lui brisa les deux jambes. Il mourut quelques jours après. Son corps fut transporté au Panthéon.

LA PÉROUSE (JEAN FRANÇOIS DE GALAUP, COMTE DE)

Navigateur français né près d'Albi en 1741, mort en Océanie, près de l'île de Vanikoro, en 1788. Entré dans la marine à 15 ans, il combattit à Belle-Isle (1759) et s'illustra pendant la guerre d'indépendance d'Amérique.

En 1785, il fut chargé par Louis XVI d'un voyage d'études destiné à compléter celui de Clark et de Cook. Abordant à l'île de Pâques et à Hawaï, il découvrit l'île Necker (novembre 1786). Il gagna ensuite les Philippines, reconnut Formose, la côte japonaise, le détroit de Corée, les Kouriles et le Kamtchatka. Poursuivant vers le Pacifique central, il atteignit l'archipel des Samoa et les îles Tonga. Puis il annonça sa remontée vers le nord des Nouvelles-Hébrides. À partir de ce moment-là (7 février 1788), ses rapports cessèrent de parvenir au ministère de la Marine.

Son sort demeura inconnu jusqu'en 1827, époque à laquelle le capitaine anglais Dillon, par hasard, découvrit dans une des îles de Vanikoro les débris de ses vaisseaux et des objets lui ayant appartenu (notamment une poignée d'épée portant ses initiales). L'année suivante, Dumont d'Urville, envoyé sur les lieux, acquit la certitude de son naufrage, causé par des récifs.

LAPLACE (PIERRE SIMON, MARQUIS DE)

Mathématicien, physicien, chimiste et astronome français né à Beaumont-en-Auge (Calvados) en 1749, mort à Paris en 1827. Il est resté célèbre pour sa théorie de la formation de l'Univers (*Exposition du système du monde*, 1796) que la science actuelle a reprise et développée. Il réalisa aussi une synthèse des travaux de Newton, Halley, d'Alembert, Clairaut et Euler sur les conséquences du principe de la gravitation universelle (*Mécanique céleste*, 1798-1825). En chimie, il travailla avec Lavoisier. Membre du Sénat en 1799, il en devint le vice-président en 1803. Appelé au ministère de l'Intérieur par Bonaparte, il céda sa place au frère de l'Empereur, Lucien. Comte d'Empire en 1806, il reçut le titre de marquis sous Louis XVIII qui le fit aussi pair de France. (Académie française.)

LA ROCHEFOUCAULD (FRANÇOIS, DUC DE)

Écrivain français né et mort à Paris (1613-1680). Maître de camp à 16 ans dans le régiment d'Auvergne, il se destinait à la carrière des armes. Mêlé, avec la duchesse de Chevreuse, à un complot contre Richelieu, il fut arrêté, emprisonné à la Bastille, puis exilé sur ses terres jusqu'en 1648. Il participa alors aux troubles de la Fronde, opposé à Mazarin cette fois. Blessé aux côtés de Condé (1652), il abandonna finalement ses entreprises et se soumit au roi. Il se mit alors à fréquenter l'hôtel de Mme de Sablé.
C'est à cette époque (1662) qu'il entreprit la rédaction de ses *Maximes*, publiées en 1665. Avec une rare pénétration, il s'y exerce à dépouiller la nature humaine de tous ses faux-semblants et met à nu l'égoïsme, seul mobile à ses yeux des actes humains. Les vertus, enseigne-t-il, ont leur source dans l'intérêt et se distinguent à peine des vices dont elles ne sont que le déguisement.

LAROUSSE (PIERRE)

Encyclopédiste et lexicographe français né à Toucy (Yonne) en 1813, mort à Paris en 1881. Directeur de l'école supérieure primaire de sa ville natale, il s'employa d'abord à modifier les méthodes d'enseignement et publia une série d'ouvrages pédagogiques: *Traité complet d'analyse grammaticale* (1850), *Méthode lexicologique de lectur*e (1856), *Grammaire complète lexicologique et syntaxique* (1868).
En 1852, il fonda la librairie-édition Larousse. Mais son œuvre majeure, entreprise avec l'aide de très nombreux collaborateurs, fut sa vaste *Encyclopédie* en quinze volumes (1864-1876) complétées par deux suppléments qui parurent respectivement en 1878 et en 1890. Cet immense travail d'érudition est marqué par une tendance anticléricale et résolument rationaliste.

LARREY (DOMINIQUE JEAN, BARON)

Chirurgien militaire français né près de Bagnères-de-Bigorre en 1766, mort à Lyon en 1842. Il fut chirurgien en chef de la Grande Armée. Avec Percy, son homologue, il suivit la plupart des campagnes de Napoléon. Il inventa l'*ambulance volante*, légère, rapide et tirée par un seul cheval afin d'en faciliter le passage. Pour les amputations, il utilisait l'alcool camphré d'une valeur antiseptique réelle.
C'est ainsi qu'après la bataille de Neuburg, 86 amputés furent guéris sur 90. Sa méthode, hélas, ne fut pas suivie. On lui doit plusieurs procédés de chirurgie concernant la désarticulation de la cuisse, du bras, et des recherches sur la peste. Avec Percy encore, il proposa au général Moreau et à l'Autrichien Kray une convention afin qu'en aucun cas les chirurgiens, infirmiers et blessés de l'une et l'autre armée ne puissent être retenus prisonniers. C'était, avant la lettre, une sorte de convention de Genève ! Surpris à Waterloo par les Prussiens alors qu'il soignait des bles-

sés sur le champ de bataille, il allait être fusillé quand un de ses confrères ennemis le reconnut. La liberté lui fut rendue avec les honneurs militaires. Après la chute de l'Empire, il enseigna la médecine à l'hôpital du Val-de-Grâce.

LA TOUR (MAURICE QUENTIN DE)

Peintre et pastelliste français né et mort à Saint-Quentin (1704-1788). Dès ses débuts, il fut en faveur à la cour. Reçu à l'Académie de peinture en 1737, il devint peintre du roi en 1750. Il a laissé de très beaux portraits au pastel dont ceux de Louis XV, de la reine, de Mme de Pompadour, Diderot, Marivaux, Rameau, Voltaire, Rousseau, etc.

LAVAL (PIERRE)

Homme politique français né à Châteldon (Puy-de-Dôme) en 1883, mort à Fresnes en 1945. Député socialiste, il fut chargé de plusieurs ministères entre 1925 et 1934. Président du Conseil (1935-1936), il tenta un rapprochement entre la France et l'Italie. Ministre d'État dans le cabinet Pétain (1940), il abolit la Constitution et confia le pouvoir au Maréchal. Révoqué quelques mois plus tard mais réintégré dans ses fonctions par les Allemands, il fut chef du gouvernement et s'engagea dans une politique de collaboration. Il mit en place le Service du travail obligatoire (STO) ainsi que le système de la «relève» des prisonniers français en Allemagne (un prisonnier libéré contre trois ouvriers).

Réfugié à Sigmaringen à la Libération, il quitta l'Allemagne pour l'Espagne (mai 1945) d'où il fut expulsé peu après. Arrêté par les Américains, remis aux Français, il fut traduit devant un tribunal et fusillé au mois d'octobre 1945.

LAVOISIER (ANTOINE-LAURENT DE)

Chimiste français né et mort à Paris (1743-1794). Auditeur assidu de Jussieu, il suivit des cours d'astronomie et de chimie. À 23 ans, il obtint le prix de l'Académie des sciences (*Mémoire sur le meilleur système d'éclairage de Paris*) qui l'accueillit parmi les siens deux ans plus tard (1768). On le reconnaît comme un des créateurs de la chimie moderne et de la physiologie. Titulaire d'une charge de fermier général en 1779, il fut nommé inspecteur des poudres et salpêtres par Turgot et installa son laboratoire à l'Arsenal.

Il fut aussi secrétaire à la Trésorerie (1791). Lorsque, le 23 novembre 1793, la Convention décréta l'arrestation des fermiers généraux, il se constitua prisonnier. Malgré sa renommée et ses titres, il fut traduit devant le Tribunal révolutionnaire, condamné à mort et guillotiné le 8 mai 1794.

Le jour de son exécution, il demanda vainement un délai de quelques jours afin d'achever des travaux en cours.

On lui doit la découverte de la composition de l'air, puis celle du rôle de l'oxygène dans la combustion et dans la respiration animale. En collaboration avec Meusnier, il réalisa la décomposition et la synthèse de l'eau (1785). Avec Guyton de Morveau et Berthollet, il créa une nouvelle nomenclature chimique (1787). Il étudia aussi l'oxydation des métaux et fit avec Laplace, en physique, les premières mesures calorimétriques. Il a laissé de nombreuses études.

LAW (JOHN)

Financier écossais né à Édimbourg en 1671. Venu en France en 1716, il y fonda une banque d'abord privée, mais que le Régent érigea en banque royale (1718). Parallèlement, il créa la Compagnie d'Occident qui eut le monopole du commerce extérieur. Son système consistait à fabriquer des valeurs fictives afin de rembourser les dettes de l'État. La banque Law émit une quantité prodigieuse d'actions et de billets sans rapport avec les valeurs réelles qu'elle possédait. Un agiotage effréné s'ensuivit, relayé par la baisse des actions et couronné par une effroyable banqueroute. De nombreuses familles furent ruinées. Law, devenu contrôleur général, dut s'enfuir. Il mourut à Venise en 1729, ruiné lui-même par ses propres théories, auxquelles il n'avait pas renoncé.

LE BRUN (CHARLES)

Peintre et décorateur français né et mort à Paris (1619-1690). Formé d'abord par son père, Nicolas, qui était sculpteur, il étudia à Rome (1642-1646) où il eut pour maître Poussin.

En 1648, il fonda l'Académie de peinture et de sculpture. Chargé avec Le Sueur de la décoration de l'hôtel Lambert, puis par le surintendant Fouquet des peintures de son château de Vaux-le-Vicomte, il fut présenté à Louis XIV par Mazarin, et en devint le premier peintre. Colbert, entre 1662 et 1680, lui remit la direction de tous les travaux d'art de la Couronne. Il lui donna aussi autorité sur la manufacture des Gobelins, qui rassemblait des tapissiers mais aussi des ébénistes et des fondeurs.

Il peignit pour le roi l'histoire d'Alexandre le Grand et la galerie d'Apollon au Louvre. Il s'employa durant dix-huit ans à la décoration du château de Versailles, puis à celle du château de Marly et de celui de Sceaux. Il créa un art remarquable par son homogénéité que l'on a pu nommer « l'art de Versailles » et qui s'imposa dans toute l'Europe, instaura un style français où se distinguent la mesure, la régularité, la clarté. Toute son œuvre fut un hymne à la gloire du monarque absolu, et son pouvoir s'exerça dans toutes les disciplines des beaux-arts.

À la mort de Colbert, Louvois lui préféra Mignard. Tombé en disgrâce, il mourut en 1690. Le roi l'avait fait chevalier de l'ordre de Saint-Michel.

LEBRUN (CHARLES FRANÇOIS, DUC DE PLAISANCE)

Né à Saint-Sauveur (Manche) en 1739, mort à Saint-Mesmes (Seine-et-Oise) en 1824. Il fut secrétaire du chancelier Maupéou et inspecteur des domaines de la Couronne (1774). Député aux États généraux puis président du directoire de Seine-et-Oise, il fut emprisonné deux fois et ne recouvra la liberté que le 9 thermidor. Il entra alors aux Cinq-Cents. À la suite du coup d'État du 18 brumaire, il fut nommé troisième consul et chargé des Finances. Sous l'Empire, il créa la Cour des comptes. Napoléon le fit duc de Plaisance et administrateur de la Hollande (1810). Il ne signa point l'acte de déchéance de l'Empereur en 1814 mais adhéra au rappel des Bourbons. Il a laissé une traduction de *La Jérusalem délivrée* du Tasse, de l'*Iliade* et de l'*Odyssée*.

LEBRUN (ALBERT)

Homme d'État français né à Mercy-le-Haut (Meurthe-et-Moselle) en 1871, mort à Paris en 1950. Député de gauche (1900), plusieurs fois ministre, il accéda à la présidence de la République en 1932, après l'assassinat de Paul Doumer. Réélu en 1939, il démissionna après l'armistice de juin 1940 et la formation de l'État français. Déporté à Buchenwald en 1944.

LECONTE DE LISLE (CHARLES LECONTE, DIT)

Poète français né à la Réunion en 1818, mort à Louveciennes en 1894. Ce n'est qu'en 1862, avec la parution des *Poèmes barbares*, qu'il devint le chef incontesté de l'École parnassienne. Il avait déjà donné ses *Poèmes antiques* (1852), *Poèmes et Poésies* (1854) et une traduction de l'*Iliade* et de l'*Odyssée* (1846). À l'élan romantique, il substitua l'inspiration antique des grandes traditions religieuses : gréco-païenne, biblique, hindoue et bouddhique. L'exotisme que lui offrit le souvenir de ses voyages, en Inde et dans l'archipel de la Sonde, lui permit d'habiller des poèmes tels que *Les Éléphants*, *La Panthère noire*... Il s'occupa quelque temps de politique et milita pour l'affranchissement des Noirs, ce qui le brouilla avec sa famille.

LEDRU-ROLLIN (ALEXANDRE AUGUSTE LEDRU, DIT)

Avocat et homme politique français né à Paris en 1807, mort à Fontenay-aux-Roses en 1874. Député en 1841, il siégea à l'extrême gauche et créa le journal *La Réforme*. En 1848, il s'opposa à la régence de la duchesse d'Orléans, puis réclama et obtint un gouvernement provisoire dans lequel il fut ministre de l'Intérieur. Démis de sa fonction après l'insurrection de juin 1848, il se présenta à la présidentielle l'année suivante, échoua, mais fut élu à l'Assemblée législative.
C'est lui qui organisa la manifestation insurrectionnelle du 13 juin 1849 (des députés « montagnards » à la tête de manifestants opposés à l'envoi de troupes à Rome destinées à soutenir le pape, tentèrent de former un gouvernement provisoire, mais furent rapidement arrêtés par la police). Il a écrit *Du paupérisme dans les campagnes* (1847).

LEFEBVRE (FRANÇOIS JOSEPH, DUC DE DANTZIG)

Maréchal de France né à Rouffach (Haut-Rhin) en 1755. Engagé très jeune dans les gardes-françaises, il se distingua dans la plupart des campagnes de la Révolution.
C'est lui qui, aux Cinq-Cents, avec ses grenadiers, assura le succès de Bonaparte le 18-Brumaire. Il fut élevé au titre de maréchal en 1804. À Iéna (1806), il commandait la garde à pied. En 1807, il assiégea et prit Dantzig ; en récompense, il reçut le titre de duc

de Dantzig. Présent en Espagne (1808), il fut rappelé en Autriche et fit, ensuite, la campagne de France (1814).
Rallié aux Bourbons, il revint vers l'Empereur pendant les Cent-Jours et finit pair de France en 1819. Il mourut à Paris l'année suivante. Jeune soldat, il avait épousé la blanchisseuse de sa compagnie, que Victorien Sardou a immortalisée dans sa comédie *Madame Sans-Gêne*.

LÉNINE (VLADIMIR ILITCH OULIANOV, DIT)

Révolutionnaire et homme d'État russe né à Simbirsk en 1870, mort à Gorki en 1924. Il se fit, dès sa jeunesse, l'ardent porte-parole du marxisme. L'échec de la révolution « démocratique bourgeoise » de 1905 fut pour lui l'occasion de méditer sur la stratégie révolutionnaire. En exil, il fonda le parti bolchevik et le journal *La Pravda* (1912).
Pendant la Première Guerre mondiale, il résolut de transformer la guerre « impérialiste » en guerre civile. De retour en Russie après la révolution de février 1917, il exposa son programme pour le passage de la révolution démocratique à la révolution socialiste et à la dictature prolétarienne. En mars 1918, un traité de paix (Brest-Litovsk, 3 mars) fut signé entre l'Allemagne et les Soviets. Ayant ainsi retiré son pays du conflit, Lénine fit abolir le droit de propriété des grands propriétaires fonciers et créa la IIIe Internationale. Élu président du Conseil des commissaires du peuple, il se consacra à la transformation de la Russie en État socialiste, secondé par Staline et Trotski. Il est l'auteur, notamment, de *L'Impérialisme, stade suprême du capitalisme* (1916), et de *L'État et la révolution* (1917).

LE NÔTRE (ANDRÉ)

Architecte et dessinateur de jardins né et mort à Paris (1613-1700). Primitivement destiné à la peinture, il fut attiré par l'art des jardins, et ne tarda pas à y révéler de brillantes qualités, comme en avait montré son père, intendant au jardin des Tuileries. Prenant sa succession en 1637, il fut nommé premier jardinier du Luxembourg. Fouquet le choisit pour réaliser le parc de Vaux-le-Vicomte. Louis XIV, l'ayant remarqué, le nomma directeur des Parcs et Jardins de la Couronne. Sceaux lui fut confié, puis Chantilly et Saint-Germain-en-Laye. Mais c'est à Versailles qu'il donna toute la mesure de son talent, organisant un ensemble qui fut le prototype des jardins à la française.

Le Nôtre était direct et simple. On raconte qu'à Rome, ayant obtenu une audience du pape Innocent XI, il embrassa le pontife sans s'embarrasser d'autres formalités. Le roi eut toujours pour lui une grande et véritable amitié ; il le recevait en toute familiarité et conversait volontiers avec lui. Il lui accorda des titres de noblesse et l'honora du cordon de Saint-Michel.

LESPINASSE (JULIE DE)

Née à Lyon en 1732, morte à Paris en 1776, fille naturelle de la comtesse d'Albon. Accueillie par Mme du Deffand, elle demeura dix ans auprès d'elle. S'étant brouillée avec sa protectrice, elle fonda son propre salon littéraire que fréquentèrent le président Hénault, Marmontel, Turgot, la duchesse de Châtillon et d'Alembert, avec qui elle eut une liaison. Elle a laissé des *Lettres*.

LE SUEUR (EUSTACHE)

Peintre et dessinateur français né et mort à Paris (1617-1655). Il se consacra surtout à la peinture religieuse. Il travailla pour des particuliers (décoration de l'hôtel Lambert en 1645), pour des églises (Saint-Étienne-du-Mont, Saint-Germain-l'Auxerrois, Saint-Gervais) et pour des couvents. Son œuvre est sobre, d'une grande fraîcheur de sentiment, délicate et sans maniérisme. Il fut le premier peintre de l'école française sous Louis XIV. On l'a surnommé le « Raphaël français ». Il a aussi laissé une œuvre gravée d'une grande qualité.

LE TELLIER (MICHEL)

Homme politique français né et mort à Paris (1603-1685). Mazarin le nomma secrétaire d'État à la Guerre (1643). Il contribua à mettre fin aux troubles de la Régence. Cédant son poste à Louvois, son fils aîné, il occupa celui de chancelier (1677) et fut un des principaux instigateurs de la révocation de l'édit de Nantes.

LE VAU (LOUIS)

Architecte et décorateur français né et mort à Paris (1612-1670). Introduit dans ce métier par son père, il conçut l'hôtel Lambert, celui de Colbert et celui de Lyonne. Pour Fouquet, il édifia le château de Vaux-le-Vicomte. Nommé directeur des bâtiments royaux, il travailla à Vincennes (1654-1667), au Louvre et compléta les Tuileries avec les pavillons de Flore et de Marsan.
Il fut aussi chargé par Louis XIV de la façade du parc du château de Versailles et développa cette masse rectiligne aux toits en terrasses, qui fut un des points de départ du classicisme français.

LE VERRIER (URBAIN)

Astronome français né à Saint-Lô (Manche) en 1811, mort à Paris en 1877. Élève puis professeur à l'École polytechnique, il devint membre de l'Institut (1846). L'étude des perturbations d'Uranus l'amenèrent à la découverte d'une nouvelle planète qu'il baptisa Neptune (31 août 1846). Député à l'Assemblée législative en 1849, il fut nommé sénateur après le coup d'État de 1851, puis directeur de l'Observatoire en 1854. Il a publié un nombre important de mémoires.

LIGUE (LA SAINTE..., DITE AUSSI LA SAINTE UNION)

Confédération du parti catholique de France formée en 1576 par le duc Henri de Guise, à l'instigation de son frère le cardinal de Lorraine. Son but, la défense de l'Église romaine contre le calvinisme, en masquait un second, politique celui-là: le renversement d'Henri III au profit des Guise. Les ligueurs, soutenus par l'aide financière du roi d'Espagne, devinrent tout-puissants après la journée des Barricades où le roi dut quitter Paris.
Feignant alors de composer, le roi assembla les états généraux à Blois et y fit assassiner son rival (1588). Ce crime souleva la France contre lui et entraîna son excommunication. Charles de Lorraine, duc de Mayenne, second frère du duc de Guise, fut proclamé chef de la Ligue. Henri III, assisté d'Henri de Navarre, s'apprêtait à reprendre la capitale lorsqu'il tomba sous le poignard de Jacques Clément (2 août 1589).
Sous le règne suivant, Mayenne qui avait fait nommer roi de France l'obscur cardinal de Bourbon, reprit la lutte. Mais il fut vaincu aux batailles d'Arques et d'Ivry par Henri IV (1590). L'abjuration du roi (1593), la soumission de Paris (1594) et la signature de l'édit de Nantes (1598) mirent fin à la Ligue.

LIGURES

Population établie au nord-ouest de l'Italie, entre l'Apennin et la Méditerranée, et au sud-est de la Gaule. Les Romains ne les dominèrent définitivement que sous Auguste qui fit de leur territoire la neuvième province. Pendant les guerres puniques, les Ligures soutinrent Hannibal. Leur origine est très ancienne. Certains les ont rattachés à la race basque à cause de leur nom qui dans cette langue signifie « habitants des montagnes » ; d'autres aux peuples aryens. Leur ville principale était Gênes.

LITTRÉ (ÉMILE)

Philosophe, philologue, médecin et homme politique français né et mort à Paris (1801-1881). D'abord étudiant en médecine, puis interne des hôpitaux, il se consacra ensuite à la philologie grecque, sanscrite, arabe, etc. Il collabora à l'*Histoire littéraire de France* (1844). Démocrate engagé, il fut un des principaux collaborateurs du journal *Le National.* Disciple d'Auguste Comte, il en refusa les théories religieuses tout en restant fidèle aux premières conceptions du philosophe et devint, après lui, le maître de l'école positiviste. C'est sous le second Empire qu'il entreprit la rédaction de son *Dictionnaire de la langue française* (1863-1872). En 1871, il fut nommé professeur d'histoire et géographie à l'École polytechnique, et élu à l'Assemblée nationale. Peu avant sa mort, il revint au catholicisme qu'il avait renié au profit d'une vision agnostique du monde. Il est aussi l'auteur d'un *Dictionnaire de médecine, de chirurgie, de pharmacie, de l'art vétérinaire et des sciences qui s'y rapportent*, réalisé en collaboration avec Charles Robin, et a traduit les œuvres d'Hippocrate (1839-1861) et l'*Histoire naturelle* de Pline (1848-1850). (Académie française.)

LLOYD GEORGE (DAVID)

Homme politique britannique né à Manchester en 1863, mort à Llanystumdwy (Carnarvonshire) en 1945. Il fut un des ennemis les plus acharnés de l'Allemagne dès 1914. Ministre de la guerre, puis Premier ministre (1916-1922), il décida, avec Clemenceau, de réunir toutes les armées sous un commandement unique (Foch). Il eut un rôle important lors du traité de Versailles (juin 1919).

LOMÉNIE DE BRIENNE (ÉTIENNE CHARLES DE)

Prélat et homme d'État français, né à Paris (1727), mort à Sens (1794). Évêque de Condom puis archevêque de Toulouse, il fut ministre des Finances de Louis XVI après Calonne (1787). En conflit avec le parlement de Paris, il dut se retirer après son annonce d'une convocation des États généraux. Nommé archevêque de Sens, puis cardinal, il prêta néanmoins serment à la Constitution civile du clergé; cela n'empêcha pas son arrestation en 1794. Il mourut la nuit même de son incarcération d'une attaque d'apoplexie.

LORRAIN (CLAUDE GELLÉE, DIT LE)

Peintre français né à Champagne (Vosges) en 1600, mort à Rome en 1682. Il se forma en Italie, revint en France en 1625 où il travailla pour les ducs de Lorraine, puis retourna à Rome pour y passer le reste de sa vie. Il y dirigea une école pendant plus de vingt ans. Il a excellé dans ses marines (*Vue d'un port de mer au soleil couchant*) où la lumière atteint à une saisissante beauté. Célèbre pour ses toiles, il sut aussi se faire apprécier comme graveur.

LOTHAIRE

Roi de France, fils de Louis IV d'Outremer, né à Laon en 941. Sacré à Reims en 954, il eut pour tuteur Hugues le Grand, duc de France et comte de Paris (frère d'Hugues Capet) à qui il accorda la Bourgogne et l'Aquitaine. Adversaire de l'empereur Othon II, il dut lui céder la Lorraine (980). Cherchant à reconquérir ses territoires, il provoqua un nouveau conflit avec Othon dont il ne put repousser les troupes qu'avec l'aide d'Hugues Capet (978). Le traité qui s'ensuivit lui enleva tout prestige au bénéfice d'Hugues. Plein de défiance vis-à-vis de ce dernier, il associa, sur la fin de sa vie, son fils Louis au trône. Il mourut à Compiègne en 986, peut-être empoisonné par sa femme.

LOTHAIRE Ier

Empereur d'Occident, fils aîné de Louis le Débonnaire, né vers 795. Associé à l'empire en 817, proclamé roi des Lombards en 820, il se révolta avec ses frères Pépin et Louis le Germanique lorsque son père modifia le partage de ses domaines à la naissance de son quatrième enfant, Charles. À la mort de Louis le Débonnaire, il eut à affronter Louis le Germanique et Charles le Chauve qui s'étaient alliés pour le déposséder de son titre. Vaincu à la bataille de Fontenoy-en-Puisaye (841), il dut consentir au traité de Verdun (10 août 843) qui, remaniant encore le partage, lui donnait l'Italie, la Provence, la Bourgogne, les régions de l'Est de la France et une partie de la Germanie. Il ne put défendre la Frise contre les Danois et les Normands, ni la Provence et l'Italie contre les Sarrasins. Il abdiqua en 855, prit l'habit monastique à Prüm, dans l'Eifel, où il mourut la même année.

LOUBET (ÉMILE)

Avocat et homme politique français né et mort à Marsanne, dans la Drôme (1838-1929). Député, sénateur puis ministre, il fut élu président de la République en 1899. C'est au cours de son septennat que le procès Dreyfus fut revu pour la seconde fois et que le capitaine obtint sa réhabilitation. C'est aussi pendant cette période que fut consommée la rupture avec le Vatican et votée la loi de séparation de l'Église et de l'État.

LOUIS Ier LE DÉBONNAIRE (OU LE PIEUX)

Empereur d'Occident et roi de France, troisième fils de Charlemagne et de Hildegarde, né à Chasseneuil (Gironde) en 778. Roi d'Aquitaine à l'âge de 3 ans, il fut associé au gouvernement de l'empire en 813 et ceignit la couronne l'année suivante. Marié une première fois à Hermengarde, il en eut trois fils (Lothaire, Pépin et Louis le Germanique) à qui il distribua une partie de ses États. À la mort de son épouse, il s'unit à Judith de Bavière (819) qui lui donna un autre fils, le futur Charles le Chauve.

Revenant alors sur son premier partage, Louis provoqua la révolte de ses trois autres fils qui marchèrent contre lui et le firent déposer en 833. De retour au pouvoir après une brouille entre ses vainqueurs, il profita de la mort de Pépin pour augmenter la part de son dernier-né. C'est en poursuivant Louis le Germanique une nouvelle fois révolté qu'il trouva la mort, près de Mayence, en 840. Avec lui disparut l'empire de Charlemagne.

LOUIS II LE BÈGUE

Roi de France né en 846, mort à Compiègne en 879, fils de Charles le Chauve auquel il succéda en 877. Il ne sut résister aux grands feudataires et, par ses concessions, prépara le triomphe de la féodalité.

LOUIS III

Né vers 863, mort à Saint-Denis en 882. Fils du précédent, il accéda à la couronne en 879 et la partagea avec son frère Carloman. Il combattit les Normands à Saucourt (881) et mourut accidentellement l'année suivante.

LOUIS IV D'OUTREMER

Né en 921, fils de Charles le Simple, il fut élevé en Angleterre par sa mère, d'où son surnom. C'est le puissant comte de Paris, Hugues le Grand, qui le hissa sur le trône (936) et sous son autorité qu'il débuta son règne. Il s'empara de la Normandie mais fut défait par le roi Harald de Danemark, venu au secours des Normands. Prisonnier (944), il n'obtint sa libération qu'après avoir renoncé à la Normandie. Il eut des différends avec Hugues au sujet du duché de Laon, mais l'intervention du pape et de l'empereur Othon Ier y mit fin. Il mourut d'un accident de chasse en 954.

LOUIS V LE FAINÉANT

Roi de France né vers 967, mort à Compiègne en 987. Fils de Lothaire, il lui succéda en 986. Au siège de Reims, il fit preuve d'un grand courage, mais mourut sans postérité d'un accident de chasse, dernier des Carolingiens. Son oncle Charles, duc de Basse-Lorraine, héritier légitime, mais détesté des barons français, dut s'incliner devant le puissant duc de France Hugues Capet.

LOUIS VI LE GROS

Né vers 1080, fils de Philippe Ier et de Berthe de Hollande. Associé à la Couronne à l'âge de 19 ans, il succéda à son père en 1108. Une grande partie de sa vie s'écoula en luttes contre les seigneurs de son étroit domaine (Ile-de-France et une partie de l'Orléanais) qui infestaient les routes et rançonnaient les voya-

geurs. Parallèlement, il chercha à reprendre la Normandie au roi d'Angleterre Henri Ier pour la donner au neveu de ce prince, Guillaume Clinton, mais fut battu à Brenneville (1119).
Il repoussa alors l'empereur germanique Henri V, que le roi d'Angleterre – son beau père – avait dressé contre lui (1124). C'est à cette occasion que fut arborée pour la première fois l'oriflamme, bannière des abbés de Saint-Denis, puis des rois de France. Soutenu par les grands vassaux, à la tête d'une immense armée, il impressionna l'empereur qui se retira sans combattre.
Durant la rivalité qui opposa les papes Innocent II et Anaclet, il prit parti pour le premier (concile d'Étampes, 1130). Il sut favoriser le développement des communes dans les fiefs des seigneurs qu'il voulait affaiblir et ne cessa de combattre le système féodal, s'appuyant sur l'Église et sur le tiers état grandissant.
Peu avant sa mort, par le mariage de son fils Louis avec Aliénor d'Aquitaine, il étendit le domaine royal qu'il n'avait cessé de consolider. Dans ses entreprises, il fut secondé par Suger, l'abbé de Saint-Denis, son conseiller. Il s'éteignit à Paris le 1er août 1137.

LOUIS VII LE JEUNE

Fils de Louis VI et d'Adélaïde (ou Alix) de Savoie, né vers 1120. Roi en 1137, il conserva auprès de lui les ministres de son père, dont Suger, et acheva la soumission des féodaux de l'Ile-de-France. Par son mariage avec Aliénor d'Aquitaine, il acquit une grande partie du midi et de l'ouest de la France.
Mais il commit deux lourdes fautes préjudiciables à l'avenir du royaume : d'abord, sa participation à la croisade prêchée par saint Bernard (1147), expédition qui se solda par un échec devant Damas (1148) et la perte de son armée ; ensuite, son divorce d'avec Aliénor (1152), laquelle reprit sa dot pour épouser Henri II Plantagenêt, roi d'Angleterre (1154).
La même année, Louis VII s'unit à Constance de Castille, puis, après la mort de celle-ci, à Adèle de Champagne dont il eut enfin

un fils, le futur roi Philippe II Auguste. Roi peu habile, il sut toutefois tirer parti de la révolte des fils de Henri II contre leur père, limitant ainsi la montée en puissance de l'Angleterre. Il mourut à Paris en 1180.

LOUIS VIII LE LION

Roi de France, né à Paris en 1187. Fils de Philippe Auguste auquel il succéda en 1223, il avait, en 1200, épousé Blanche de Castille, petite-fille d'Aliénor d'Aquitaine et nièce de Jean sans Terre. Par ce biais, il pouvait revendiquer la couronne d'Angleterre. Mais Jean l'en empêcha en offrant au pape la suzeraineté sur son royaume. Roi de France, il participa à la croisade contre l'hérésie albigeoise. Il y gagna Avignon. En 1224, il enleva aux Plantagenêts le Poitou et l'Aunis. Il mourut à Montpensier (Auvergne) en 1226, d'une fièvre qui décimait son armée.

LOUIS IX (SAINT LOUIS)

Roi de France né à Poissy en 1214, fils aîné de Louis VIII et de Blanche de Castille. C'est sa mère qui assura la régence pendant sa minorité. Elle soumit les grands vassaux révoltés, acheva la croisade contre les albigeois (1229) et maria le jeune roi à Marguerite de Provence (1234). En 1236, Louis entama un règne que marquèrent sa droiture mais aussi sa fermeté, notamment dans la répression contre l'hérésie.

Il eut à combattre une ligue formée par le comte de La Marche et soutenue par le roi d'Angleterre Henri III. Il les vainquit à Taillebourg et à Saintes (1242). En 1248, confiant la régence à Blanche, il entreprit la septième croisade en Terre sainte. Parti d'Aigues-Mortes, il entra en Égypte, prit Damiette (1249) mais fut fait prisonnier à Mansourah (1250). Libéré contre rançon, il passa quatre ans en Syrie tandis qu'en France éclatait la révolte des pastoureaux sévèrement réprimée par la régente (1251).

Louis ne regagna son royaume qu'après la mort de sa mère (1252). Il s'appliqua alors à faire régner la justice, interdit les guerres privées (1257) dans ses domaines, abandonna les droits français sur la Catalogne et le Roussillon (1258). Il résolut le conflit avec l'Angleterre en cédant, par le traité de Paris (1259), le Limousin, le Quercy et le Périgord conquis par Philippe Auguste ; en échange de quoi, Henri III renonçait à ses prétentions sur la Normandie, l'Anjou, la Touraine, le Maine et le Poitou. Il imposa la monnaie royale dans tout le pays. Fondateur de l'hospice des Quinze-Vingts, il commença la construction de la Sorbonne et fit élever la Sainte-Chapelle, chef-d'œuvre gothique. C'est à son instigation qu'une ambassade se rendit chez les Mongols (1252-1254), dirigée par le franciscain Guillaume de Rubrouck. En 1270, il entreprit les préparatifs pour une huitième croisade, mais mourut peu après de la peste devant Tunis (25 août 1270). Sous son règne enseignèrent en France saint Thomas d'Aquin, saint Bonaventure, Albert le Grand et Roger Bacon…

LOUIS X LE HUTIN

Né à Paris en 1289, mort à Vienne en 1316, fils de Philippe le Bel et de Jeanne de Navarre. À la mort de sa mère (1305), il devint roi de Navarre et monta sur le trône de France en 1314.
Il eut à combattre les « ligues nobiliaires » qu'il apaisa en faisant exécuter l'argentier de son père, Enguerrand de Marigny (1315), accusé de dilapider le Trésor public.
Pour se procurer de l'argent, il vendit des chartes d'affranchissement aux serfs, créa de nouveaux impôts et dépouilla les marchands juifs et lombards. Marié d'abord à Marguerite de Bourgogne, qu'il fit étrangler car elle lui avait été infidèle, et il épousa en secondes noces Clémence de Hongrie dont il eut un enfant, Jean, qui naquit six mois après sa propre mort mais ne vécut que quelques mois. Philippe V, son frère, lui succéda.

LOUIS XI

Né à Bourges en 1423, fils de Charles VII et de Marie d'Anjou. Âgé de 17 ans, il participa à la *Praguerie*, révolte des grands seigneurs contre les réformes militaires de Charles VII. Exilé en Dauphiné, il se révolta à nouveau en 1455 mais dut s'enfuir chez le duc de Bourgogne, Philippe le Bon. Il y resta jusqu'à la mort du roi (1461). À son avènement, il éloigna les hommes du gouvernement de son père et s'entoura de conseillers obscurs.

Les nobles formèrent contre lui la *ligue du Bien public* (1465) avec à leur tête son propre frère, Charles, duc de Berry. Après la bataille indécise de Montlhéry (1465), il négocia avec les coalisés, fit des concessions, promit aux uns et aux autres, mais sitôt la ligue dissoute, il s'attaqua à chacun séparément.

Charles le Téméraire, duc de Bourgogne, réunit alors une seconde coalition. C'est à cette époque que, rencontrant son adversaire à Péronne (1468), Louis y fut retenu quelque temps prisonnier. Pour sa libération, il promit encore mais, comme à l'ordinaire, ne tint pas parole et la guerre reprit. La mort de son frère (1472) le délivra d'un dangereux adversaire et le Téméraire, repoussé la même année à Beauvais, signa la trêve de Senlis (1473). Une nouvelle coalition où intervint Édouard VII, roi d'Angleterre, s'acheva par le traité de Piquigny (1475) qui mit fin à la guerre de Cent Ans.

L'exécution du connétable de Saint-Pol et du comte d'Armagnac, tous deux rebelles, consacra la chute de la féodalité. À la mort de Charles le Téméraire (1477), Louis voulut s'emparer du duché de son ennemi, mais se heurta à Maximilien d'Autriche, époux de la fille du Téméraire, et fut vaincu à Guinegatte (1479). Cependant, au traité d'Arras (1482), il se fit céder la Bourgogne et la Picardie. Après quoi, l'héritage de René d'Anjou lui apporta le Maine et la Provence. À sa mort, au château de Plessis-lès-Tours (1483), le domaine royal considérablement agrandi avait presque les limites de la France actuelle. Sa diplomatie retorse

fut le reflet de sa maxime préférée : « Qui ne sait pas dissimuler ne sait pas régner. » Louis XI institua le service des Postes, perfectionna l'organisation militaire, développa l'imprimerie, améliora les routes et créa la première manufacture de soieries.
Il avait tout d'abord épousé Marguerite d'Écosse, puis il s'unit à Charlotte de Savoie dont il eut trois enfants : le futur Charles VIII, Anne de France (épouse du sire de Beaujeu, et future régente) et Jeanne, contrefaite et stérile, qu'il maria à Louis d'Orléans (futur Louis XII) afin d'en éteindre la lignée.

LOUIS XII (LE « PÈRE DU PEUPLE »)

Né à Blois en 1462, mort à Paris le 1er janvier 1515. Fils de Charles d'Orléans (neveu de Charles VI) et de Marie de Clèves, premier prince du sang, il prit la tête de la révolte des grands vassaux nommée la *Guerre folle* mais fut fait prisonnier à Saint-Aubin-du-Cormier en 1488. Gracié trois ans plus tard par Charles VIII, il le suivit en Italie. Charles étant mort sans héritier, il lui succéda en 1498, fit annuler son mariage avec Jeanne de France et épousa la reine veuve Anne de Bretagne. Faisant ensuite valoir ses droits sur le Milanais par sa grand-mère Visconti (épouse du duc d'Orléans assassiné par Jean sans Peur), il envahit cette région et s'en empara (1499-1500).
En novembre 1500, il conquit avec le roi d'Espagne Ferdinand d'Aragon le royaume de Naples. Mais la brouille s'étant installée entre les deux vainqueurs au moment du partage, les Français furent chassés de Naples après les défaites de Seminara et de Cérignole (1503). Une révolte des Génois fournit à Louis XII une occasion d'intervenir en Italie. Il la réprima puis s'engagea dans la ligue de Cambrai (1507) aux côtés du pape Jules II désireux de reconquérir sur les Vénitiens des villes ayant appartenu au Saint-Siège. Louis fut vainqueur à Agnadel (1509) mais le pape, après s'être servi de lui, résolut de le chasser d'Italie. Le chevalier Bayard battit les troupes du souverain pontife à La

Bastide et Louis XII convoqua un concile pour le faire déposer (1511). Jules II forma alors contre la France la Sainte Ligue (Espagne, Suisse, Venise, Autriche et Angleterre). Malgré la brillante victoire de Ravenne (1512) et les efforts de La Palice et de Bayard, l'armée française fut écrasée à Novare et Guinegatte (1513). Après le traité de Londres (1514), veuf d'Anne de Bretagne (dont il eut deux filles : Claude, qui fut la femme de François Ier, et Renée, qui devint duchesse de Ferrare), le roi épousa la jeune princesse Marie d'Angleterre, mais mourut peu après.

LOUIS XIII LE JUSTE

Fils d'Henri IV et de Marie de Médicis, né à Fontainebleau en 1601, mort à Saint-Germain-en-Laye en 1643. Il épousa Anne d'Autriche, infante d'Espagne, en 1615. Sa mère assura la régence et gouverna sous l'influence de Concini. Celui-ci, assassiné en 1617 à l'instigation du roi, fut remplacé par le duc de Luynes. Louis eut alors à réprimer une révolte des Grands, alliés à la reine mère. Il en triompha aux Ponts-de-Cé (1620). À la suite du rétablissement du catholicisme en Béarn, il eut aussi à faire face à une nouvelle guerre de Religion, marquée par l'échec du siège de Montauban (1621). Après la mort de Luynes et l'accession de Richelieu au poste de Premier ministre, le règne de Louis XIII se confondit avec l'action du cardinal dont l'ascendant ne cessa de grandir : siège de La Rochelle (1628) ; lutte contre Gaston d'Orléans, qui complotait pour s'emparer du trône de son frère, de santé fragile et toujours sans enfant ; *journée des Dupes* (1630), où Richelieu déjoua un nouveau complot visant sa propre personne. En 1635, Louis XIII engagea la France dans la guerre de Trente Ans. En 1638, au bout de vingt-trois ans de mariage, naquit le futur Louis XIV. Un second fils, Philippe, vit le jour deux ans après. À la mort de Richelieu et sur ses conseils, le roi prit pour remplaçant le cardinal Mazarin (1642). Il mourut lui-même l'année suivante.

LOUIS XIV LE GRAND

Né à Saint-Germain-en-Laye en 1638, mort à Versailles en 1715. Fils de Louis XIII et d'Anne d'Autriche, il fut proclamé roi à cinq ans. Sa mère, secondée par Mazarin, assura la régence. Sa jeunesse fut agitée par les troubles de la Fronde, puis par les guerres contre l'empire (traités de Westphalie mettant un terme à la guerre de Trente Ans, 1648) et contre l'Espagne (traité des Pyrénées, en 1659, qui stipulait, entre autres, son mariage avec l'infante Marie-Thérèse).

Après la mort de Mazarin (1661), le roi fit savoir que désormais il entendait gouverner seul et que « rien ne serait signé sans son commandement ». Ses ministres, qu'il choisit pour la plupart dans la bourgeoisie, ne furent que ses exécutants : Colbert, Le Tellier, Louvois, Pomponne, Vauban, etc. Quant aux nobles, à l'exception de leurs devoirs militaires, il les écarta totalement du pouvoir. Après le décès de son beau-père, Philippe IV, Louis revendiqua les Pays-Bas espagnols. Il conquit alors la Flandre (1667) et la Franche-Comté (1668). Mais, arrêté par la Triple Alliance (Suède, Angleterre, Hollande), il dut signer la paix d'Aix-la-Chapelle et renoncer à la Franche-Comté.

Cependant, en 1672, il envahit la Hollande avec, cette fois, l'appui de l'Angleterre. Cette expédition provoqua presque aussitôt la formation d'une coalition. Cependant, grâce aux victoires de Turenne, de Condé, de Duquesne, Louis XIV triompha de ses ennemis, et l'on peut dire que cette période marqua l'apogée de son règne. Par les traités de Nimègue (1678-1679) il acquit enfin la Franche-Comté. En 1685, il fit révoquer l'édit de Nantes, ce qui provoqua la révolte des camisards dans les Cévennes.

Puis une nouvelle coalition (ligue d'Augsbourg) s'organisa, réunissant l'Espagne, l'Angleterre, la Suède, la Hollande et certaines principautés allemandes. La France, tout comme ses adversaires, sortit épuisée de ces neuf années de guerre (1688-1697), malgré des succès militaires comme la prise de Namur ou les batailles de Steinkerque (1692) et de Neerwinden (1693). Le conflit s'acheva par le traité de Ryswick (1697) qui, s'il lui laissait la plupart de ses acquisitions, mettait un coup d'arrêt à ses visées impérialistes. C'est à ce moment que survint la mort de Charles II, roi d'Espagne, qui léguait sa couronne au duc d'Anjou, petit-fils de Louis XIV et futur Philippe V. Elle déclencha la guerre de Succession d'Espagne (1701-1713).

Une troisième coalition vint affronter la France qui, victorieuse à Friedlingen (1701) et à Villaciosa (1710), eut à subir les graves revers de Hochstedt (1704), de Turin (1706), d'Audenarde (1708) et de Malplaquet (1709). Les traités d'Utrecht (1713) mirent le pays au bord de la ruine mais, encore une fois, il conserva la plus grande partie de ses conquêtes.

Louis XIV dut aussi soutenir un conflit avec le pape, et opposa le clergé gallican au Saint-Siège. Il fut également en lutte contre les jansénistes qu'il poursuivit longtemps de ses persécutions. Pendant ce règne de cinquante-six ans, la gloire des armes (Condé, Turenne, Vauban, Villars, Duguay-Trouin, Duquesne, Jean Bart…) s'était unie à celle des lettres (Corneille, Molière, Racine, La Fontaine, Boileau, La Bruyère, Perrault, Bossuet, Fénelon…), des arts (Le Brun, Rigaud, Mignard, Le Sueur, Coysevox, Coustou, Girardon, Puget, Mansart…) et du commerce (Colbert, Louvois…). Parmi les monuments les plus célèbres, on retiendra le château de Versailles, le Val-de-Grâce, l'Observatoire, les Invalides, la colonnade du Louvre, le château de Marly. Louis XIV mourut le 1er septembre 1715, laissant la couronne à son arrière-petit-fils, le futur Louis XV, âgé de tout juste 5 ans.

Il avait aimé les fastes, la guerre et le pouvoir, qu'il concentra entièrement dans ses mains. Il eut, malgré ses scrupules religieux, de nombreuses et célèbres maîtresses. Après la mort de la reine Marie-Thérèse (1683), il avait secrètement épousé Mme de Maintenon.

LOUIS XV LE BIEN-AIMÉ

Né à Versailles en 1710, il était l'arrière-petit-fils de Louis XIV et le fils du duc de Bourgogne et de Marie-Adélaïde de Savoie. C'est Philippe d'Orléans qui assura la régence pendant la minorité du roi. Après sa mort (1723), le duc de Bourbon lui succéda et arrangea le mariage (1725) du jeune Louis avec Marie Leszczinska, fille de Stanislas, roi de Pologne. C'est à ce moment qu'il décida de gouverner lui-même.

Cependant, d'une nature velléitaire, il se laissa influencer par ses maîtresses (Mme de Châteauroux, la marquise de Pompadour, Mme Du Barry). Son règne entier fut plongé dans des difficultés financières. Elles commencèrent par l'échec désastreux du système bancaire de Law. En partie résolues par Fleury, elles redoublèrent après la guerre de Succession de Pologne, au terme de laquelle la France dut céder à ce pays la Lorraine ; puis après la guerre de Succession d'Autriche qui, malgré les victoires de Fontenoy, de Raucoux et de Lawfeld, priva le royaume de ses conquêtes faites aux Pays-Bas (traité d'Aix-la-Chapelle, 1748). Après quoi débuta la guerre de Sept Ans (1756) qui ruina le pays malgré les efforts du duc de Choiseul, le nouveau ministre. Par le traité de Paris (1763), Louis XV abandonnait à l'Angleterre le Canada, les Indes, les Petites Antilles, le Sénégal, et consacrait ainsi l'hégémonie britannique. L'année suivante fut marquée par le renvoi des Jésuites et, en 1771, le « triumvirat » Maupeou-Terray-d'Aiguillon abolit les parlements. Tout au long de son règne, le monarque ne prit guère part aux affaires du royaume, cédant à l'attrait des plaisirs qui l'entraînèrent parfois jusque dans la débauche la plus scandaleuse.

En 1757, il avait été victime d'un attentat, témoignage d'une impopularité grandissante. Son agresseur, Damiens, fut écartelé. S'il accumula les orages qui devaient éclater sur son successeur, son époque n'en fut pas moins celle des « lumières » mais elle dut ce nom aux hommes de lettres ou de sciences qui l'illustrèrent. Elle vit s'élever le Panthéon, l'École militaire, et naître la manufacture de Sèvres. Louis XV mourut à Versailles de la petite vérole en 1774. De son mariage avec Marie Leszczinska, il avait eu deux fils (qui ne lui survécurent pas) et sept filles.

LOUIS XVI

Né à Versailles en 1754, petit-fils et successeur de Louis XV, fils du Dauphin Louis (mort en 1765) et de Marie-Josèphe de Saxe. Il n'était encore que le duc de Berry lorsqu'il épousa, en 1770, l'archiduchesse Marie-Antoinette d'Autriche. Ce mariage, négocié par Choiseul, avait pour fond l'alliance avec ce pays. À son avènement, en 1774, il s'entoura de ministres réformateurs (Turgot, le comte de Saint-Germain, Malesherbes) ; mais le Parlement, qu'il avait rappelé, s'opposa à leurs réformes et ils durent démissionner (1776). Necker, leur successeur, fut à son tour congédié pour avoir rendu public un compte rendu qui, pour la première fois, plaçait sous les yeux des Français la mauvaise situation financière du pays (1781).
À l'extérieur, le traité de Versailles (1783), qui consacrait l'heureuse issue de la guerre d'Indépendance d'Amérique, rendit à la France le Sénégal. Cependant, l'état des finances étant critique malgré les efforts de Calonne et de Loménie de Brienne, le roi dut convoquer les États généraux (Versailles, 1789).
Necker, qui jouissait de la faveur publique, fut rappelé. Il obtint le doublement du tiers état aux États généraux. Son nouveau renvoi provoqua la colère du peuple et l'agitation commença : proclamation de l'Assemblée nationale (17 juin 1789) ; serment du Jeu de paume (20 juin) ; prise de la Bastille (14 juillet). Le roi, qui devait désormais gouverner avec les représentants de la nation, quitta Paris pour rejoindre son armée et organiser la contre-révolution. Son arrestation à Varennes (22 juin 1791) ne fit que redoubler son impopularité.

Le 14 septembre, il prêta serment de fidélité à la Constitution. La déclaration de guerre des puissances étrangères (avril 1792) et le *Manifeste de Brunswick* (25 juillet) suscité par les nobles émigrés aggravèrent encore sa position. Le 10 août, les Tuileries furent envahies et le monarque déclaré déchu. Avec sa famille, il fut alors enfermé au Temple et son procès s'ouvrit le 3 décembre. Défendu par Tronchet, Malesherbes, Desèze, et malgré l'attitude modérée des Girondins, il fut déclaré « coupable de conspiration contre la liberté de la nation et d'attentat contre la sûreté générale de l'État ».

Condamné à mort par 387 voix contre 334, il marcha avec courage à l'échafaud dressé place de la Révolution (place de la Concorde), le 21 janvier 1793. Comme il proclamait au peuple son innocence, le roulement des tambours le contraignit au silence.

LOUIS XVII

Deuxième fils de Louis XVI, né le 27 mars 1785. Il porta d'abord le titre de duc de Normandie, mais prit celui de Dauphin à la mort de son frère aîné Louis-Joseph en 1789. Incarcéré au Temple avec les siens, il fut reconnu roi par les émigrés à la mort de Louis XVI. Il mourut dans sa prison le 8 juin 1795. Le mystère qui entoura sa mort (levé depuis) permit, quelques années plus tard, à plusieurs aventuriers, dont Naudorf d'usurper son identité et de se prétendre Louis XVII.

LOUIS XVIII

Né à Versailles en 1755, petit-fils de Louis XV, fils du Dauphin et de Marie-Josèphe de Saxe. D'abord comte de Provence, il prit, à l'avènement de son frère Louis XVI, le titre de « Monsieur ». Marié en 1771 à Joséphine de Savoie, il n'eut pas d'enfants. Compromis dans le complot de Favras qui visait à enlever le roi et à le mettre à la tête d'une armée contre-révolutionnaire, il dut prendre le chemin de l'exil. Il gagna alors Bruxelles (20 juin 1791), puis Coblence où il prit la tête des émigrés.

Après la mort de Louis XVI et celle du Dauphin Louis XVII, il prit le titre de roi et tint sa cour à Vérone (1795). Au gré des conquêtes de la République, puis de l'Empire, il changea plusieurs fois de résidence. En 1814, lorsque Napoléon abdiqua (1er avril), il se trouvait en Angleterre. Installé aux Tuileries, proclamé roi de France, il publia le 2 mai la déclaration de Saint-Ouen et signa (4 juin) la charte qui établissait la monarchie constitutionnelle. Le premier traité de Paris (30 mai 1814) réduisant la France à ses frontières de 1792, provoqua le mécontentement général et favorisa le retour de l'Empereur.

Pendant les Cent-Jours, Louis XVIII se réfugia à Gand. Rétabli sur le trône après Waterloo, il dut accepter les conditions humiliantes du second traité de Paris (novembre 1815) : annexion de la Sarre, Chambéry et Annecy rendues au roi de Sardaigne, indemnité de guerre de 700 millions, restitution des œuvres d'art saisies par Napoléon, entretien d'une armée d'occupation de 150000 hommes pendant trois ans.

À l'intérieur, les mesures réactionnaires de la *Chambre introuvable* et les attentats de la Terreur blanche le conduisirent à dissoudre la Chambre (septembre 1816). Les ministères libéraux du duc de Richelieu, puis de Decazes engendrèrent de sourdes haines dans le parti des ultras qui imposèrent, après l'assassinat du duc de Berry, celui de Villèle (1821). Le gouvernement de ce dernier, très réactionnaire, prépara l'avènement de Charles X. Louis XVIII mourut à Paris en 1824. Il avait essayé de concilier les acquis de la Révolution et de l'Empire avec le retour de la monarchie.

LOUIS-PHILIPPE Ier

Duc de Valois, puis duc de Chartres, né à Paris en 1773, mort à Claremont (Angleterre) en 1850. Il était le fils de Louis-Philippe-Joseph d'Orléans (Philippe Égalité, qui avait voté la mort du roi, son cousin) et de Louise de Bourbon. Il fut membre de la Garde nationale et du club des Jacobins (1790), combattit à Valmy, à Jemmapes et à Neerwinden (1793). Impliqué dans le complot de Dumouriez, il passa à l'ennemi, compromettant ainsi son père, qui fut guillotiné, et s'enfuit en Suisse.

Il voyagea ensuite en Europe et en Amérique. De retour en Europe en 1800, il sollicita en vain un commandement dans les armées coalisées contre Napoléon. En 1809, il épousa Marie-Amélie, fille du roi de Naples Ferdinand IV. Il ne rentra en France que sous Louis XVIII, qui lui restitua l'immense fortune de sa famille. Établi en Angleterre pendant les Cent-Jours, il réapparut sous la deuxième Restauration et se rapprocha des milieux libéraux. Au lendemain de l'insurrection de 1830, il fut proclamé roi (7 août) après révision de la Charte et inaugura la monarchie de Juillet. Secondé par Dupont, Laffitte, La Fayette, il revint peu à peu vers les conservateurs (Perier, Soult, Guizot, Molé, Thiers). En dix ans, il eut à faire face à l'insurrection populaire des 5 et 6 juin 1832, à la tentative légitimiste de la duchesse de Berry, aux révoltes de Lyon et de Paris, aux complots de Barbès et de Blanqui et aux tentatives de prise de pouvoir de Louis Bonaparte (1836 et 1840).

Lui-même échappa à de multiples attentats. Par son alliance avec l'Angleterre, il empêcha la réunion de la Belgique à la France. Le mécontentement général s'acheva par la révolution de 1848. Louis-Philippe abdiqua alors en faveur de son petit-fils, le comte de Paris, et s'exila en Angleterre.

LOUVOIS (FRANÇOIS MICHEL LE TELLIER, MARQUIS DE)

Homme d'État français né à Paris en 1641. Il fut tôt associé aux fonctions de son père, Michel Le Tellier. Celui-ci, ayant obtenu le titre de chancelier, lui laissa le secrétariat à la Guerre. En 1668, Louis XIV nomma Louvois surintendant des Postes et Relais du royaume. En 1672, il était ministre d'État. À la mort de Colbert (1683), il devint en outre surintendant des Bâtiments, Arts et Manufactures. Mais c'est surtout dans le domaine militaire qu'il donna sa mesure. Il réorganisa toute la structure de l'armée, améliora le recrutement, créa des écoles d'artillerie et de génie et ouvrit aux roturiers l'accès aux postes de commandement. C'est sous son administration que fut entreprise la construction de l'hôtel des Invalides (1774).
Il eut pour principal collaborateur Vauban. Comme son étoile déclinait, il poussa la nation à la guerre afin de se rendre indispensable. Il s'y montra implacable, comme en témoignent l'incendie du Palatinat accompli sur ses ordres et la répression contre les huguenots. Sa disgrâce était proche lorsqu'il mourut subitement d'apoplexie, à Versailles, en 1691.

LUDENDORFF (ERICH)

Général allemand né à Kuszewnia (Posnanie) en 1865, mort à Tuntzing (Bavière) en 1937. Il contribua à la prise de Liège en août 1914. Chef d'état-major de Hindenburg, il défit les Russes à Tannenberg et aux lacs Mazures. En 1918, Foch remporta sur lui la victoire finale. Il fut, après la guerre, partisan de la revanche et soutint le parti national-socialiste dans sa construction d'un régime fort. Il a écrit un ouvrage sur la guerre totale.

LULLY (JEAN-BAPTISTE)

Compositeur français d'origine italienne, né à Florence en 1632, mort à Paris en 1687. D'abord attaché à Mlle de Montpensier, il quitta son service après la Fronde et entra au service du roi (1652) où il fut nommé compositeur de la musique instrumentale. Il collabora désormais avec les musiciens de la chambre et dansa aux côtés du monarque. Nommé surintendant de la musique en 1661, il sollicita et obtint sa naturalisation la même année. Louis XIV lui offrit la salle du Palais-Royal où il exerça un pouvoir dictatorial.

Ses pièces principales sont *Cadmus et Hermione* (1672, livret de Quinault), *Thésée* (1673) et *Atys* (1674) qui confirmèrent son triomphe, puis *Psyché* (1678, en collaboration avec Thomas Corneille), *Proserpine* et *Le Triomphe de l'amour* enfin (1680, avec Quinault encore).

Le souverain lui accorda des lettres de noblesse et le nomma conseiller-secrétaire de sa personne. Il produisit encore plusieurs morceaux dont *Acis et Galatée* (1686) qui couronna son éclatante carrière. En 1686, Louis XIV étant tombé gravement malade, il fit chanter un *Te Deum* lorsqu'il fut revenu à la santé. C'est alors qu'il se blessa au pied avec la canne qui lui servait de baguette de chef d'orchestre ; l'abcès qui s'ensuivit, dégénérant en gangrène, l'emporta peu de temps après.

LUMIÈRE (LES FRÈRES)

Auguste (Besançon, 1862, Lyon, 1954) et Louis (Besançon, 1864, Bandol, 1948). Ingénieurs français. Leurs recherches contribuèrent au perfectionnement de la photographie, mais ils se sont surtout rendus célèbres par la mise au point du premier cinématographe, dont l'inauguration eut lieu à Paris le 28 décembre 1895.

LUNÉVILLE (TRAITÉ DE)

Conclu le 9 février 1801 entre la France et l'Autriche, il marqua, avec le traité d'Amiens, la fin de la deuxième coalition contre Napoléon Ier. Il confirmait le traité de Campoformio en assurant à la France la cession de la Belgique et des pays de la rive gauche du Rhin. Il garantissait en outre l'indépendance des républiques batave, helvétique, cisalpine et ligurienne.
Le duc de Parme recevait le grand duché de Toscane, l'Espagne rendait la Louisiane à la France, laquelle acquérait aussi la Vénétie jusqu'à l'Adige.

LUTHER (MARTIN)

Théologien et réformateur allemand né à Eisleben en 1483. Il fit ses études à l'université d'Erfurt d'où il sortit maître en philosophie (1505). Il entra alors chez les moines augustins et fut ordonné prêtre (1507). Après un voyage à Rome (1510), il quitta le couvent d'Erfurt pour celui de Wittenberg. C'est à cette époque qu'il commença à élaborer sa doctrine du salut par la foi, à partir de réflexions sur les *Épîtres* de saint Paul.
En 1517, le pape Léon X ayant publié des indulgences, il en attaqua le principe et afficha ses *Quatre-Vingt-Quinze Thèses* sur la porte du château de Wittenberg. Cette action marqua le début de la Réforme. L'intervention du cardinal Cajetan, supérieur des Dominicains, n'y changea rien. Loin de se rétracter, Luther contesta dès lors l'autorité du pape, nia toute hiérarchie, rejeta en bloc le célibat des prêtres, les vœux monastiques, le culte des saints, le Purgatoire et la messe.
En 1520, il fit paraître son *Manifeste à la noblesse allemande*, *Captivité à Babylone*, puis un *Petit Traité de la liberté humaine* par lequel il enseigne que seule est valable l'autorité de l'Écriture sainte et où il développe sa doctrine de la foi.
Excommunié la même année, il brûla publiquement la bulle de

Léon X. Cité devant la diète de Worms (1521), il s'y rendit avec un sauf-conduit de Charles Quint mais refusa une fois de plus de se rétracter et fut mis au ban de l'empire.

Réfugié au château de la Wartburg, chez l'électeur Frédéric de Saxe, il y rédigea de nombreux pamphlets et réalisa sa grande traduction de la Bible en allemand. En 1525, il épousa l'ex-religieuse Catherine von Bora. Lorsqu'éclata la révolte des paysans, la même année, il prit parti contre eux tout en dénonçant les atrocités des princes.

Jusqu'en 1529, il travailla à organiser son Église (publication du *Grand* et du *Petit catéchisme*) avec l'assistance de son collaborateur Mélanchthon. Ce dernier fut le principal rédacteur de la *Confession d'Augsbourg* (1530) où sont réunis les vingt-huit articles de la profession de foi luthérienne. À la fin de sa vie, il eut à combattre les nombreuses sectes qui s'étaient formées au sein de son propre mouvement. Il mourut en 1546 dans sa ville natale.

LUYNES (CHARLES D'ALBERT, DUC DE)

Connétable de France, né à Pont-Saint-Esprit en 1578. Il fut d'abord page d'Henri IV, puis favori de Louis XIII qui le combla de dignités. Il hâta la perte de Concini (1617) mais se heurta ensuite à la noblesse et à la reine mère.

La paix d'Angoulême fit cesser les hostilités (1619). Il négocia le traité d'Ulm par lequel les protestants luthériens promettaient de ne pas attaquer les catholiques d'Allemagne (1620). Puis il marcha contre les huguenots, enleva quelques places, mais échoua devant Montauban (1621), ce qui précipita sa disgrâce. Il mourut la même année à Longueville.

LYAUTEY (LOUIS HUBERT GONZALVE)

Maréchal de France né à Nancy en 1854, mort à Thorey (Meurthe-et-Moselle) en 1934. Après un passage dans le sud algérien, il partit pour le Tonkin où il servit dans l'état-major de Gallieni (1894). Avec celui-ci, il se rendit ensuite à Madagascar (1897). Promu général de brigade, il revint en Algérie où il dirigea la subdivision d'Aïn-Sefra (1903), puis celle d'Oran (1906). Résident général au Maroc en 1912, il y resta jusqu'à la guerre du Rif (1925), époque à laquelle il rentra en France.

Il fut quelques mois ministre de la Guerre (1916-1917), avant de repartir au Maroc, qu'il quitta lors de la guerre du Rif. (Académie française.)

MAC-MAHON (EDME PATRICE MAURICE DE)

Maréchal de France et homme politique né à Sully (Saône-et-Loire) en 1808, mort à Château-la-Forêt (Loiret) en 1898. Après avoir participé à la conquête de l'Algérie, il se signala pendant la guerre de Crimée (prise de Malakoff, 1855) et lors la campagne d'Italie (bataille de Magenta, 1859). De 1864 à 1870, il fut gouverneur général en Algérie. À la tête du premier corps d'armée en 1870, il fut défait par les forces prussiennes à Wissembourg et Frœschwiller, puis blessé et fait prisonnier à Sedan.
En 1871, il réprima l'insurrection de la Commune. Élu président de la IIIe République après la chute de Thiers (1873), il choisit ses ministres parmi les membres de l'Ordre moral monarchiste et conservateur. Les élections de 1877 ayant été favorables aux républicains, il démissionna en 1879.

MAGINOT (ANDRÉ)

Homme politique français né et mort à Paris (1877-1932). Député de la Meuse, ministre à plusieurs reprises après la Première Guerre mondiale, il prit part à la reconstitution de l'armée. Chargé de la défense des frontières de l'Est, il est à l'origine de la « ligne » qui porte son nom. Cette construction destinée à protéger la France contre une éventuelle agression allemande ne fut pas poursuivie le long de la frontière franco-belge ; aussi, en 1940, les armées du Reich la contournèrent-elles, en s'engouffrant dans les Ardennes belges, ce qui révéla son inutilité.

MAINTENON (FRANÇOISE D'AUBIGNÉ, MARQUISE DE)

Petit fille d'Agrippa d'Aubigné, née à Niort en 1635. Elle épousa à 17 ans le poète Scarron et fréquenta la meilleure société de l'époque. Veuve en 1660, elle fut chargée par Louis XIV d'élever les enfants qu'il avait eu de Mme de Montespan. En 1674, elle reçut de lui la terre de Maintenon érigée pour elle en marquisat. À la mort de la reine (1683), elle épousa secrètement Louis XIV. Elle fonda à Saint-Cyr une maison religieuse pour les jeunes filles pauvres de la noblesse et s'y retira après la mort de Louis (1715). C'est là qu'elle finit ses jours, en 1719, dans l'austérité et la prière. Elle eut, pendant leur vie commune, de l'influence sur le roi. Protestante convertie au catholicisme, on lui a reproché d'avoir soutenu la révocation de l'édit de Nantes.

MALEBRANCHE (NICOLAS)

Philosophe et théologien français né et mort à Paris (1638-1715). Entré en 1660 dans la congrégation de l'Oratoire, il y fut ordonné prêtre en 1664. Ayant lu le *Traité de l'homme* de Descartes, il rédigea alors *Recherche de la vérité* qui lui attira les critiques de Bossuet et d'Antoine Arnaud. Il y répondit par son *Traité de la nature et de la grâce* (1680). À la différence de Descartes, il tenta de concilier la raison et la foi (*Traité de l'amour de Dieu*, 1697). Il est aussi l'auteur des *Méditations chrétiennes* (1683), d'un *Traité de Morale* (1684) et des *Entretiens sur la métaphysique et la religion* (1688).

MALESHERBES (CHRÉTIEN GUILLAUME DE LAMOIGNON DE)

Magistrat français né et mort à Paris (1721-1794). Il occupa les fonctions de conseiller au Parlement, puis de président de la Cour des aides (1750). Il reçut la direction de la Librairie où il favorisa la publication de l'*Encyclopédie*, et défendit la liberté de la presse. Contraint de se retirer en 1771, rappelé au service du roi en 1775, écarté à nouveau l'année suivante, il fut en 1787 membre du Conseil du roi et s'employa à restituer aux protestants leur état civil. Au moment de la Révolution, il émigra.

En 1792, apprenant que Louis XVI était traduit devant la Convention, il demanda et obtint le dangereux honneur de prendre sa défense. Il avait 72 ans. Onze mois plus tard, arrêté comme suspect, il fut envoyé à l'échafaud avec toute sa famille. Il a écrit un *Mémoire pour Louis XVI*. (Académie française.)

MALHERBE (FRANÇOIS DE)

Poète français né à Caen en 1555, mort à Paris en 1628. Après des études de droit, il quitta la robe pour l'épée et s'attacha à la personne d'Henri d'Angoulême. Il vint à Paris en 1605, recommandé à Henri IV par le cardinal Du Perron bien qu'ayant servi dans la Ligue. Poète de la cour, il écrivit de nombreuses pièces officielles : odes, stances, sonnets et chansons (*Prière pour le roi Henri le Grand allant en Limousin*, *Sur l'attentat du Pont-Neuf*, *Ode à Marie de Médicis pour sa bienvenue en France*).

Puriste, il combattit l'italianisme et l'envahissement des dialectes, et attaqua la Pléiade, qu'il accusait de trop imiter trop les Anciens. Par ses règles rythmiques et son art raisonnable, il prépara l'éloquence impersonnelle du classicisme.

MALLARMÉ (STÉPHANE)

Poète français né à Paris en 1842, mort à Valvins en 1898. Cet homme effacé, professeur d'anglais au lycée Condorcet, resta longtemps ignoré du public. Verlaine et Huysmans le firent connaître en 1883 et 1884, en lui consacrant, pour l'un, un des trois volets de ses *Poètes maudits*, et pour l'autre, quelques pages de son roman *À rebours*. Afin de témoigner de sa vision métaphysique du monde et ses réalités cachées, il eut recours aux sonorités de la langue, privilégiant l'incantatoire au mépris, parfois, de la cohérence. Il tint chez lui un cercle choisi de jeunes poètes (dont Henri de Régnier et Jules Laforgue) et réunit ses morceaux les plus caractéristiques sous le titre de *Vers et Prose* (1893).

MALRAUX (ANDRÉ)

Écrivain français né à Paris en 1901, mort à Créteil en 1976. C'est de son contact avec la Chine (1925), où il rencontra des révolutionnaires communistes, que naquirent ses premiers ouvrages (*La Voie royale*, 1930). Marqué par la pensée d'extrême gauche, il écrivit aussi *Les Conquérants* (1928) et *La Condition humaine* (1933) où ses personnages, jetés désespérément au milieu de luttes sans merci, s'affirment dans l'action et une fraternité virile. Avec *Le Temps du mépris* (1936) et *L'Espoir* (1937) il s'attaqua aux principes totalitaires nazis et au système franquiste.

Pendant la guerre d'Espagne, il combattit aux côtés des républicains et, durant le second conflit mondial, se joignit à la Résistance. On lui doit, entre autres ouvrages, *Les Noyers de l'Altenburg* (1943), *Le Musée imaginaire* (1947), *La Création artistique* (1948), *Les Voies du silence* (1952)… Ministre des Affaires culturelles sous de Gaulle, il quitta ce poste en 1969 et publia, après la disparition du chef de l'État, *Les Chênes qu'on abat* (1971). Ses cendres ont été transférées au Panthéon.

MANDEL (GEORGES)

Homme politique français né à Chatou en 1885. Chef de cabinet de Clemenceau, dont il fut l'éminence grise, plusieurs fois ministre, il s'opposa à l'armistice et gagna l'Afrique du Nord (21 juin 1940) dans l'espoir d'y former un gouvernement résolu à poursuivre le combat. Ramené en France et accusé de complot contre la sécurité de l'État, il fut incarcéré en juillet puis livré aux Allemands qui l'internèrent à leur tour jusqu'en 1944. Ils le ramenèrent alors à Paris pour le remettre aux mains de la Milice qui l'assassina en forêt de Fontainebleau le 7 juillet 1944.

MANET (ÉDOUARD)

Peintre et dessinateur français né et mort à Paris (1832-1883). Influencé d'abord par Courbet et la peinture espagnole, il délaissa peu à peu les contours précis pour leur préférer de simples indications d'ombre et de lumière, préfigurant ainsi l'École impressionniste. Son *Déjeuner sur l'herbe* (1862) fit scandale, ainsi que l'*Olympia* (1863). Berthe Morisot lui fit découvrir la peinture en plein air. Il travailla aussi en compagnie de Monet (*Sur les berges de la Seine*, 1874). Peu apprécié par la critique de son temps, fréquemment désavoué par le Salon officiel, il exposa alors au Salon des Refusés. Il fréquenta Degas, Pissarro, Cézanne et eut pour admirateurs Baudelaire et Zola.

MANSART (JULES HARDOUIN)

Architecte français né à Paris en 1646, mort à Marly en 1708. Petit-neveu de François Mansart (architecte qui sut réunir les styles Renaissance et classique et généralisa la « mansarde ») qui le forma, remarqué par Louis XIV, il devint son premier architecte en 1681, puis surintendant des Bâtiments royaux en 1689. On lui doit le splendide dôme des Invalides – l'un des trois ou quatre plus beaux au monde.

À Versailles, chargé d'achever les travaux de Le Vau, il conçut la galerie des Glaces, édifia les Petites et les Grandes Ecuries, l'Orangerie, la chapelle et le Grand Trianon. On lui doit aussi le château de Marly ainsi que le couvent de Saint-Cyr. Dans Paris, il réalisa la place Vendôme et la place des Victoires.

MARAT (JEAN-PAUL)

Médecin et homme politique français né à Boudry, près de Neuchâtel, en 1743. Il étudia la médecine en France (spécialiste des voies respiratoires et électrothérapeute réputé) et embrassa avec enthousiasme les principes révolutionnaires. En septembre 1789, il fonda le journal *L'Ami du peuple* dont la violence et la position lui valurent l'emprisonnement.

Réfugié pendant quatre mois à Londres (1790), il revint en France et s'inscrivit au club des Cordeliers. Il opta pour l'abolition de la monarchie et exigea des mesures sanglantes contre tout suspect. Il fut l'un des responsables des massacres de Septembre (1792). Élu à la Convention, il siégea parmi les représentants de la Montagne. Lors du procès du roi, il manifesta une haine d'une rare violence. Porte-parole des sans-culottes, adversaire des Girondins, il fut traduit devant le Tribunal révolutionnaire mais acquitté (13 avril 1793). Artisan de l'insurrection des 31 mai et 2 juin 1793, il précipita alors la chute des Girondins.

Il mourut dans sa baignoire, assassiné d'un coup de couteau par Charlotte Corday le 13 juillet 1793. Sa mort fut le prétexte à de nouveaux massacres. Il a écrit plusieurs ouvrages dont un *Essai philosophique sur l'homme* (1773), *Les Chaînes de l'esclavage* (1774), un *Plan de législation criminelle* (1780) et des *Notions élémentaires d'optique*, qui attirèrent l'attention de Franklin.

MARCEAU (FRANÇOIS SÉVERIN)

Général français, né à Chartres en 1769. Capitaine à la Garde nationale en 1791, colonel en 1792 dans l'armée des Ardennes, il eut le commandement en chef de l'armée de l'Ouest en 1793 (guerre de Vendée). L'année suivante, il contribua à la victoire de Fleurus et s'empara de Coblence. Franchissant le Rhin, il participa au siège d'Ehrenbreitstein et dispersa les troupes de Kray à Sulzbach. En 1796, chargé de couvrir la retraite de Pichegru, il repoussa les Alliés et prit Wurtzbourg et Limbourg.
Le 19 septembre 1796, alors qu'il effectuait une reconnaissance près d'Altenkirchen, il fut blessé mortellement. L'archiduc Charles et l'armée autrichienne tinrent à rendre les honneurs à ce soldat qui s'était fait remarquer tant par son courage que par son humanité et son désintéressement. Enterré à Coblence, son corps fut exhumé l'année suivante pour être incinéré. Sur le vase d'airain qui contient ses cendres, au Panthéon, on peut lire cette inscription : « Les cendres sont ici, le nom est partout. »

MARIE LESZCZINSKA

Fille du roi Stanislas de Pologne, née à Breslau en 1703, morte à Versailles en 1768. Elle devint reine de France par son mariage avec Louis XV en 1725. Elle eut dix enfants, dont trois moururent en bas âge.

MARIE DE MÉDICIS

Fille du grand-duc de Toscane François de Médicis, née à Florence en 1573. Elle fut la seconde femme d'Henri IV qu'elle épousa en 1600 ; elle ne fut peut-être pas étrangère à son assassinat. Devenue régente, elle se sépara des ministres en place et donna sa confiance à l'aventurier Concini, provoquant ainsi la colère des Grands (traité de Loudun, 1616). Après l'assassinat de Concini (1617) et son remplacement par le connétable de

Luynes, elle leva une armée contre son propre fils, Louis XIII, mais fut battue aux Ponts-de-Cé (1620).
Réconciliée avec le roi à la mort du connétable, elle poussa Richelieu au Conseil, mais l'influence grandissante de son protégé ne tarda pas à l'inquiéter et elle chercha à le faire disgracier. Ce fut la *journée des Dupes* (1630) à la suite de laquelle elle dut s'exiler. Elle mourut à Cologne en 1642.

MARIE Ire TUDOR

Fille d'Henri VIII et de Catherine d'Aragon, née à Greenwich en 1516. Élevée loin du trône après la répudiation de sa mère, elle parvint cependant (1544) à prendre le pouvoir à la faveur d'un mouvement populaire hostile à l'avènement de Jane Grey (arrière-petite-fille d'Henri VII) qu'elle fit décapiter. Devenue reine à sa place, elle rétablit le catholicisme combattu par son père, fit exécuter Northumberland, qui avait soutenu Jane Grey et défendu le parti conservateur, empoisonna les évêques protestants et abolit les lois d'Édouard VI concernant le culte anglican. Son règne fut une suite de condamnations et d'exécutions qui la firent surnommer Marie la Sanglante. En 1554, elle épousa Philippe II d'Espagne et engagea l'Angleterre dans une guerre contre la France qui se solda par la perte de Calais (1558). Elle mourut à Londres la même année, sans enfants, alors que grondait une révolte générale.

MARIE-ANTOINETTE

Archiduchesse d'Autriche, fille de l'empereur d'Allemagne François Ier et de l'impératrice Marie-Thérèse, elle naquit à Vienne en 1755. Elle épousa Louis XVI, encore duc de Berry, en 1770. Sa légèreté, ses intrigues, ses dépenses exagérées la rendirent rapidement impopulaire. Sa politique, inspirée par l'ambassadeur d'Autriche et par sa mère, n'améliora pas ce jugement et

pour le peuple, elle fut bientôt *l'Autrichienne*.
Au moment de la Révolution, refusant de se rallier à l'idée d'une monarchie constitutionnelle, elle fut l'objet de violentes critiques. Elle espérait, en fait, une intervention de l'étranger pour sauver la royauté. Incarcérée au Temple après la déchéance de Louis XVI (10 août 1792), elle fut transférée à la Conciergerie un an plus tard et séparée de ses enfants. Face aux accusations d'entente avec les puissances étrangères et aux ignobles calomnies d'Hébert et de ses comparses, elle garda une attitude digne et hautaine. Elle mourut avec courage sur l'échafaud, le 16 octobre 1793.

MARIE-LOUISE DE HABSBOURG

Archiduchesse d'Autriche née à Vienne en 1791, fille de François II et de Marie-Thérèse de Naples. Impératrice des Français par son mariage avec Napoléon Ier en 1810, elle lui donna un fils l'année suivante et fut régente pendant la campagne de 1813. Après la première abdication de l'Empereur, elle rejoignit son père et fut séparée de son enfant (qui prit le nom de duc de Reichstadt). Remariée deux fois, elle mourut à Parme en 1847.

MARIE-THÉRÈSE D'AUTRICHE

Née à Madrid en 1638, morte à Versailles en 1683. Fille de Philippe IV d'Espagne et d'Élisabeth de France, elle devint reine de France par son mariage avec Louis XIV (1660) prévu par le premier article du traité des Pyrénées (1659). Le non-versement de la dot de 500000 écus que l'Espagne avait promise fut le prétexte, pour Louis XIV, de revendiquer les droits de sa femme à la succession d'Espagne (guerre de Dévolution, 1665-1668). Elle eut à souffrir des infidélités du roi et passa sa vie dans une dévotion qui n'eut d'égale que celle de Mme de Maintenon.

MARIGNAN (BATAILLE DE)

Victoire que François Ier remporta en 1515 sur les Suisses et le duc de Milan. Elle porte aussi le nom de *Bataille des géants*. Le roi de France, qui avait montré une grande bravoure, s'y fit armer chevalier par Bayard. Cette bataille eut pour conséquence l'acquisition du Milanais. L'année suivante, la paix perpétuelle fut signée avec la Suisse.

MARIVAUX (PIERRE CARLET DE CHAMBLAIN DE)

Écrivain français né et mort à Paris (1688-1763). Après des études de jurisprudence, il se tourna vers la littérature et fréquenta les plus célèbres salons de la société parisienne. Après trois médiocres essais dans le roman, il débuta dans le théâtre avec *Arlequin poli par l'amour* (1720) qui connut un réel succès. Il travailla dès lors pour le Théâtre-Français et le Théâtre-Italien pour lesquels il produisit une quarantaine de pièces, dont certaines ont vaincu l'usure du temps: *La Surprise de l'amour* (1722), *Le Jeu de l'amour et du hasard* (1730), *Les Fausses Confidences* (1737)… Esprit spirituel et délicat, ses écrits montrent une profonde connaissance du cœur humain. En dehors de son œuvre dramatique, Marivaux écrivit *La Vie de Marianne* (1731-1741) et *Le Paysan parvenu* (1735) que l'on peut compter parmi les meilleurs récits du XVIIIe siècle.

MARMONT (AUGUSTE FRÉDÉRIC LOUIS VIESSE DE)

Duc de Raguse et maréchal de France, né à Châtillon-sur-Seine en 1774, mort à Venise en 1852. Remarqué par Bonaparte au siège de Toulon (1793), il devint son aide de camp en Italie, le suivit en Égypte (1798) et revint avec lui pour le 18-Brumaire.

Il organisa le passage du Grand-Saint-Bernard et contribua à la victoire de Marengo. En 1805, il participa à la prise d'Ulm, passa en Dalmatie, se maintint dans Raguse malgré les Russes, qu'il battit à Castel-Nuovo (1806).
Après Wagram (1809), il fut fait maréchal. En 1811 il remplaça Masséna au Portugal et tint, avec Soult, Wellington en échec pendant quinze mois. Cependant, celui-ci finit par le vaincre aux Arapides (1812). Il fit la campagne d'Allemagne (1813) et l'année suivante, lors de l'envahissement de la France, lutta pied à pied contre les coalisés jusqu'au dernier moment.
Puis, avec l'accord de Joseph Bonaparte, il négocia la capitulation de Paris. Il fut, à tort, accusé de défection pour avoir fait passer ses troupes en Normandie au lieu de couvrir Fontainebleau où s'était retiré l'Empereur. Il essaya vainement de faire reconnaître le roi de Rome.

MAROT (CLÉMENT)

Poète français né à Cahors en 1496. Valet de chambre de François Ier et de sa sœur Marguerite d'Angoulême, future reine de Navarre, il suivit son souverain dans sa campagne d'Italie et, comme lui, fut retenu prisonnier après Pavie (1525). Revenu en France, en butte à des accusations d'hérésie, il fut arrêté et ne dut sa délivrance qu'à l'intervention de Marguerite. Impliqué dans l'affaire des Placards (1534), il s'enfuit alors dans le Béarn, puis à Ferrare où l'accueillit Renée de France, sœur de Louis XII passée au protestantisme. À nouveau rentré en France, il traduisit les *Psaumes* mais son travail fut censuré par la Sorbonne. Il s'enfuit encore, à Turin cette fois, où il mourut solitaire en 1544.
Dernier représentant de la poésie du Moyen Âge, il est l'auteur de poésies et de pièces de circonstance comme *L'Adolescence clémentine* (1532). Il a évoqué ses épreuves dans l'*Épître à Lyon Jamet* (1526) et dans l'*Épître au roi pour le délivrer de prison* (1527). On lui doit aussi des *Épigrammes* et des *Elégies*.

MARSHALL (PLAN)

Programme de la reconstruction européenne présenté par le général américain George Marshall, alors secrétaire d'État, le 5 juin 1947. Quelques jours après (17 juin), une conférence réunissait à Paris les ministres des Affaires étrangères français (Pinault), anglais (Bevin) et soviétique (Molotov). Refusé par ce dernier, le programme fut accepté par seize nations de l'Ouest, élargissant du même coup la fracture entre elles et le bloc de l'Est. Ainsi, les partis communistes français et italien suspendirent-ils toute collaboration avec les autres groupements politiques. L'assistance américaine, qui présentait des conditions particulièrement intéressantes (85 % à titre gratuit et 15 % remboursables à long terme), recouvrait cependant une intention politique, car considérant l'Europe comme un tout économiquement indissociable. Deux organismes en effectuèrent l'administration : l'*Economic Cooperation Administration* (ECA) et l'*Organisation européenne de coopération économique* (OECE). Prévu pour une durée de quatre ans, le plan Marshall se prolongea en fait beaucoup plus longtemps. La France, par exemple, bénéficia de l'aide américaine jusqu'en 1964.

MARX (KARL)

Philosophe et économiste allemand né à Trèves en 1818, mort à Londres en 1883. C'est lui qui, en collaboration avec Friedrich Engels, rédigea le *Manifeste du parti communiste* (1848). Il y enseigne l'établissement d'une dictature prolétarienne et le maintient d'une révolution permanente jusqu'à l'avènement définitif du communisme ; il y affirme aussi que la lutte des classes ne peut trouver sa résolution que par la transformation des régimes capitalistes en régimes socialistes dans lesquels la collectivité doit s'approprier les moyens de production ; il y proclame que l'homme est conditionné par le mode de production,

que l'esprit n'est pas une donnée première, que les idéologies (connaissances, arts, religion, etc.) sont volontairement entretenues par ceux qui y trouvent leurs intérêts ; que les forces de production, en se développant, entrent en contradiction avec la production elle-même et aboutissent à l'exploitation de l'homme par l'homme ; il y annonce enfin qu'après la phase transitoire de la dictature du prolétariat, l'État sera détruit et cédera la place à une société sans classes.
En 1864, il fonda la *Première Internationale* qui joua un rôle considérable dans le milieu ouvrier. Il est l'auteur de nombreux ouvrages dont *La Sainte Famille* (1845), *L'Idéologie allemande* (1846), *Contribution à la critique de l'économie politique* (1859) et surtout *Le Capital*, dont le premier volume parut en 1867, et les trois autres après sa mort.

MASSÉNA (ANDRÉ, DUC DE RIVOLI, PRINCE D'ESSLING)

Maréchal de France, né à Nice en 1756, mort à Paris en 1817. Enrôlé tout jeune dans l'armée, il participa aux guerres de la Révolution où il parvint au grade de général de division (1793). Il prit ensuite une part des plus glorieuses dans la campagne d'Italie (1797). C'est lui qui décida du gain de la bataille de Rivoli, en vertu de quoi Bonaparte le surnomma « l'enfant chéri de la victoire ». En 1799, il se couvrit de gloire en battant les Russes à Zurich. En 1800, retranché dans Gênes avec des forces réduites, il parvint à fixer les Autrichiens pendant quatre mois et permit ainsi la victoire de Marengo.
Nommé maréchal et duc de Rivoli (1804), il prit la tête de l'armée d'Italie l'année suivante. En 1806, il s'empara, pour Joseph Bonaparte, du royaume de Naples. Mais c'est en 1809 que sa réputation de soldat atteignit sa plus haute renommée : vainqueur de l'archiduc Charles à Eckmühl, il montra ensuite les plus belles qualités guerrières à Essling et à Wagram et mérita le titre

de prince d'Essling, que Napoléon lui-même lui octroya. Il fut moins heureux au Portugal (1810) face à Wellington qui le repoussa en Espagne (1811). Rallié aux Bourbons en 1814, il n'intervint pas pendant les Cent-Jours et obtint le poste de gouverneur de Paris après Waterloo.

MAUPASSANT (GUY DE)

Écrivain français né près de Dieppe en 1850, mort à Paris en 1893. Ce disciple de Flaubert, au long de sa brève carrière, se révéla un artiste fécond, aux talents multiples, capable de faire alterner l'émotion sobre (*Une vie*, 1883), l'âpreté glacée d'un être odieux (*Bel Ami*, 1885), l'ironie joyeuse (*Mont Oriol*, 1887), le pessimisme (*Pierre et Jean*, 1888) et la hantise du néant (*Fort comme la mort*, 1889). Il fréquenta Alphonse Daudet, Tourguéniev, les Goncourt, Huysmans… Outre ses romans, il publia quelque trois cents nouvelles dont *Boule de suif* (1880), *Mademoiselle Fifi* (1882), *Les Contes de la bécasse* (1883). La syphilis, ajoutée à une maladie nerveuse héréditaire, le mena à la folie, et il finit la dernière année de sa vie dans la clinique du docteur Blanche où, avant lui, Gérard de Nerval avait fait plusieurs séjours.

MAUPEOU (RENÉ NICOLAS CHARLES AUGUSTE DE)

Chancelier de France né à Paris en 1714, mort à Thuit (Eure) en 1792. En faveur auprès de Mme Du Barry, à la fin du règne de Louis XV, il contribua à la chute de Choiseul et forma une sorte de triumvirat avec l'abbé Terray et le duc d'Aiguillon (1771). Il exila les membres du Parlement pour en nommer d'autres, mais cette mesure violente contre un corps respecté souleva la colère de l'opinion publique, et le « parlement Maupeou » perdit tout crédit. Louis XVI, une fois roi, rappela l'ancien Parlement et écarta le chancelier.

MAZARIN (JULES)

Cardinal et ministre français d'origine italienne, né à Pescina dans les Abruzzes en 1602. Il travailla pour Richelieu, qui le fit nommer cardinal sans qu'il fût ordonné prêtre (1641). À la mort de Richelieu (1642), il eut tout pouvoir auprès de Louis XIII, lequel, dans ses derniers jours (1643), le nomma membre du Conseil de régence. Anne d'Autriche en fit son Premier ministre, son amant, et peut-être son mari.
Les premières années de son gouvernement furent marquées par les victoires des Français sur les Espagnols à Rocroy (1643), à Nördlingen (1645) et à Lens (1648), lesquelles entraînèrent les traités de Westphalie. Il eut ensuite à faire face aux troubles politiques et financiers qui engendrèrent la Fronde. Celle-ci l'opposa d'abord au parlement de Paris (paix de Rueil, 1649), puis aux grands princes du royaume. Obligé de s'exiler deux fois pendant ces événements, il n'en sortit pas moins victorieux (1652).
En 1659, il conclut la paix des Pyrénées qui mettait fin aux guerres franco-espagnoles et donnait à la France l'Artois, le Roussillon, une partie du duché de Luxembourg et du Hainaut, préparant ainsi le règne de Louis XIV. Mazarin mourut à Vincennes en 1661. Habile diplomate, il fut aussi le protecteur des lettres. On lui doit la bibliothèque qui porte son nom.

MÉHÉMET'ALI (OU MUHAMMAD'ALI)

Sultan d'Égypte né à Kavala en 1769, mort au Caire en 1849. Il combattit contre les troupes de Bonaparte en 1798 et fut nommé vice-roi d'Égypte en 1804. Il réduisit alors les mamelouks (1811) et délivra La Mecque des Wahhabites (1812-1819). Avec l'aide de la France, il modernisa son pays. Et, lors de l'intervention commune de la Russie, de l'Autriche, de la Prusse et de l'Angleterre contre son fils Ibrahim, c'est encore grâce à la France que Méhémet obtint l'hérédité du pouvoir en Égypte (1841).

MÉHUL (ÉTIENNE)

Compositeur français né à Givet (Ardennes) en 1763, mort à Paris en 1817. Outre son célèbre *Chant du départ*, cet artiste a composé de nombreuses pièces de qualité. Il s'imposa notamment comme l'un des meilleurs compositeurs dramatiques. Il fut en relation avec Gluck, dont il subit l'influence.

MÉLINE (JULES)

Homme politique et orateur français né à Remiremont en 1838, mort à Paris en 1925. Député, sénateur, plusieurs fois ministre et notamment de l'Agriculture (il « inventa » le slogan *Retour à la terre*), il développa une politique protectionniste et travailla à la reprise économique et financière.

MENDÈS FRANCE (PIERRE)

Homme politique français né et mort à Paris (1907-1982). Député du parti radical-socialiste, il refusa la défaite en 1940 et se rendit en Afrique du Nord afin de poursuivre la guerre. Arrêté à Casablanca, il fut accusé de trahison et incarcéré. S'évadant le 22 juin, il gagna Londres, servit d'abord dans la RAF, puis se rallia au général de Gaulle dans les Forces françaises libres (FFL). En novembre 1943, de Gaulle le nomma commissaire aux Finances dans le Comité français de Libération nationale. Ministre de l'Économie en 1944, il démissionna l'année suivante. Président du Conseil et ministre des Affaires étrangères en 1954, il signa les accords de Genève qui mettaient fin à la guerre d'Indochine. Il prit position contre de Gaulle au moment des événements d'Alger, en mai 1958, et forma alors l'Union des forces démocratiques. En 1959, il adhéra au PSA, futur PSU, après avoir quitté le parti radical.

MERLIN DE THIONVILLE (ANTOINE CHRISTOPHE)

Avocat et homme politique français né à Thionville en 1762, mort à Paris en 1833. Député à l'Assemblée législative (1791), il opta pour la saisie des biens des émigrés. Réélu à la Convention, il siégea avec les Montagnards et vota la mort du roi. Après avoir participé à la guerre de Vendée, il reprit son siège et contribua à la chute de Robespierre.

MÉROVÉE

Fils ou gendre présumé de Clodion le Chevelu, roi des Francs saliens. Il naquit vers 411, succéda à son père vers 417 et mourut vers 457. Allié au général romain Aetius, il contribua à la victoire des champs Catalauniques sur les Huns (451). On sait par Grégoire de Tours qu'il eut pour fils Childéric Ier. Il a donné son nom à la dynastie qui régna jusqu'en 751.

MÉROVINGIENS

Nom donné à la 1re dynastie des rois de France, c'est-à-dire aux descendants de Clovis, lui-même petit-fils supposé de Mérovée. Cette dynastie qui se partagea les couronnes de Neustrie, de Bourgogne et d'Austrasie régna, souvent par le meurtre et l'intrigue, sur ce qui allait devenir la France de 482 à 741, lorsque Pépin le Bref, fondateur de la dynastie des Carolingiens, lui arracha un pouvoir que les rois fainéants (qui ne l'étaient pas forcément), depuis longtemps, avaient laissé à leurs maires du palais, plus puissants qu'eux. Mérovingiens qui ont régné sur le territoire qui deviendra la France (entre parenthèses, dates de leur règne) :

- Clovis (482-511);
- Clotaire Ier (511-561), fils de Clovis;

❐ Chilpéric Ier (561-584), fils du précédent ;
❐ Clotaire II (584-629), fils du précédent et de Frédégonde, qui longtemps régna à sa place ;
❐ Dagobert Ier (629-639), fils du précédent ;
❐ Clovis II (639-657), fils du précédent ;
❐ Childéric II (662-675), fils du précédent ;
❐ Dagobert III (711-715), fils du roi de Neustrie et de Bourgogne ;
❐ Chilpéric II (715-721), fils de Childéric II, assassiné quarante ans auparavant ;
❐ Thierry IV (721-737), fils de Dagobert III ; il abandonne son pouvoir à Charles Martel, maire du palais d'Austrasie ;
❐ Childéric III (743-751), fils de Chilpéric II, sorti du monastère où il est retiré pour porter la couronne sur l'ordre de Pépin le Bref et Carloman, les deux fils de Charles Martel ; Carloman s'étant fait moine et ayant renoncé au pouvoir, son frère Pépin le Bref renvoie Childéric III dans son monastère et s'empare du trône.

MERS EL-KÉBIR

Les Britanniques voulant neutraliser la flotte française restée intacte au lendemain de la signature de l'armistice et éviter qu'elle passe sous pavillon allemand ou italien, une puissante escadre se présenta le 3 juillet 1940 devant les bassins de mouillage de Mers el-Kébir (Oran, Algérie) porteuse d'un ultimatum intimant à la marine française de se joindre à la *Royal Navy* ou de se saborder. L'amiral français Gensoul répondit que dans le premier cas il exposait la France à une rupture de l'armistice et que, dans le second, il détruisait des navires indemnes dont la France avait répondu quant au non-engagement dans le conflit.
Au moment de négocier un désarmement des bateaux, des ordres venus simultanément de Londres et de Nérac (où l'Amirauté française s'était réfugiée) précipitèrent le bombardement anglais. Sur

les trente-deux bâtiments présents, seuls purent s'échapper de la rade un croiseur de bataille, *Strasbourg*, et cinq contre-torpilleurs. Près de 1 300 marins périrent la mort dans cette tragédie sans honneur, provoquant dans la conscience française une stupeur et une haine qui ne furent pas étrangères à la future politique de collaboration.

METTERNICH-WINNEBURG (CLÉMENT VINCESLAS LOTHAIRE, PRINCE DE)

Diplomate et homme d'État autrichien, né à Coblence en 1773, mort à Vienne en 1859. Il débuta tôt dans la politique. Envoyé à Dresde en 1801, puis à Berlin en 1803, il fut ambassadeur à Paris de 1806 à 1807. Nommé aux Affaires étrangères en 1809, il négocia la paix après Wagram, puis, en 1810, le mariage entre Napoléon et Marie-Louise. Après la campagne de Russie, présentant son pays comme médiateur, il offrit à l'Empereur des conditions de paix que ce dernier refusa (1813).

Son influence fut considérable pendant le congrès de Vienne où fut élaboré le nouveau partage de l'Europe. Il sut faire de la Sainte-Alliance un outil puissant qu'utilisèrent les souverains alliés pour combattre les mouvements nationalistes et les principes révolutionnaires.

Il resta, pendant de longues années, l'arbitre de l'Europe, comme en témoigne son action aux congrès d'Aix-la-Chapelle (1818), de Carlsbad (1819), de Troppau (1820), de Laybach (1821) et de Vérone (1822). Cependant, le retrait de l'Angleterre de la Triple Alliance (1825), l'insurrection grecque, la révolution de 1830 et les mouvements libéraux en Autriche (1848) eurent raison de sa politique et le conduisirent à démissionner. Il a laissé des *Mémoires*.

MICHEL (LOUISE)

Institutrice née à Vroncourt-la-Côte (Haute-Marne) en 1830, morte à Marseille en 1905. Révolutionnaire, membre de la Première Internationale, elle fut condamnée pour son action pendant la Commune de Paris et déportée à Nouméa en 1873 (amnistiée en 1880). On l'avait surnommée la « Vierge rouge ». Elle est l'auteur de romans socialistes et de *Mémoires*.

MICHELET (JULES)

Historien et écrivain français né à Paris en 1798, mort à Hyères en 1874. Il enseigna à l'École normale supérieure. Après la révolution de 1830, il fut chef de la section historique aux Archives (1831) puis suppléant de Guizot à la Sorbonne (1834) et professeur au Collège de France. Il était déjà l'auteur des *Tableaux chronologiques d'histoire de France* (1825), d'un *Précis d'histoire moderne* (1826) et d'une *Histoire romaine* (1831). Aux approches de la révolution de 1848, sous l'influence de Quinet, il s'attaqua aux tendances réactionnaires de Guizot et aux idées ultramontaines de Montalembert et de Veuillot. Parurent l'*Étude sur les Jésuites* (1843), *Le Prêtre, la femme, la famille* (1844), *Le Livre du peuple* (1846). En 1847, il écrivit son *Histoire de la Révolution française*. Le coup d'État de 1851 le chassa de sa chaire du Collège de France et lui fit perdre sa place aux Archives. Il acheva alors sa grande *Histoire de France* commencée en 1833.

MICHELIN (LES FRÈRES)

André (Paris, 1853-1931) et Édouard (Clermont-Ferrand, 1859-1940). Industriels français inventeurs du pneumatique démontable (1891) et auteurs du *Guide* qui porte leur nom.

MILLERAND (ALEXANDRE)

Avocat et homme d'État français né à Paris en 1859, mort à Versailles en 1943. Député radical, il évolua peu à peu vers le socialisme. Plusieurs fois ministre, sa participation au gouvernement bourgeois de Waldeck-Rousseau (1899-1902) lui attira de vives critiques. Après la Première Guerre mondiale, il adopta le programme conservateur du Bloc national. Élu président de la République en 1920, il quitta le pouvoir en 1924 après la victoire du Cartel des gauches.

MILLET (JEAN-FRANÇOIS)

Peintre français né à Cherbourg en 1814, mort à Barbizon en 1875. L'évocation champêtre et les scènes familières sont l'apanage de cet artiste aux dons plastiques peu communs et qu'on a rattaché à tort à l'*école de Barbizon*. Il a su retrouver les gestes simples des hommes, et plus particulièrement des paysans, dans *Les Vanneurs* (1848), *Les Glaneuses* (1857) ou *L'Angélus* (1858).

MIRABEAU (HONORÉ GABRIEL RIQUETI, COMTE DE)

Homme politique français né au Bignon (Loiret) en 1749. Pendant sa jeunesse turbulente et parfois scandaleuse (il fut, par exemple, condamné à mort par contumace pour rapt et adultère par le tribunal de Besançon, et gracié en 1782), son père n'hésita pas à le faire emprisonner plusieurs fois. En 1786, il fut chargé par Calonne d'une mission à Berlin. Mais c'est la Révolution qui devait lui permettre de montrer ses capacités.

Inspiré par Montesquieu et par la monarchie anglaise, il défendit le principe d'équilibre des pouvoirs entre l'Assemblée et le roi. Élu aux États généraux par le tiers état d'Aix, il ne tarda pas à se rendre célèbre par son prodigieux don d'orateur. Cependant, après s'être montré audacieux réformateur et avoir défendu les principes révolutionnaires (Déclaration des droits de l'homme), il se rapprocha du roi. Accusé de trahison par certains, il n'en garda pas moins sa popularité. Il venait d'être élu président de l'Assemblée lorsqu'il mourut subitement en 1791. Ses restes reposent au Panthéon. On lui doit de nombreux écrits, dont des *Essais sur les lettres de cachet et les prisons d'État* (1782), *Histoire secrète de la cour de Berlin* (1789)…

MITTERRAND (FRANÇOIS)

Avocat et homme d'État français né à Jarnac en 1916, mort à Paris en 1996. À Londres en 1943 après avoir servi sous Vichy, il fit partie, à la Libération, du Gouvernement provisoire du général de Gaulle.

Député centre-gauche (1946), sénateur (1959-1962), onze fois ministre sous la IVe République, il refusa de voter l'investiture de De Gaulle (1959) dont il devint l'adversaire déclaré et qu'il mit en ballottage à l'élection présidentielle de 1965. En 1971, il créa le nouveau Parti socialiste dont il fut le premier secrétaire. En 1974, il échoua à la présidentielle au profit de Giscard d'Estaing. Il finit par l'emporter de justesse devant le même adversaire en 1981 (51,75 % des suffrages).

Chef de l'État, il connut une période de cohabitation avec la droite (1986-1988) due à la défaite de la majorité aux législatives. En mai 1988, il fut réélu contre Jacques Chirac et marqua son second septennat par une plus grande présence sur la scène internationale et son engagement dans la construction de l'Europe. Ses voyages à l'Est (1988-1989) et sa sympathie pour l'action de Gorbatchev, premier dirigeant soviétique, firent apparaître sa volonté de jouer un rôle en matière de droits de l'homme (accueil du Polonais Lech Walesa et du savant soviétique contestataire Sakharov). Il est l'auteur de plusieurs livres dont *La Paille et le Grain* (1975) et *Ici et Maintenant* (1980).

MOCH (JULES)

Homme politique français né à Paris en 1893, mort en 1985. Député socialiste de la Drôme (1918-1936), il organisa avec Jean Moulin l'aide aux républicains espagnols. Refusant de voter les pleins pouvoirs à Pétain, il fut interné quelque temps, puis libéré par Darlan. Il entra ensuite dans la Résistance. Ministre des Travaux publics (1945-1947), puis de l'Intérieur (1947-1950), il réprima énergiquement les grèves (novembre 1947-début 1948). Ministre de la Défense nationale de 1950 à 1951, il représenta ensuite la France à la commission du désarmement de l'ONU (1953).

MOLÉ (MATHIEU, COMTE)

Homme d'État né à Paris en 1781, mort à Champlâtreux (Seine-et-Oise) en 1855. Après avoir occupé de nombreux postes comme fonctionnaire d'État sous l'Empire, il se rallia aux Bourbons, obtint le portefeuille de la Marine (1815-1818), puis celui des Affaires étrangères sous Louis-Philippe.

Il affirma le principe de non-intervention et soutint la politique orléaniste. Premier ministre (1836-1839), député de droite (1848), il se montra hostile au suffrage universel. Il quitta les affaires peu après le coup d'État de 1851 qu'il n'approuvait pas.

MOLIÈRE (JEAN-BAPTISTE POQUELIN, DIT)

Auteur dramatique et comédien français né et mort à Paris (1622-1673). Élève du célèbre collège Clermont (plus tard Louis-le-Grand) dirigé par les Jésuites, il y fut condisciple et ami du prince de Conti. Dès 1643, il fonda à Paris avec les Béjart *l'Illustre Théâtre* et prit le nom de Molière. Mais le peu de succès qu'il recueillit le décida à s'essayer en province (1645).

En 1658, il revint à Paris, l'esprit enrichi d'une multitude d'observations. Il rapportait deux comédies : *L'Étourdi* et *Le Dépit amoureux*. Le roi les apprécia et lui offrit la salle du Petit-Bourbon où il joua avec le titre de « Troupe de Monsieur ». L'année suivante, il y donna *Les Précieuses ridicules*. Par la suite, toutes ses pièces furent données au Palais-Royal. En 1662, il épousa Armande Béjart et Louis XIV fut le parrain de son premier enfant. Le roi, du reste, le protégea contre ses ennemis et l'appela fréquemment à la cour où il put observer les « petits marquis » et les grands seigneurs, les pédants, les précieux, les prudes, qu'il mit en scène, avec leurs travers et leurs vices. Travailleur acharné, présent dans toutes ses pièces, il n'eut pas un instant de repos. Entre 1658 et 1673, il écrivit plus de vingt chefs-d'œuvre dont plusieurs en cinq actes, entre autres : *L'École des maris* (1661) ; *L'École des femmes* (1662) ; *Tartuffe* (1664) ; *Dom Juan* (1665) ; *Le Misanthrope* (1666) ; *Le Médecin malgré lui* (1666) ; *Amphitryon* (1668) ; *Le Bourgeois gentilhomme* (1670) ; *Les Fourberies de Scapin* (1671) ; *Les Femmes savantes* (1672) ; *Le Malade imaginaire* (1673).

Le succès l'accompagna pendant toute son existence. Pris de convulsions sur scène tandis qu'il interprétait, pour la quatrième fois consécutive, son *Malade imaginaire*, il fut transporté dans sa demeure de la rue de Richelieu où il s'éteignit dans la soirée (17 février 1673).

MOLLET (GUY)

Homme politique français né à Flers en 1905, mort à Paris en 1975. Secrétaire général de la SFIO de 1946 à 1969, il fut aussi président du Conseil en 1956 et eut à affronter les difficultés causées par la guerre d'Algérie et la crise de Suez. En 1958, il favorisa la venue au pouvoir du général de Gaulle mais, dès 1959, entrant dans l'opposition, il chercha l'unité des gauches non communistes. Il soutint alors François Mitterrand (élection de 1968) et Gaston Deferre (premier tour des élections de juin 1969).

MOLTKE (HERMANN, COMTE VON)

Feld-maréchal prussien né à Parchim en 1800, mort à Berlin en 1891. Il commanda les campagnes contre l'Autriche (1866) et contre la France (1870-1871) et fit de l'armée allemande la meilleure de son temps. Il a écrit des ouvrages sur la stratégie.

MONARCHIE DE JUILLET

On appelle ainsi le gouvernement de Louis-Philippe qui débuta après les journées insurrectionnelles de juillet 1830 (chute de Charles X), et s'acheva avec la révolution de février 1848. Il fut marqué par l'instauration d'un régime réellement parlementaire et un certain nombre d'agitations dues aux tentatives de prises de pouvoir bonapartistes et républicaines. On y vit se développer des mouvements et des idées socialistes, ainsi qu'un catholicisme libéral. Ce fut aussi une époque d'accroissement des colonies avec la conquête de l'Algérie et l'acquisition de comptoirs en Afrique noire, dans le Pacifique et en Extrême-Orient.

MONET (CLAUDE)

Peintre français né à Paris en 1840, mort à Giverny (Eure) en 1926. C'est sa toile *Impression, soleil levant* (1872) qui suggéra à un critique le terme péjoratif d'*impressionniste*, mot qui allait désigner le mouvement dont il fut l'un des maîtres.

D'abord influencé par Manet et Courbet, il découvrit, lors d'un séjour en Angleterre (1870), les tableaux de Constable et de Turner, et tout son art fut dès lors une tentative pour fixer les variations de la lumière (cycle de la *Cathédrale de Rouen*, 1892-1904, et les *Bords de la Tamise*, 1899-1904).

Détruisant ensuite le concept de forme, il ne retint de ses sujets que les jeux d'ombres, les clartés, les reflets comme on peut s'en rendre compte dans ses *Nymphéas*. Cette dernière manière annonce l'art abstrait.

MONTAGNARDS

On a donné ce nom aux députés qui, à l'Assemblée, siégeaient sur les gradins les plus élevés : la « Montagne », vis-à-vis de la « Plaine » qu'occupaient les Girondins placés en bas. Ils représentèrent la fraction la plus exaltée du parti révolutionnaire (Jacobins et Cordeliers), soutenue par la Commune insurrectionnelle de Paris et les sans-culottes. Barras, Billaud-Varenne, Collot d'Herbois, Camille Desmoulins, Robespierre, Marat, Fabre d'Églantine en firent parti.

MONTAIGNE (MICHEL EYQUEM DE)

Écrivain français né au château de Montaigne (Dordogne) en 1533, mort à Bordeaux en 1592. Pourvu d'une charge de magistrat au parlement de Bordeaux, il se lia avec Étienne de La Boétie. En 1559, il se trouvait à Paris où il fréquenta la cour. Mais la mort de La Boétie (1563) et celle de son père (1568) le déterminèrent à quitter ses fonctions.

Après un long voyage en Allemagne, en Suisse et en Italie (1580-1581), il se retira sur ses terres pour y compléter des réflexions commencées dès 1572, ses futurs *Essais*. Jusqu'à sa mort, il ne cessa d'enrichir cet ouvrage où, se peignant soi-même, il peignit l'humanité car « chaque homme porte la forme entière de l'humaine condition ».

Observateur des contradictions humaines, il aboutit à un scepticisme qui est resté attaché à son nom. Sa tolérance lui valut la condamnation de ses œuvres par le Saint-Siège. Ses dernières années furent troublées par les guerres de Religion : il tenta en vain de se faire le médiateur entre les deux partis mais ne s'attira que leur vindicte. Maire de Bordeaux de 1581 à 1585, Charles IX l'éleva au rang de chevalier de l'ordre de Saint-Michel.

MONTALEMBERT (CHARLES FORBES, COMTE DE)

Publiciste et homme politique français né à Londres en 1810, mort à Paris en 1870. Il défendit la liberté de l'enseignement contre le monopole universitaire et ouvrit une école catholique libre (1831) avec Lacordaire. De 1835 à 1848, il fut le chef du parti libéral catholique et siégea à l'Assemblée nationale.
Il fit partie du Corps législatif jusqu'en 1857, et fut favorable à Louis-Napoléon Bonaparte. Ses recherches sur l'histoire religieuse l'amenèrent à rédiger, entre autres, *Les Moines d'Occident depuis saint Benoît jusqu'à saint Bernard* (1860-1867). (Académie française.)

MONTESQUIEU (CHARLES DE SECONDAT, BARON DE LA BRÈDE ET DE)

Philosophe et moraliste français né au château de la Brède en 1689, mort à Paris en 1755. Conseiller au parlement de Bordeaux (1711), puis président à mortier en 1716, il vendit cette charge en 1726 et se consacra à l'écriture. Quelques années plus tôt, il avait fait éditer un petit ouvrage qui lui avait ouvert les portes des salons parisiens : *Les Lettres persanes*, satire légère de la France contemporaine. Il entreprit alors une suite de pérégrinations qui le menèrent à Vienne, en Italie, aux Pays-Bas et en Angleterre où il séjourna deux ans. Rentré en France, il rédigea les *Considérations sur les causes de la grandeur des Romains et de leur décadence* (1734).
En 1748 parut *L'Esprit des lois*, monumental ouvrage auquel il travaillait depuis vingt ans et qui connut vingt-deux éditions en deux ans. Il y étudiait, dans un style concis et vigoureux, toutes les législations connues et s'y montrait penseur libéral, épris de justice et profondément attaché au respect de la personne humaine. Ses idées ont considérablement influencé les théoriciens et législateurs de la Révolution. (Académie française).

MONTGOLFIER (MICHEL ET ÉTIENNE DE)

Frères célèbres pour leur invention de l'aérostat qui prit leur nom: Joseph [Vidalon-les-Annonay, Ardèche (1740)–Balaruc, Hérault, (1810)] et Étienne [Vidalon (1745)–Serrières, Ardèche (1799)]. Leur première expérience fut réalisée en juin 1783 à Annonay. Ils la répétèrent trois mois après à Versailles. Nommés correspondants à l'Académie des sciences, des médailles furent frappées en leur honneur. Des « montgolfières » furent utilisées pendant la bataille de Fleurus. Ils avaient aussi imaginé le bélier hydraulique pour élever l'eau (1792).

MONTMORENCY (ANNE, DUC DE)

Connétable de France, né à Chantilly en 1493. Il combattit avec François Ier à Ravenne (1512), à Marignan (1515), à La Bicoque (1522), où il reçut le titre de maréchal. Il partagea ensuite la captivité de son souverain après Pavie (1525). En 1526, il prit part aux négociations du traité de Madrid et sut déjouer les plans de Charles Quint. Sous le règne d'Henri II, défait à la bataille de Saint-Quentin, il participa à la signature de la paix de Cateau-Cambrésis (1559). Éloigné des affaires sous François II, il revint encore à l'avènement de Charles IX et forma un triumvirat avec le duc de Guise et le maréchal de Saint-André afin de résister aux calvinistes. Il mourut en livrant bataille contre Condé, à Saint-Denis, en 1567.

MONTMORENCY (HENRI II, DUC DE)

Né à Chantilly en 1595, filleul d'Henri IV. Amiral de France à 17 ans, puis maréchal pendant les guerres du Piémont (1630), il se rallia à Gaston d'Orléans contre Richelieu. Vaincu à Castelnaudary (1632) par les troupes royales, traduit devant le parlement de Toulouse, il fut condamné à mort et décapité la même année.

MONTPENSIER (CATHERINE MARIE DE LORRAINE, DUCHESSE DE)

Sœur du duc Henri de Guise, née et morte à Paris (1552-1596). Ennemie acharnée d'Henri III, elle fut l'instigatrice de la *journée des Barricades* qui chassa le roi de Paris (12 mai 1588).
Après l'assassinat de ce monarque auquel certains l'ont associée (elle venait d'être sacrée reine, et pouvait donc exercer une éventuelle régence), elle prit avec son autre frère, le duc de Mayenne, la tête de la Ligue. Nonobstant, à son avènement, Henri IV la traita avec bienveillance.

MOREAU (JEAN VICTOR)

Général français né à Morlaix en 1763. Engagé volontaire dans l'armée de la Révolution, il était général en 1793. Il participa à la conquête de la Hollande, puis, sur le Rhin, s'empara des lignes de Mayence, du fort de Kehl, et battit l'archiduc Charles à Heydenheim. Soupçonné d'intelligences avec Pichegru, il fut mis à la retraite. Reprenant du service en 1798, il fit la campagne d'Italie et sauva l'armée à Novi, après la mort de Joubert. En 1799, il soutint le coup d'État du 18 brumaire.
L'année suivante, la campagne d'Allemagne le mit au premier plan et en fit le rival de Bonaparte, avec le soutien des royalistes Cadoudal et Pichegru.
Arrêté, interné pendant deux ans, il quitta la France (1804). Soutenu par le tsar Alexandre Ier en 1813, il devint le conseiller militaire des troupes alliées ; mortellement blessé pendant la bataille de Dresde (27 août 1813), il mourut peu après.

MORNY (CHARLES AUGUSTE LOUIS JOSEPH, DUC DE)

Homme politique français né et mort à Paris (1811-1865). Fils du général de Flahaut et de la reine Hortense, demi-frère de Napoléon III. Député en 1840, il siégea parmi les conservateurs. Membre de l'Assemblée législative de 1848, il participa au coup d'État du 2 décembre 1851. Président du Corps législatif en 1854, il approuva et s'associa au projet de réformes libérales. Il se rendit suspect à propos de l'affaire de Panama et de la dette mexicaine sur laquelle il avait cherché à réaliser des bénéfices.

MOULIN (JEAN)

Homme politique et résistant français, né à Béziers en 1899. Collaborateur de Pierre Cot au moment du Front populaire, il était préfet de Chartres lorsque débuta la Seconde Guerre mondiale. Écarté par le gouvernement de Vichy en raison de ses opinions républicaines, il entreprit d'abord de nouer des contacts avec les cellules de résistance établies dans la zone libre.

Puis il gagna Londres. Offrant ses services au général de Gaulle, il se vit chargé par celui-ci de coordonner les groupes qu'il venait de rencontrer. Parachuté dans la région de Salon-de-Provence dans la nuit du 31 décembre 1941 au 1er janvier 1942, il parvint, non sans mal, à convaincre les chefs des réseaux *Combat* (Henri Frenay), *Libération-Sud* (Emmanuel d'Astier de la Vigerie) et *Franc-Tireur* (Jean-Pierre Lévy) à se rassembler sous l'égide de de Gaulle, puis à les faire fusionner sous le nom de Mouvements unis de résistance (MUR).

Devenu délégué général du Comité national de Londres, il organisa toute l'infrastructure des formations clandestines, distribuant armes et fonds et assurant la liaison avec l'Angleterre. Le 21 mars 1943, il reçut mission de créer un organisme politique représentant l'ensemble de la Résistance. Ce fut le Conseil natio-

nal de la Résistance (CNR) qui devait asseoir la position de de Gaulle vis-à-vis des Alliés. Il entreprit alors de nouer des liens avec les communistes (F.T.P.) et avec les formations de l'ORA (Organisation de Résistance de l'Armée), composée d'anciens membres de l'armée d'armistice.
Menant son action sur un territoire totalement occupé depuis novembre 1942, il s'exposait au risque d'une arrestation. Elle eut lieu le 21 juin 1943, alors qu'il se rendait à une réunion à Caluire (banlieue de Lyon). Condamné à la déportation, il mourut au début du mois de septembre pendant son transfert en Allemagne. Ses restes reposent au Panthéon depuis 1964.

MRP (MOUVEMENT RÉPUBLICAIN POPULAIRE)

Fondé en 1944, il fut un des trois grands courants politiques de la IVe République. Ce mouvement d'inspiration chrétienne accusa d'abord une tendance de gauche. Toutefois ses électeurs, en majorité conservateurs, le ramenèrent en partie vers la droite. Le MRP comptait quelque deux cents mille adhérents pendant les deux années qui suivirent la fin de la Seconde Guerre mondiale. Les réformes sociales familiales, l'union européenne et le rapprochement avec l'Allemagne restèrent les axes de son programme. Georges Bidault, Pierre Pflimlin et Robert Schuman furent ses représentants les plus marquants.
La guerre d'Algérie et ses suites divisèrent ses partisans ; les uns formèrent le Centre démocrate, avec Jean Lecanuet ; les autres se rallièrent au gaullisme.

MURAT (JOACHIM, GRAND DUC DE BERG ET DE CLÈVES, ROI DE NAPLES)

Maréchal de France né à Labastide-Fortunière (Lot) en 1767. Engagé dans la garde constitutionnelle de Louis XVI, il fit ensuite les campagnes de la Révolution. Il fut aide de camp de

Bonaparte en Italie où il se couvrit de gloire (Bassano, Mantoue, Rivoli). Sa témérité est restée légendaire. Il se battit ensuite brillamment en Égypte (Alexandrie, Aboukir, les Pyramides, Saint-Jean-d'Acre) et obtint le grade de général de division.
Le 18 Brumaire, il seconda Bonaparte qui lui donna le commandement de la garde consulaire et la main de sa sœur Caroline. Après Marengo, où il dirigeait la cavalerie, il fut nommé gouverneur de la République cisalpine, puis gouverneur de Paris.
En 1804, il reçut le bâton de maréchal. Il parut avec éclat à Austerlitz, à Iéna, à Eylau, à Friedland. En 1808, il réduisit l'émeute de Madrid. Il aspirait à s'asseoir sur le trône d'Espagne, mais Napoléon préféra y placer son frère Joseph.
En contrepartie, il obtint celui de Naples. Il dirigea ce royaume avec habileté et voulut se libérer de la tutelle de l'Empereur, provoquant des tensions dans leurs relations. Toutefois, en 1812, il le rejoignit en Russie où son courage ne faillit point. Il combattit encore à Dresde et Leipzig, puis revint à Naples où il négocia secrètement avec les coalisés.
Le traité qu'il signa, inspiré par Montesquieu et par les principes de la monarchie anglaise, le laissait souverain de Naples mais l'obligeait à fournir une division aux adversaires de l'Empereur. C'est alors que le congrès de Vienne rendit le royaume de Naples aux Bourbons. Pendant les Cent-Jours, il déclara la guerre à l'Autriche. Réfugié en Corse après Waterloo, il débarqua ensuite en Calabre mais fut pris et fusillé sur l'ordre de Ferdinand IV de Bourbon, rois des Deux-Siciles, le 13 octobre 1815.

MUSSET (ALFRED DE)

Écrivain français, né à Paris en 1810. Après des études au lycée Henri IV, il fréquenta le cénacle de l'Arsenal de Nodier où il se lia avec Vigny et Sainte-Beuve. Il écrivit alors ses *Contes d'Espagne et d'Italie* (1830).
Ce talent précoce, indifférent aux modes, allait doter le théâtre

français de chefs-d'œuvre : *Lorenzaccio* (1833), *Les Caprices de Marianne* (1833), *On ne badine pas avec l'amour* (1834), *Il ne faut jurer de rien* (1836).
Mais c'est dans les poèmes des *Nuits* (1835-1837), évocation transposée de sa passion pour George Sand, qu'il déploya toute l'ampleur de son génie. On en retrouvera l'écho dans son roman autobiographique *La Confession d'un enfant du siècle* (1836).
Usé avant l'âge, ayant perdu « sa force et sa vie », il mourut prématurément à Paris en 1857.

MUSSOLINI (BENITO)

Homme d'État italien né à Dovia di Predappio (Romagne) en 1883, mort à Dongo (Côme) en 1945. Fondateur du fascisme et inspirateur des régimes totalitaires entre les deux guerres mondiales, il fut d'abord militant du parti socialiste où il s'assura une place importante par sa participation à toutes les grandes batailles de la gauche. Ayant pris le parti des bellicistes contre les pacifistes, il fut renvoyé du parti (octobre 1914).
Révolté plutôt que révolutionnaire, il fonda alors le journal *Il Popolo d'Italia*. Député de Milan en 1921, il entreprit l'année suivante la marche sur Rome avec quelque 125 000 hommes des *Faisceaux de combat* qu'il avait formés. Le 29 octobre 1922, le roi Emmanuel III lui remit le pouvoir. En juin 1924, Matteoti, secrétaire général du parti socialiste, était assassiné sur son ordre pour avoir critiqué les méthodes fascistes.
À dater de ce jour, un système totalitaire se mit en place progressivement, développant à outrance le pouvoir personnel (Mussolini détint simultanément jusqu'à huit portefeuilles ministériels). Douze ans plus tard, le Duce, comme il se faisait appeler, s'empara de l'Éthiopie. Fasciné par la puissance nazie, il proclama l'axe Rome-Berlin.
En 1939, le *pacte d'Acier* resserra encore le lien entre les deux régimes dictatoriaux. Après la défaite française de juin 1940, il

se décida à entrer en guerre aux côtés de l'Allemagne, pensant jouer la bonne carte, celle qui lui permettrait de s'asseoir à la table de la paix dans les meilleures conditions. Mais les défaites italiennes en Grèce et en Cyrénaïque l'obligèrent à demander l'aide de ses alliés, mettant son pays dans une position subalterne et livrant l'Europe centrale à la domination allemande.

Déception et misère provoquèrent un mécontentement qui se transforma bientôt en haine dès les premiers bombardements, et surtout à la suite du renversement de la situation militaire, consécutif au débarquement en Afrique du Nord (novembre 1942).

Dès lors, l'opposition commença à s'organiser et le 26 juillet 1943, Mussolini fut arrêté sur l'ordre du roi et jeté en prison. Libéré trois mois plus tard par un commando allemand, rétabli par Hitler qui le persuada de reconstituer un État fasciste, il ne fut plus en réalité que le *gauleiter* d'une Italie entièrement soumise aux nazis.

Le 25 avril 1945, il repoussa la reddition sans conditions qui lui était présentée et tenta alors de franchir la frontière suisse. Reconnu par des résistants à Dongo, il fut arrêté et fusillé sans jugement le lendemain.

NANTES (ÉDIT DE)

Il fut promulgué par Henri IV le 13 avril 1598 afin de régler, en France, le statut de l'Église réformée. Il proclamait une amnistie relative aux dissensions passées et reconnaissait la liberté du culte aux calvinistes que, par ailleurs, il rétablissait dans leurs droits civiques ; il leur rendait l'accès à toutes les charges et fonctions publiques, leur accordait la jouissance de quatre académies (Montauban, Montpellier, Saumur et Sedan) et garantissait l'ensemble de ces déclarations par la cession d'une centaine de places fortes.

NANTES (RÉVOCATION DE L'ÉDIT DE)

Signée par Louis XIV en 1685, elle retirait aux protestants tous les avantages accordés par Henri IV lors de la proclamation de l'édit de Nantes. En fait, cet acte confirmait la politique de rigueur reprise dès la régence par Anne d'Autriche. Après l'application de ces mesures, appuyées par les dragonnades, plus de deux cent mille réformés quittèrent la France tandis qu'éclataient des révoltes dans plusieurs régions.

NAPOLÉON Ier

Né à Ajaccio le 15 août 1769, mort sur l'île de Sainte-Hélène le 5 mai 1821. Il était le deuxième fils de Charles-Marie Bonaparte et de Lætitia Ramolino. Il fit ses études à l'école militaire de Brienne et en sortit lieutenant. Nommé capitaine au siège de Toulon (1793), il parvint au grade de général de brigade pendant la campagne d'Italie de 1794. Le 13 vendémiaire (5 octobre 1795), il réprima l'insurrection parisienne contre le Directoire et épousa, l'année suivante, Joséphine, veuve du vicomte de Beauharnais. Il reçut alors le commandement en chef de l'armée d'Italie.

La campagne qu'il y entreprit fut menée avec une rapidité foudroyante, révélant un extraordinaire génie stratégique. Mondovi, Cairo, Montenotte, Millesimo, Castiglione, Bassano, Arcole et Rivoli sont les plus importantes victoires qu'il remporta en une année. La guerre prit fin par le traité de Campoformio (1797). Tant de triomphes avaient soulevé un enthousiasme immense qui effraya le Directoire.

Pour l'éloigner, on l'envoya en Égypte (1798). En route, il s'empara de l'inexpugnable île de Malte. Puis, débarqué au Proche-Orient, il prit Alexandrie, remporta la bataille des Pyramides cependant que sur mer, l'amiral Nelson anéantissait la flotte française près d'Aboukir. En 1799, il prit encore El-Arich, Caza et Jaffa. Alors, laissant son armée sous les ordres de Kléber, il rentra brusquement à Paris.

Avec l'aide de son frère Lucien, de Sieyès, de Talleyrand, de Fouché et de Murat, il organisa un coup d'État contre le Directoire. Ce fut la fameuse journée du 18-Brumaire (9 novembre 1799) qui vit l'instauration du Consulat. Trois consuls furent nommés : Lebrun, Cambacérès et lui-même. En fait, il réunissait entre ses seules mains tous les pouvoirs. Reprenant la tête de l'armée d'Italie, Bonaparte franchit le col du Grand-Saint-Bernard et remporta la victoire de Marengo tandis que sur le Rhin, Moreau gagnait celle de Hohenlinden.

Le traité de Lunéville avec l'Autriche (1801) et celui d'Amiens avec l'Angleterre achevaient la seconde guerre de la Révolution. Parallèlement à ces expéditions, Bonaparte avait trouvé le temps de faire rédiger un code civil (devenu Code Napoléon et promulgué en 1804), de fonder la Banque de France (13 février 1800), d'instituer la Légion d'honneur (19 mai 1802), de réorganiser les départements en établissant les préfectures, de créer des lycées, de rappeler les émigrés, de rouvrir les églises, de conclure enfin, avec le pape, un concordat (avril 1802).

Par deux fois, il dut déjouer les complots de Cadoudal qu'il finit par faire exécuter avec ses complices.

Le 2 août 1802, le Sénat le nomma consul à vie et le 18 mai 1804, ce même Sénat, à la quasi-totalité des voix, le proclama Empereur des Français. Le sacre se déroula le 2 décembre à Notre-Dame de Paris, en la présence du pape Pie VII. Cependant, dès la fin de 1803, l'Angleterre, rompant le traité d'Amiens, avait formé avec l'Autriche, la Russie et les Deux-Siciles une troisième coalition. Napoléon, malgré la douloureuse défaite de Trafalgar (octobre 1805) face à Nelson, écrasa ses adversaires à Ulm (20 octobre 1805) et surtout à Austerlitz (2 décembre 1805). Les traités de Vienne et de Presbourg mirent fin aux hostilités.

Mais en 1806 et en 1807, il eut à combattre une quatrième coalition contre la Prusse, l'Angleterre et la Russie. Il y mit un terme par les victoires d'Iéna, d'Auerstedt, d'Eylau et de Friedland, suivies de l'entrevue de Tilsit avec le tsar (7 juillet 1807). Entretemps avait été déclaré le Blocus continental.

L'Empire était alors à l'apogée de sa puissance, mais la longue guerre avec l'Espagne allait en préparer les premières fissures. Murat, entrant dans Madrid le 23 mars 1808, dut réprimer férocement la révolte de la population. Une insurrection générale du pays s'ensuivit. Le 5 mai, Charles IV abdiqua en faveur de Joseph Bonaparte, mais le piège venait de se refermer sur les

Français. Pour la première fois, une armée napoléonienne se vit forcée de capituler (Bailén, juillet 1808). Pendant cinq ans (1808-1813), la France s'épuisa dans une guerre sans issue contre les guérilleros espagnols soutenus par les Anglais, et y perdit près de quatre cent mille combattants.

Entre-temps, une cinquième coalition s'était déclarée, réunissant en 1809 l'Angleterre et l'Autriche. Les victoires françaises d'Abensberg, de Ratisbonne, d'Eckmühl, d'Essling et de Wagram (6 juillet 1809) aboutirent à la paix de Vienne (14 octobre 1809). C'est à cette époque que Napoléon, n'ayant pas eu d'enfant de Joséphine, la répudia pour épouser l'archiduchesse d'Autriche Marie-Louise (1er avril 1810).

Le 20 mars 1811 naissait François Charles Joseph, aussitôt proclamé roi de Rome. Les États pontificaux ayant été annexés, le pape fut retenu prisonnier à Savonne (1809), puis à Fontainebleau (1812).

Le tsar n'ayant pas respecté les clauses du Blocus, Napoléon, à la tête de près de sept cent mille hommes, entreprit l'invasion de la Russie (juin-décembre 1812). Passant le Niémen, il s'empara de Vilna, Vitebsk, Smolensk et défit Koutousov à Borodino (bataille de la Moskova, 7 septembre 1812). Il entra alors dans Moscou (14 septembre) où un immense incendie le priva de son ravitaillement et le contraignit à la retraite. Un mois plus tard commençait le désastreux repli durant lequel la Grande Armée s'ensevelit dans les neiges ou dans les eaux de la Bérézina (27 novembre). Apprenant la conspiration du général Malet, l'Empereur rentra précipitamment à Paris.

Peu après son retour, mis au courant de la préparation d'une sixième coalition qui regroupait, dès le printemps 1813, la Prusse, la Russie, l'Autriche et la Suède, il réussit, avec la rapidité dont il avait seul le secret, à lever une armée de quatre cent mille hommes (les « Marie-Louise »). Hélas ! malgré quelques belles victoires, devant le nombre et la trahison, les troupes de l'Empereur durent plier à la bataille de Leipzig (6 au 9 octobre) qui fut nommée la *bataille des Nations*. Alors commença l'invasion de la France (janvier-mars 1814). Les négociations de Châtillon n'ayant pas abouti, Napoléon vainquit encore à Montmirail, à Champaubert, à Château-Thierry, mais ne put empêcher les Alliés d'entrer dans Paris (31 mars).

Il dut abdiquer à Fontainebleau en faveur des Bourbons (4 avril) et s'exiler sur l'île d'Elbe. Toutefois, profitant d'une réaction contre la monarchie, il résolut de rentrer en France et marcha triomphalement sur Paris (les Cent-Jours). Derechef, la coalition qui l'avait détrôné se renoua, grossie de l'Angleterre, et le désastre de Waterloo (18 juin) le conduisit à une seconde abdication (22 juin).

Déporté à Sainte-Hélène, il y dicta ses *Mémoires* à Las Cases et mourut le 5 mai 1821. Ses restes, ramenés en France en 1840, reposent sous le dôme des Invalides.

NAPOLÉON II (FRANÇOIS CHARLES JOSEPH-NAPOLÉON BONAPARTE, DIT L'AIGLON)

Fils de Napoléon Ier et de Marie-Louise, né à Paris en 1811. L'Empereur, à sa naissance, lui donna le titre de roi de Rome. Mais la chute de l'Empire provoqua son départ de France. Confié à son grand-père maternel, François II, il vécut à la cour d'Autriche sous le nom de duc de Reichstadt.

La Chambre des Cent-Jours le reconnut comme Napoléon II, mais les Alliés s'y refusèrent. Il apprit la gloire de son père par le maréchal de Marmont en exil à Vienne (1830) et mourut de tuberculose, deux ans plus tard, au château de Schönbrunn. Ses cendres furent rendues à la France par Hitler en 1940 et déposées sous le dôme des Invalides à côté de celles de son père.

NAPOLÉON III (CHARLES LOUIS NAPOLÉON BONAPARTE)

Empereur des Français né à Paris en 1808, troisième fils de Louis Bonaparte (frère de Napoléon Ier) et de Hortense de Beauharnais. Il fut élevé à l'étranger dès 1815 et fit des études militaires (officier d'artillerie). Il prit part au soulèvement de la Romagne contre le pape (1831). L'année suivante, la mort du duc de Reichstadt (Napoléon II) le laissa seul représentant des bonapartistes. Il tenta deux fois de renverser Louis-Philippe : à Strasbourg (1836), ce qui lui valut l'exil ; à Boulogne (1840), à l'occasion du retour des cendres de Napoléon Ier. Il fut alors arrêté et emprisonné au fort de Ham (Somme). Évadé en 1846, il se réfugia à Londres et ne réapparut qu'au moment de la révolution de 1848. Élu dans quatre départements, il se présenta à la présidence de la République pour laquelle il obtint une confortable majorité (10 décembre).

Le 2 décembre 1851, après avoir dissous l'Assemblée et réprimé la révolte qui grondait, il proclama la restauration de l'Empire. Une large majorité ratifia ce coup d'État et, jusqu'en 1859, il exerça un pouvoir absolu. Il prit des mesures qui se traduisirent par un remarquable essor du commerce, de l'industrie et des finances. Il fut à l'origine de la création du réseau des chemins de fer. À l'extérieur, il entreprit la guerre de Crimée (1854-1855), fit la conquête de la Cochinchine (1859-1862) tout en aidant l'Italie à se défaire de l'emprise autrichienne ; mais il dut se désolidariser de cette action en raison de l'hostilité de la Prusse. Il y gagna néanmoins la Savoie et Nice. À cette époque il tenta, pour calmer les mécontentements intérieurs, d'instaurer un régime parlementaire. Mais cette mesure ne fit que renforcer l'opposition. Après la malheureuse expédition du Mexique, où il tenta d'imposer comme empereur Maximilien, archiduc d'Autriche, qui fut fusillé par les Mexicains (1862-1867), il fut contraint de se préparer à une guerre contre la Prusse. Elle éclata

le 15 juillet 1870 et aboutit, après la capitulation de Sedan (2 septembre 1870), à sa destitution.
Interné en Allemagne, il s'exila peu après en Angleterre où il mourut en 1873. Il avait épousé, en 1853, Eugénie Montijo dont il eut un enfant, Eugène Louis Napoléon (1856-1879).

NECKER (JACQUES)

Homme d'État d'origine allemande, né et mort à Genève (1732-1804). Banquier à Paris (1763), il succéda à Turgot aux Finances, et dut affronter la crise financière consécutive au soutien apporté à l'Amérique dans sa guerre d'indépendance. Il s'efforça de réduire les dépenses, créa des assemblées provinciales (1778) et abolit les servitudes sur le domaine royal (1779). Remplacé par Calonne, il fut plus tard rappelé par le roi comme directeur général des Finances (1788) alors que le malaise économique dégénérait en crise politique. Il obtint le doublement des représentants du tiers état aux États généraux. Sa nouvelle disgrâce provoqua le mécontentement populaire. Rappelé encore après la prise de la Bastille, il quitta les affaires peu après et se retira en Suisse. Sa femme tint à Paris un salon rival de celui de Mme du Deffand. Elle fonda l'hôpital Necker (1778).

NERVAL (GÉRARD LABRUNIE, DIT GÉRARD DE)

Écrivain français né à Paris en 1808. Il traduisit des auteurs allemands dont Gœthe, voyagea en Europe et au Proche-Orient. Une maladie nerveuse l'affecta dès 1841 et l'obligea à de fréquents séjours dans la clinique du docteur Blanche, à Montmartre. L'un de ses plus curieux ouvrages est *Aurélia* (1865), laissé inachevé. On peut y ajouter *Les Illuminés* (1852) et les poèmes ésotériques des *Chimères*. Il se pendit rue de la Vieille-Lanterne, près du Châtelet, dans la nuit glacée du 25 janvier 1855.

NEY (MICHEL, DUC D'ELCHINGEN, PRINCE DE LA MOSKOVA)

Maréchal de France né à Sarrelouis en 1769, mort à Paris en 1815. Engagé à 18 ans dans l'armée, il participa aux deux campagnes de la Révolution et se distingua sous Kléber. En 1796, il était général de division. Intrépide, il fut surnommé « le brave des braves ». Il s'illustra à Hohenlinden (1800). Nommé ambassadeur en Suisse (1801), fait maréchal en 1804, il fit glorieusement les campagnes de 1805, 1806 et 1807.
Duc d'Elchingen en 1809, il combattit la même année en Espagne où il soumit la Galice et les Asturies, puis au Portugal. Mais c'est en 1812 qu'il immortalisa sa gloire dans les combats de Liady, de Smolensk et surtout dans la bataille de la Moskova. Placé à l'arrière-garde pendant la retraite de Russie, il eut la responsabilité du passage de la Bérézina. En 1813, il vainquit les Alliés à Wissenfels mais fut battu à Dennewitz.
Il rejoignit les Bourbons après la première abdication. Chargé de s'emparer de l'Empereur après le retour de l'île d'Elbe, il se rallia à lui et l'assista dans les combats de Belgique. Arrêté pour trahison par les royalistes, il fut traduit devant un conseil de guerre et fusillé le 7 décembre 1815 sur la place de l'Observatoire. « Droit au cœur ! » s'écria-t-il en commandant le feu au peloton d'exécution.

NIEPCE (NICÉPHORE)

Physicien français né et mort à Châlons-en-Champagne (1765-1833). Inventeur de la photographie. Il s'associa à Daguerre (1829) mais mourut avant que les procédés de développement et de fixation ne fussent obtenus. Abel Niepce de Saint-Victor, son neveu, inventa la photographie sur verre.

NIMÈGUE (TRAITÉS DE)

Ils furent signés le 10 août et le 17 septembre 1678, puis le 5 février 1679, entre la France, les Provinces-Unies, l'Espagne et l'Empire, et mirent fin à la guerre de Hollande. Un premier accord rendait à ce pays les villes conquises ; un second cédait à la France la Franche-Comté et plusieurs places en Flandre ; un troisième avec l'empereur Léopold Ier restituait des provinces à la Suède. Quant au duc de Lorraine, allié de l'Empereur, il était rétabli dans ses États mais devait céder Nancy.

NOGARET (GUILLAUME DE)

Légiste né à Saint-Félix, Lauragais, en 1265, mort en 1313. Membre de la cour de Philippe le Bel, il prit une part directe à l'administration du royaume et fut nommé chancelier (1302). Il soutint le roi dans son conflit avec le pape Boniface VIII et dirigea lui-même l'attentat d'Anagni, après lequel il emprisonna quelque temps le souverain pontife. Il fut aussi l'un des organisateurs de l'arrestation et du procès des Templiers (1307-1314).

NOLLET (ABBÉ JEAN ANTOINE)

Physicien français né à Pimprez en 1700, mort à Paris en 1770. Il démontra que le son se déplace dans l'eau. Mais c'est l'électricité qui l'occupa pour des applications thérapeutiques.

NORMANDS

Les « hommes du Nord », selon l'étymologie du mot. On a donné ce nom aux envahisseurs scandinaves qui, à l'époque carolingienne, pillèrent diverses contrées d'Europe. Mais la grande émigration se dirigea vers les pays de l'Atlantique. Venus par mer sur leurs drakkars, ils se rendirent célèbres sous le nom de Vikings (« hommes des golfes »). Ils découvrirent l'Islande et

le Groenland, peut-être l'Amérique, colonisèrent l'Écosse, l'Irlande et le nord-est de l'Angleterre.
Sous Charlemagne et Louis le Débonnaire, leurs expéditions restèrent de simples escarmouches. Mais dès le règne de Charles le Chauve, débarquant à l'estuaire des principaux fleuves du royaume franc, ils forcèrent le roi à payer leur retraite à maintes reprises. Charles le Gros (886) dut fournir une énorme rançon afin que Paris fût épargné. En contrepartie, il leur autorisa le pillage de la Bourgogne.
Eudes, comte de Paris, qui les vainquit à Montfaucon-en-Argonne (888), finit par traiter avec eux et leur laissa dévaster l'Aquitaine et la Neustrie (897). Par la paix de Saint-Clair-sur-Epte (911), Charles le Simple abandonna à leur chef Rollon les terres aujourd'hui nommées Normandie. Rollon le reconnut alors pour suzerain et en épousa la fille Gisèle après avoir reçu le baptême. Dès lors les invasions cessèrent.

NOTRE-DAME DE PARIS

Élevée sur l'île de la Cité, la construction de l'église métropolitaine de Paris fut entreprise en 1163 par l'évêque Maurice de Sully mais ne fut totalement achevée qu'en 1345. Le monument regroupe les différents styles gothiques. Viollet-le-Duc le restaura en 1845 et en 1864.
Seules trois reines de France y furent couronnées : Adèle de Champagne, deuxième épouse de Louis VII (1158) ; Marguerite de Provence, épouse de Saint Louis (1224) ; Marie Stuart, épouse de François II (1558). En 1804, Napoléon Bonaparte s'y fit couronner Empereur.

OCTOBRE (RÉVOLUTION D')

En Russie, aux énormes pertes humaines pendant la Première Guerre mondiale (près de deux millions d'hommes) s'ajouta un marasme économique, entraînant désordre et famine et provoquant des manifestations antigouvernementales dès février 1917. Plus de deux cent mille grévistes défilèrent, réclamant du pain, et de nombreux soldats se joignirent à eux. La famille impériale fut arrêtée, un gouvernement provisoire établi.

En avril, l'Allemagne permit aux bolcheviks émigrés de regagner leur pays (il semblerait même qu'elle les ait aidés financièrement). Lénine s'en prit aussitôt au gouvernement provisoire et réclama la terre pour les paysans et le pouvoir pour les Soviets. Le 23 octobre, il obtint l'appui des militaires de Saint-Pétersbourg et des marins de Kronstadt. Le 24, occupant les imprimeries, le central télégraphique, les ponts et les gares, ses partisans prirent d'assaut le palais d'Hiver où était établi le gouvernement et s'emparèrent du pouvoir.

OLLIVIER (ÉMILE)

Avocat et homme politique français né à Marseille en 1825, mort à Saint-Gervais-les-Bains en 1913. Élu député en 1857, il siégea d'abord parmi la gauche républicaine. Puis rallié à l'idée d'un empire libéral, il se sépara de l'opposition. Élu député du Var, il devint chef du Tiers Parti (1863). En 1870, il forma un nouveau ministère où il reçut le portefeuille de la Justice et des Cultes. La tension avec la Prusse, puis la déclaration de guerre et les premiers revers militaires précipitèrent sa chute.

ONU (ORGANISATION DES NATIONS UNIES)

Organisation internationale visant à la coopération entre les peuples et à la sauvegarde de la paix dans le monde. Elle succéda à la Société des Nations (S.D.N.) après la signature de la charte de San Francisco (26 juin 1945) approuvée par cinquante et une nations. En 1983, elle en regroupait cent cinquante-huit.
Son *Conseil de sécurité* compte quinze membres dont cinq permanents (les États-Unis, la France, la Chine, la Grande-Bretagne et l'URSS). Parmi les principales sections spécialisées de l'ONU : ❐ l'Organisation internationale du travail (OIT) ;
❐ l'Organisation pour l'éducation, la science et la culture (Unesco) ; ❐ l'Union postale universelle (UPU) ;
❐ la Banque internationale pour la reconstruction et le développement (BIRD) ; ❐ le Fonds monétaire international (FMI) ;
❐ l'Organisation mondiale de la santé (OMS).
Cependant, l'efficacité de cet organisme s'est révélée de faible portée chaque fois qu'il s'est heurté à l'opposition d'une grande puissance résolue à ignorer ses décisions.

ORLÉANS (GASTON, COMTE D'EU, DUC D')

Troisième fils d'Henri IV, frère de Louis XIII, né à Fontainebleau en 1608. Il passa sa vie en intrigues. Impliqué dans tous les complots ourdis contre Richelieu, puis contre Mazarin, il laissa lâchement condamner ses complices (Ornano, Montmorency, Cinq-Mars). Devenu lieutenant général du royaume à la mort de Louis XIII, Mazarin le fit exiler à Blois (1652) où il mourut huit ans plus tard, laissant deux filles, dont la duchesse de Montpensier appelée plus tard la Grande Mademoiselle.

ORLÉANS (LOUIS PHILIPPE JOSEPH DUC D'ORLÉANS, DIT PHILIPPE-ÉGALITÉ)

Homme politique français, né à Saint-Cloud en 1747. Duc de Montpensier jusqu'à la mort de son grand-père (1752), duc de Chartres jusqu'à celle de son père, il épousa Adélaïde de Bourbon-Penthièvre (1769), arrière-petite-fille de Louis XV.

Il commanda avec succès une escadre au combat d'Ouessant (1778) et, ayant demandé la charge de grand amiral, ne reçut qu'un injurieux refus. Ennemi de la cour et de Marie-Antoinette, il fut mêlé aux événements qui préparèrent la Révolution.

Grand maître de la franc-maçonnerie en 1786, ouvert aux idées nouvelles, il fut élu député de la noblesse aux États généraux en 1789. Les journées révolutionnaires du 5 et 6 octobre provoquèrent son exil à Londres. Revenu l'année suivante, il était, en 1792, membre de la Convention et siégeait avec la Montagne.

Il prit alors le nom de Philippe Égalité, renonça à tout privilège et vota la mort du roi – son cousin.

Mais il devint, après la trahison de Dumouriez et le départ à l'étranger de son fils aîné (Louis Philippe), particulièrement suspect, d'autant qu'il était le plus proche héritier de la Couronne. Arrêté peu après, il fut condamné à mort et guillotiné le 6 novembre 1793.

OTAN (ORGANISATION DU TRAITÉ DE L'ATLANTIQUE NORD)

Issue du pacte de l'Atlantique Nord signé en avril 1949 à Washington, cette organisation se fixa pour but de « sauvegarder la paix et la sécurité, et de développer la stabilité et le bien être dans l'Atlantique Nord. » Elle regroupa d'abord la Belgique, le Canada, le Danemark, les États-Unis, la France, la Grande-Bretagne, l'Irlande, l'Italie, le Luxembourg, la Norvège, les Pays-Bas et le Portugal.
Elle s'étendit à la Grèce et à la Turquie en 1952, puis à la République fédérale allemande en 1955, et à l'Espagne en 1982. La France s'en retira sous l'impulsion du général de Gaulle, mais resta membre de l'alliance.

OUDINOT (NICOLAS CHARLES, DUC DE REGGIO)

Maréchal de France né à Bar-le-Duc en 1767, mort à Paris en 1847. Volontaire dans les armées de la Révolution, il fit ensuite la campagne du Rhin sous Moreau et celle d'Italie sous Masséna. Il s'illustra pendant les combats de Wertingen qui contribuèrent à la victoire d'Austerlitz (1805). Il se couvrit de gloire à Friedland (1807) et en garda le surnom de « Bayard de l'armée française ». Son courage, à Wagram (1809), lui valut le bâton de maréchal et son titre de « duc de Reggio ».
Sous la Restauration, il fut nommé commandant des Gardes nationaux, pair de France et grand chancelier de la Légion d'honneur. Il acheva sa carrière gouverneur des Invalides.

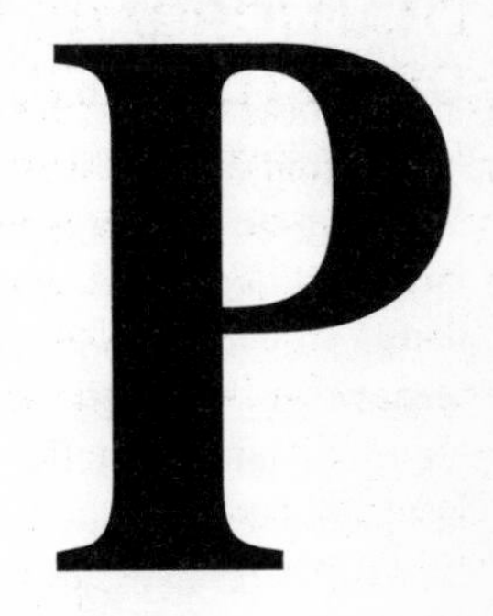

PAIX DES PYRÉNÉES

Traité négocié en 1659 entre Mazarin et don Louis de Haro, il mit fin à vingt-quatre ans de guerres entre l'Espagne et la France à laquelle il laissa une grande partie de l'Artois, le Roussillon et une série de places fortes sur la frontière des Pays-Bas. Il accorda aussi un droit de passage aux troupes françaises à travers la Lorraine, rendue à son duc. Une clause stipulait en outre que Louis XIV épouserait l'infante Marie-Thérèse, laquelle renoncerait à tous ses droits sur la couronne d'Espagne, moyennant le versement d'une dot de 500 000 écus d'or. C'était habile car Mazarin savait parfaitement que l'Espagne épuisée ne pourrait avancer une telle somme ; la renonciation aux droits était donc conditionnelle. Cette paix fut signée sur l'île des Faisans, sur la Bidassoa, au pied des Pyrénées, d'où son nom.

PANAMA (SCANDALE DE)

Le plus grand scandale financier de la IIIe République. Ferdinand de Lesseps, que ses travaux pour le canal de Suez avaient rendu célèbre, obtint de diriger l'entreprise de percement de l'isthme de Panama afin d'y construire un canal interocéanique (1879).

Bien qu'averti des difficultés de tous ordres qu'occasionnerait un tel chantier, il n'en promit pas moins son achèvement dans les huit années à venir. Il se garda aussi d'en révéler le coût véritable, tout comme il en dissimula l'état d'avancement. Face à l'attitude circonspecte des banques et eu égard aux réticences du gouvernement alors engagé dans de lourdes dépenses (travaux publics et expéditions coloniales), il fit appel aux petits épargnants, s'en remettant pour cela à des aventuriers de la finance. Les premiers fonds récoltés servirent à soudoyer la presse afin d'obtenir des articles favorables à l'emprunt. De 1880 à 1888, loin d'être achevés, les travaux avaient par contre réussi à engloutir une somme d'argent colossale par une succession d'appels à l'épargne lancés pour combler un déficit sans cesse croissant. Lesseps imagina alors un emprunt à lots qui pût tenter de nouveaux souscripteurs ; toutefois, ce projet exigeait le vote d'une loi. Cette demande ayant été rejetée, il eut recours à la corruption et acheta, en les inondant d'argent, un certain nombre de députés tout en continuant, parallèlement, une campagne antiparlementaire visant leurs confrères réticents et les accusant de s'opposer à l'entreprise et de briser les espoirs de milliers d'épargnants.
La loi autorisant l'emprunt à lots fut finalement votée le 9 juin 1888. C'est alors que la compagnie fit faillite entraînant la ruine de quelque 85 000 souscripteurs. Le scandale éclata lorsque le journaliste Drumont publia dans son journal *La Libre Parole*, une série d'articles intitulée *Les dessous de Panama*. Il y dénonçait avec violence les dirigeants de la compagnie (juifs pour la plupart), la corruption parlementaire et des intermédiaires qu'avait utilisés Lesseps. De nombreuses personnalités en furent éclaboussées comme Clemenceau, l'ingénieur Eiffel, Grévy, Cornélius Herz, Lesseps et son fils Charles, le baron Reinach, etc. Il s'ensuivit une défiance accrue dans le régime parlementaire et une vague d'antisémitisme qui devait culminer des années plus tard lors de l'affaire Dreyfus.

PARÉ (AMBROISE)

Chirurgien français né près de Laval vers 1509, mort à Paris en 1590. Il fut successivement au service de Henri II, François II, Charles IX (qui le fit épargner lors de la Saint-Bathélemy) et Henri III. C'est à propos d'un de ses patients revenu à la santé qu'il déclara : « Je le pansai, Dieu le guérit. » C'est lui qui préconisa les ligatures artérielles lors des amputations. Il est considéré comme le père de la chirurgie. Il a laissé de nombreux traités dont une *Anatomie du corps humain* en 15 volumes (1561).

PARIS (PHILIPPE D'ORLÉANS, COMTE DE)

Né à Paris en 1838, mort à Stowe House (Twickenham) en 1894, fils du duc d'Orléans et petit-fils de Louis-Philippe. Exilé en 1848, il servit dans les armées du Nord pendant la guerre de Sécession. Rentré en France en 1871, il unifia les partis royalistes et reconnut le comte de Chambord comme chef de la maison de France. À la mort de ce dernier (1883) il en devint l'héritier. Ses partisans le saluèrent sous le nom de Philippe VII. À nouveau exilé en 1886, il s'établit en Angleterre.

PASCAL (BLAISE)

Savant et écrivain français né à Clermont-Ferrand en 1623, mort à Paris en 1662. Dans son enfance, on évita de lui parler de mathématiques malgré ses évidentes dispositions, préférant lui donner une solide connaissance des langues anciennes. Sa sœur aînée Gilberte raconte qu'il n'en retrouva pas moins, seul, sans enseignement, à l'âge de 12 ans, trente-deux propositions du premier livre d'Euclide. À 16 ans, il rédigea un *Traité des sections coniques* qui, dit-on, aurait excité la jalousie de Descartes. Peu après, il inventait la machine arithmétique (propre à simplifier les calculs) dont il envoya un modèle à la reine Christine de Suède. En 1646, à la suite d'un accident, il entra en contact avec

deux gentilshommes gagnés au jansénisme. Cette rencontre allait, quelques années plus tard, marquer toute son existence.
En 1647, il écrivit *Expérience nouvelle touchant le vide confirmant les travaux de Toricelli*, et un *Traité du vide* dont on ne connaît qu'un fragment : *De l'Autorité en matière de physique*. À Paris en 1649, il connut une période mondaine, fréquentant le duc de Roannez, le chevalier de Méré et Mme de Sablé.
C'est alors qu'il fonda, parallèlement à Fermat et à Huyghens, le calcul des probabilités. Cependant, après l'entrée en religion de sa sœur cadette Jacqueline, puis sous le choc d'un deuxième accident qui le laissa indemne mais où il vit le doigt de la Providence, à la lumière aussi de son extase du 23 novembre 1654 (la « nuit de feu »), il accomplit une retraite à Port-Royal.
Il fut ensuite appelé, en 1656, à défendre la cause de Port-Royal, prenant le parti d'Arnaud contre la Sorbonne. Il publia alors ses dix-huit *Provinciales* où il attaque les Jésuites sur leur conception de la grâce. À partir de 1658, sa seule préoccupation fut d'assembler des matériaux pour défendre la religion chrétienne. Ses *Lettres à Mademoiselle de Roannez* et les notes qui allaient devenir les *Pensées* en sont un vibrant témoignage.
Ses dernières années furent une lente et douloureuse agonie. Il mourut le 19 août 1662 et fut inhumé à Saint-Étienne-du-Mont. On lui attribue un *Discours sur les passions* (1652-1653).

PASTEUR (LOUIS)

Chimiste et biologiste français né à Dôle en 1822, mort à Villeneuve-l'Etang en 1895. Agrégé et docteur ès sciences (1847), il fut professeur à la faculté de Strasbourg (1849), doyen de la faculté des sciences de Lille (1854), directeur des études de sciences à l'École normale supérieure (1857-1867), professeur à la Sorbonne (1867-1875) et directeur du laboratoire de chimie à l'École normale (1868). Il consacra ses premières recherches au phénomène de la fermentation et, découvrant les germes qui la provoquaient, réfuta la thèse de la génération spontanée (1862). Il mit alors au point un procédé de conservation, la pasteurisation. Il entama ensuite des recherches sur les maladies infectieuses et prouva qu'elles étaient dues à des micro-organismes. Atténuant la force des bactéries, il mit au point des vaccins qu'il utilisa avec succès dans la maladie du charbon des ovins, puis contre la rage (1885). Ce fut une révolution dans la médecine, qui entraîna le développement des mesures prophylactiques jusqu'alors peu ou mal pratiquées : asepsie, antisepsie, isolement des malades. En 1888 fut lancée la souscription nationale qui permit la fondation de l'Institut Pasteur. Lui-même reçut le titre de bienfaiteur de l'humanité.

PÉPIN LE BREF

Né à Jupille (Belgique) en 714, il était le fils de Charles Martel dont il obtint la Neustrie et la Bourgogne, tandis que son frère Carloman recevait la Souabe et l'Austrasie. Tous deux avaient placé sur le trône un Mérovingien, Childéric III, mais gouvernèrent en son nom après avoir vaincu et emprisonné leur demi-frère Grifon.

En 747, renonçant au pouvoir, Carloman entra dans un monastère italien tandis qu'avec l'accord du pape Zacharie, Pépin déposait Childéric. Il monta alors sur le trône (751) et, à la demande du pape Étienne II, entreprit deux expéditions contre les Lombards (754-756) et il s'empara d'une série de villes qui furent à l'origine des États pontificaux. En 758, il écrasa les Saxons sur le Rhin, puis combattit contre les Sarrasins à qui il reprit Narbonne (759). Il soumit enfin le Midi, après huit ans de guerres, et mourut en 768, laissant deux fils, qu'il avait eus de Berthe au grand pied : Charlemagne et Carloman.

PERIER (CASIMIR)

Homme d'État français né à Grenoble en 1777, mort à Paris en 1832. Il fut régent de la Banque de France. Plusieurs fois député, libéral, il eut pour adversaires les membres des cabinets Villèle et Polignac. Malgré son goût de l'ordre, il suivit le mouvement révolutionnaire de juillet 1830 et donna lecture au duc d'Orléans de la déclaration qui l'appelait au trône.
Après la démission de Laffite, il forma un nouveau ministère (1831) où il se réserva l'Intérieur. Il eut à réprimer les insurrections de Lyon et de Grenoble (1832). Il préconisa le principe de non-intervention.

PERRAULT (CHARLES)

Écrivain français né et mort à Paris (1628-1703). Protégé de Colbert, c'est lui qui souleva à l'Académie française le mémorable débat sur les Anciens et les Modernes (il était des seconds). Mais il est surtout célèbre pour ses *Contes de ma mère l'Oye* (1697) qui inaugurèrent le genre littéraire des contes de fées.
Son frère Claude, architecte et médecin, né et mort à Paris aussi (1613-1688), est l'auteur des plans de la colonnade du Louvre. Il édifia aussi l'Observatoire de Paris (1667-1672) et d'autres monuments actuellement détruits.

PESTE NOIRE

Venu d'Asie centrale, ce fléau se répandit dans tout le continent jusqu'en Europe et affola les populations qu'il décima dans des proportions effrayantes de 1346 à 1353. On a estimé à une cinquantaine de millions le nombre des victimes de la peste noire.

PÉTAIN (PHILIPPE)

Maréchal et homme d'État français né à Cauchy-à-la-Tour en 1856 (Pas-de-Calais). Entré à Saint-Cyr en 1876, il étudia ensuite à l'École supérieure de guerre de 1888 à 1890 et y fut professeur jusqu'en 1910. Au début de la Première Guerre mondiale, il commandait la 4e brigade d'infanterie de Saint-Omer avec, sous ses ordres, un certain lieutenant de Gaulle. Il s'imposa sur la Meuse (août 1914) et sur la Marne (septembre 1914). Au mois d'octobre 1915, il était général de corps d'armée, puis il fut investi du commandement du front de Verdun (février 1916) où sa ténacité, brisant l'offensive allemande, le rendit célèbre.

Promu chef d'état-major le 29 avril 1917 après l'échec de Nivelle et commandant en chef des armées françaises, il dut rétablir l'ordre au sein d'unités mutinées. En 1918, il partagea la gloire de la victoire avec Foch et reçut son bâton de maréchal en avril de l'année suivante. Il fut ultérieurement nommé vice-président du Conseil supérieur de la Guerre (janvier 1920-février 1931) et inspecteur général des armées.

En 1925, il eut à rétablir la situation au Maroc (guerre du Rif). Ministre de la Guerre en 1934, il fut ambassadeur de France en Espagne en 1939. Président du Conseil en juin 1940, c'est lui qui demanda l'armistice. Il établit alors son gouvernement à Vichy (1er juillet) ; l'Assemblée, le 10, avec 569 voix contre 666, confia tous les pouvoirs au « Vainqueur de Verdun ». Fort de cette écrasante majorité, proclamé chef de l'État français, il entama alors une série de réformes nécessaires au nouvel ordre qu'il voulait instituer. Cet ordre prit le nom de Révolution nationale et s'organisa sur les bases de la devise : *Travail, Famille, Patrie*.

Il tenta aussi de garder un équilibre entre une attitude relativement indépendante, conformément à la convention d'armistice (négociations secrètes menées avec la Grande-Bretagne par l'intermédiaire du professeur Rougier ; avec les États-Unis par l'amiral Leahy), et une politique de collaboration (entrevue de

Montoire avec Hitler). À partir du 11 novembre 1942, date de l'invasion de la zone libre par les troupes du Reich, son pouvoir ne cessa de s'amenuiser.

Ayant renoncé à gagner Alger après le débarquement anglo-américain en Afrique du Nord (novembre 1942), il se vit imposer des ministres (Henriot, Déat, Darnand) par l'occupant et dut se plier, parfois, aux ordres dont ils furent les porte-parole. Après le débarquement de Normandie, il s'efforça de maintenir la France dans la neutralité. Le 24 août 1944, il fut arrêté à Vichy par les Allemands et transféré à Belfort, puis à Sigmaringen dans le Bade-Wurtemberg (8 septembre).

Dès lors, simple prisonnier et renonçant à toute activité malgré les pressions, il refusa de cautionner le simulacre de gouvernement dirigé par Fernand de Brinon et ne songea plus qu'à rentrer en France pour se présenter devant la Haute Cour de justice. Accusé d'intelligences avec l'ennemi, il fut condamné à mort le 15 août 1945, peine commuée en détention perpétuelle peu après. Incarcéré au fort du Pourtalet, puis à l'île d'Yeu, il quitta cette prison le 29 juin 1951 pour mourir le 23 juillet à Port-Joinville, résidence qui lui avait été assignée pour raison de santé.

Depuis sa mort, les polémiques n'ont cessé autour de son nom et plusieurs campagnes ont été entreprises pour sa réhabilitation.

PHILIPPE II D'ESPAGNE

Né à Valladolid en 1527, mort à l'Escurial en 1598. Fils de Charles Quint et d'Isabelle de Portugal, duc de Milan en 1540, souverain de Naples et de Sicile au moment de son mariage avec la reine d'Angleterre Marie Tudor (1554) et roi d'Espagne après l'abdication de son père (1556). Face à la Réforme, il se fit l'implacable défenseur de l'Église romaine : en Angleterre où il seconda son épouse dans le rétablissement du catholicisme ; aux Pays-Bas ; en France, où il soutint le parti des Guise ; en Espagne enfin, où il protégea l'Inquisition et ses persécutions.

En guerre contre la France, il remporta la victoire de Saint-Quentin (1557), mais la reprise de Calais par le duc de Guise déboucha sur le traité de Cateau-Cambrésis (1559).

Sa répression aux Pays-Bas, bien que terrible, eut pour conséquence la perte d'une partie de ces provinces ; son Invincible armada, qui devait débarquer des troupes en Angleterre, après l'exécution de Marie Stuart, fut anéantie (1588). Ayant épousé une fille d'Henri II, Élisabeth de Valois, il supputa d'asseoir l'enfant qu'elle lui donna sur le trône de France. Mais son projet échoua après la défaite de Fontaine-Française et le traité de Vervins (1598). Son combat contre les Turcs avait été plus heureux avec la victoire de Lépante en 1571.

Autre entreprise positive : l'annexion du Portugal en 1580. Mais en définitive, au cours de ce long règne de plus de quarante ans, Philippe II, hanté par de vains projets de monarchie universelle, ruina son pays malgré les fabuleuses richesses en or et en argent que lui fournirent ses colonies d'Amérique et d'Inde. À l'intérieur, il créa l'Escurial et fit de Madrid la capitale des Espagnes.

PHILIPPE IV D'ESPAGNE

Né à Valladolid en 1605, mort à Madrid en 1665. Il succéda à son père, Philippe III, en 1621. Mal conseillé par le comte-duc d'Olivarez, il laissa échapper en vingt ans tout ce qui restait à perdre en Espagne. Entraîné dans la guerre de Trente Ans, vaincu à Arras (1642), à Perpignan (1642), à Rocroy (1643) et à Lens (1648), il vit l'anéantissement de ses armées. La défaite des Dunes le contraignit à signer la paix des Pyrénées (1659) par laquelle il cédait à la France l'Artois, le Roussillon, ses droits sur l'Alsace, et qui stipulait le mariage de l'infante Marie-Thérèse avec Louis XIV. Entre-temps, la Catalogne s'était soulevée causant douze ans de guerre civile, et le Portugal avait reconquis son indépendance perdue sous le règne de Philippe II.

PHILIPPE Ier

Roi de France né et mort à Melun (1052-1108). Fils d'Henri Ier et d'Anne de Russie, il fut couronné du vivant de son père et prit le pouvoir en 1060 sous la tutelle de Baudouin V, comte de Flandre, son oncle. La mort de ce dernier occasionna un conflit pour la succession du comté durant lequel, ayant voulu intervenir, Philippe fut battu par Robert le Frison en 1071.
Il n'en épousa pas moins la nièce de celui-ci, Berthe de Hollande, l'année suivante. L'ayant répudiée pour Bertrade de Montfort (1092), il fut excommunié pendant dix ans, ce qui l'éloigna de la première croisade. Par l'intrigue, il avait réuni le Vexin à la Couronne (1068) ; par donation il reçut le Gâtinais (1082) ; il acheta enfin le Berry (1100).
Sous son règne avait eu lieu la conquête de l'Angleterre par Guillaume le Conquérant qu'il s'efforça d'affaiblir en entretenant la discorde qui régnait entre lui et son fils, Robert Courteheuse, qui revendiquait la Normandie.

PHILIPPE AUGUSTE (PHILIPPE II)

Fils de Louis VII et d'Adèle de Champagne, né à Paris en 1165, mort à Mantes en 1223. Roi de France en 1180, il épousa Isabelle de Hainaut qui lui apporta l'Artois en dot. Il entra presque aussitôt en conflit avec le roi d'Angleterre Henri II après avoir dressé ses fils contre lui et le vainquit à Azay-le-Rideau (1189). À la mort de ce prince, il entreprit la troisième croisade avec le nouveau souverain britannique, Richard Cœur de Lion.
Cependant, après la prise de Saint-Jean-d'Acre (1191), il se brouilla avec Richard et la guerre éclata entre eux dès leur retour. Elle devait durer cinq ans, marquée par les défaites françaises de Gisors et de Fréteval (1197).
Après la mort de Richard, son frère Jean sans Terre prit le pouvoir en faisant assassiner l'héritier désigné, Arthur de Bretagne.

Il s'empara aussi de l'épouse d'un de ses vassaux, forfaiture alors interdite par le code de chevalerie. Condamné en conséquence par les pairs de France, Jean se vit dépossédé des fiefs qu'il avait dans ce pays : la Normandie, le Maine, la Saintonge, la Touraine et l'Anjou.
Se rapprochant alors du comte de Flandre Ferdinand de Portugal et de l'empereur Othon, il forma contre le roi de France une coalition mais fut défait à la Roche-aux-Moines tandis que ses alliés subissaient un écrasant revers à Bouvines (1214).
Philippe Auguste s'attacha dès lors à centraliser le pouvoir en créant les baillis et les sénéchaux. Dans Paris, où il avait fixé la cour, il fonda les Archives de France, fit édifier les premières halles, paver certaines rues et ordonna la construction du premier Louvre. Remarié à Ingeburge de Danemark après la mort d'Isabelle (1190), il prit pour épouse, en troisièmes noces, Agnès de Méran. D'Isabelle, il eut un fils qui lui succéda sous le nom de Louis VIII.

PHILIPPE III LE HARDI

Fils de Saint Louis et de Marguerite de Provence, né à Poissy en 1245. Ayant suivi son père dans la dernière croisade, il lui succéda en 1270. Après avoir conclu la paix avec le sultan de Tunis, il rentra en France. À la mort de son oncle Alphonse II (1271), il hérita du comté de Toulouse, du Poitou et de l'Auvergne.
Pour venger la révolte (Vêpres siciliennes, 1282) fomentée par Pierre III d'Aragon contre son oncle Charles Ier d'Anjou, roi de Sicile, il envahit l'Aragon (1284). Mais, après la défaite de la flotte française chargée de ravitailler son armée, il dut battre en retraite. Il mourut de maladie à Perpignan, pendant ce repli, en 1285.

PHILIPPE IV LE BEL

Fils de Philippe III et d'Isabelle d'Aragon, né à Fontainebleau en 1268. Il monta sur le trône en 1285 et obtint, par son mariage avec Jeanne Ire de Navarre, la Champagne et la Navarre. Son gouvernement fut influencé par les *Légistes* – ainsi désignait-on ses conseillers –, qui contribuèrent avec un dévouement total au renforcement du pouvoir royal (Pierre Flote, Enguerrand de Marigny, Guillaume de Plaisians, Guillaume de Nogaret et Raoul Presles…). Philippe commit l'erreur de marier sa fille Isabelle au futur Édouard II, lui donnant en dot la Guyenne, que leur fils Édouard III allait revendiquer au début de la guerre de Cent Ans. En 1300, tentant d'annexer la Flandre, il en confia le gouvernement à Gui de Châtillon. Mais la population se révolta et massacra les Français (Matines de Bruges, 1302).

Une première expédition du roi se termina par le désastre de Courtrai (juin 1302). Toutefois, il prit sa revanche deux ans plus tard à la journée de Mons-en-Puelle et signa le traité d'Athis-sur-Orge qui reconnaissait l'indépendance de la Flandre en échange des villes de Douai, de Lille et de Béthune. À cette époque, il eut un violent démêlé avec le pape Boniface VIII qui voulait subordonner le pouvoir temporel à l'autorité spirituelle et exercer un droit de suzeraineté sur tous les trônes.

Philippe fit brûler les bulles du pontife, qui l'excommunia. Il convoqua alors les États généraux (les premiers de l'histoire de France) en 1302 et l'année suivante s'empara de Boniface (attentat d'Anagni) qui en mourut peu après. Benoît XI lui succéda, puis Clément V, un Français, qui s'établit à Avignon.

À ce moment-là, de graves difficultés financières forcèrent le roi à recourir aux expédients les plus dangereux. Il commença par altérer la valeur des monnaies, ce qui lui valut le surnom de *roi faux-monnayeur*; puis il se livra à des persécutions contre les Juifs et les marchands lombards, taxant lourdement leurs bénéfices et confisquant leurs biens; enfin, et ce fut la grande honte de sa vie, il pressa le pape d'abolir l'ordre des Templiers afin de s'emparer de leurs immenses richesses. Un procès inique leur fut alors intenté (1307-1314) accompagné d'arrestations et de condamnations massives. Jacques de Molay, leur grand maître, fut livré aux flammes ainsi que cinquante-quatre de ses chevaliers. Philippe le Bel mourut peu après et ses derniers jours furent attristés par les scandales auxquels furent mêlées ses brus Blanche, Jeanne et Marguerite de Bourgogne, lesquelles furent jugées coupables d'avoir accordé leurs faveurs à de jeunes gentilhommes de la cour.

PHILIPPE V LE LONG

Roi de France et de Navarre né en 1294, mort à Longchamp en 1322, fils de Philippe le Bel et de Jeanne de Navarre. À la mort de son frère Louis X dont l'enfant posthume, Jean Ier, ne vécut que cinq jours, il invoqua la loi salique et se fit couronner roi en 1317 malgré l'opposition de certains seigneurs qui voulaient placer la fille de Louis X, Jeanne de Navarre, sur le trône.

Les états généraux sanctionnèrent son avènement. Il conclut alors une paix définitive avec la Flandre (1320) et se livra à l'administration de son royaume. Il affranchit les serfs, plaça des officiers royaux à la tête des milices urbaines, réglementa la fabrication des monnaies, fonda la Chambre des comptes.

Il intervint dans la poursuite des hérétiques du Midi et usa de mesures violentes contre les Juifs et les lépreux. Il déclara inaliénable le domaine de la Couronne.

Il avait épousé, en 1307, Jeanne de Bourgogne qui lui avait apporté en dot la Franche-Comté.

PHILIPPE VI DE VALOIS

Né en 1293, mort à Nogent-le-Roi en 1350. Fils de Charles de Valois, frère de Philippe le Bel, il fut le premier roi de la dynastie des Valois. Régent du royaume à la mort de Charles IV dont la femme était enceinte, il se fit proclamer roi lorsque celle-ci eut mis au monde une fille, malgré les revendications d'Édouard III d'Angleterre qui prétendait à la couronne de France par sa mère, fille de Philippe le Bel.
Une fois établi sur le trône, il soutint le comte de Flandre contre ses sujets révoltés et remporta la victoire de Cassel (1328).
Les prétentions mutuelles de la France et de l'Angleterre sur la Guyenne et sur la Flandre provoquèrent les débuts de la guerre de Cent Ans. Philippe VI de Valois, à qui s'opposaient les armées d'Édouard III et de l'empereur Louis de Bavière, fut défait sur mer au port de L'Écluse (1340), et sur terre à Crécy (1346).
L'année suivante, Calais ouvrit ses portes aux Anglais après un siège mémorable. Philippe conclut alors une trêve de six ans, mais il mourut avant la reprise des hostilités. Par son apanage, il augmenta le royaume des comtés de Chartres et de Valois, de l'Anjou et du Maine. Durant son règne éclata la terrible épidémie de peste noire (1348) qui décima l'Europe.

PHOCÉENS

Phocée fut une des cités ioniennes de l'ancienne Asie Mineure. Fondée par Philogène, elle tomba sous la domination du tyran Harpage. Ses habitants quittèrent alors leur ville et certains d'entre eux s'établirent sur les côtes de la Gaule, où ils fondèrent Massalia (Marseille).

PICHEGRU (CHARLES)

Général français né dans le Jura en 1761, mort à Paris en 1804. Professeur à l'école militaire de Brienne, il prit part à la guerre d'Indépendance d'Amérique. En 1793, il reçut le commandement des armées de Moselle et du Rhin. De 1794 à 1795, il conquit les Provinces-Unies et s'empara de la flotte hollandaise. Rentré à Paris, il réprima l'insurrection du 12 germinal et fut proclamé « Sauveur de la patrie ».
C'est alors que, séduit par les offres du prince de Condé (un million de francs comptant, une rente de 200 000 francs, le château de Chambord, le duché d'Artois, etc.), il accepta de servir la cause monarchiste. Sa trahison fut découverte.
Destitué (1796), il n'en fut pas moins élu aux Cinq-Cents. Mais ayant fomenté un coup d'État, à nouveau suspecté, il fut arrêté et déporté en Guyane. Il parvint à s'évader, gagna l'Angleterre et prit part en 1804 au complot de Cadoudal contre Bonaparte. Traqué par la police, il fut repris et incarcéré au Temple où il se suicida quelques jours après.

PIE VII (GREGORIO LUIGI BARNABA CHIARAMONTI)

Né à Cesena en 1742, mort à Rome en 1823, pape en 1800, il fit signer le Concordat (15 juillet 1801) par le cardinal Consalvi. En 1804, il sacra Napoléon Empereur à Notre-Dame de Paris. Parce qu'il refusait d'adhérer au Blocus continental, Napoléon s'empara de Rome (1808) et annexa les États pontificaux à l'Empire. Pie VII répliqua en l'excommuniant (1809).
Fait prisonnier, emmené à Gênes, à Savone puis à Fontainebleau, il y signa les préliminaires d'un second concordat mais se rétracta presque aussitôt. Il fut délivré par les événements de 1814 et regagna Rome où il rentra en possession de ses États (sauf Avignon) après le congrès de Vienne.

Il rétablit alors la Compagnie de Jésus abolie depuis 1773. Après la chute de Napoléon, il intercéda vainement en faveur de son ancien persécuteur et eut la générosité de donner asile à Rome à la famille Bonaparte.

PIERRE Ier (DIT LE GRAND)

Empereur de Russie né à Moscou en 1672, mort à Saint-Pétersbourg en 1725, troisième fils du tsar Alexis Ier et de Nathalie Narychkine. Il brisa la révolte des *streltsy* (gardes impériaux) manœuvrés par sa sœur Sophie, qui voulait s'emparer du pouvoir. Puis il évinça son frère aîné Ivan et inaugura son gouvernement à la mort de sa mère (1694). Son premier acte fut de constituer une armée et une flotte. Puis, à plusieurs reprises avec le Suisse Lefort, il visita incognito l'Europe dans le but d'étudier différents arts et techniques, allant même jusqu'à revêtir l'habit de charpentier pour s'initier à la construction des navires.
Une nouvelle révolte des *streltsy* le ramena à Moscou ; il la réprima avec brutalité, prenant part lui-même aux exécutions. Il entreprit alors de nombreuses réformes intérieures, puis, s'alliant à la Pologne et au Danemark, déclara la guerre à la Suède dans le but de s'assurer la maîtrise de la Baltique. Battu d'abord à Narva (1700), il réussit à s'établir sur l'embouchure de la Néva où il fonda la future capitale, Saint-Pétersbourg (1703). Il remporta ensuite la grande victoire de Poltava (1709) et le roi de Suède dut se réfugier en Turquie. Marchant alors contre les Turcs mais encerclé sur le Pruth (1711), il dut abandonner Azov. Cependant, par le traité de Nystadt (1721), il acquit la Livonie, la Carélie, l'Estonie et une partie de la Finlande.
Proclamé « Père de la patrie et imperator » par le Sénat (1722), il fut, malgré sa politique despotique, l'artisan d'une grande Russie qui prit la première place dans l'Europe du Nord. Il ternit la gloire de son règne par l'assassinat (1718) de son fils aîné, Alexis, qui s'opposait à ses réformes.

PIGALLE (JEAN-BAPTISTE)

Sculpteur français né et mort à Paris (1714-1785). Ses débuts furent pénibles. Il échoua aux concours et se rendit à Rome à pied. Rentré en France, il travailla à Lyon pendant quelques années puis revint à Paris.
La faveur de Mme de Pompadour lui valut alors de nombreuses commandes. On lui doit la *Vierge des Invalides* (1748), la *Tombe du maréchal d'Harcourt* à Notre-Dame, *L'Amour et l'Amitié* et une série remarquable de bustes.

PITT (WILLIAM, DIT LE SECOND PITT)

Homme politique et économiste anglais né à Hayes (Kent) en 1759, mort à Londres en 1806. Deux fois Premier ministre, il observa la neutralité au début de la Révolution française.
Puis, lors de l'envahissement de la Belgique par la France, évaluant les risques économiques, il décida l'entrée en guerre de l'Angleterre (1793). Il soutint les Vendéens et les émigrés et fut l'un des principaux artisans des coalitions réunies contre les armées de la République et celles de l'Empire.

PLACARD (AFFAIRE DES)

Des réformés, voulant dénoncer la messe catholique, affichent, dans la nuit du 17 octobre 1534, des placards à Paris et dans le château d'Amboise, jusque sur la porte de la chambre du roi François Ier, lequel déclencha alors la première répression contre les protestants (pourtant défendus par sa sœur Marguerite). Six réformés furent condamnés à être brûlés.

POINCARÉ (RAYMOND)

Avocat et homme d'État français né à Bar-le-Duc en 1860, mort à Paris en 1934. Député de la Meuse (1887), ministre des Finances (1893) puis de l'Instruction publique, il se tint à l'écart du procès Dreyfus et des luttes anticléricales du ministère Combes. Plusieurs fois président du Conseil, il fut élu président de la République en 1913.

Il mena alors une politique de droite. Il fit voter la loi militaire de trois ans et renforça l'alliance avec la Russie. Champion de l'Union sacrée pendant la Grande Guerre, il nomma Clemenceau à la tête du gouvernement.

En 1918, opposé à l'armistice afin de ne pas laisser « couper le jarret à nos troupes » et réclamant une occupation définitive de la rive gauche du Rhin, il se heurta à Clemenceau. Toutefois, après son septennat, nommé président de la Commission des réparations, partisan d'une application intégrale du traité de Versailles, il fit occuper la Ruhr (1923).

Il se heurta cette fois à la Grande-Bretagne qui, pour le mettre en difficulté, joua en Bourse contre le franc. La crise financière, qui frappa la France en 1923, l'obligea à recourir à l'aide de la Banque d'Angleterre et le contraignit à négocier sur les réparations. En 1924, le Cartel des gauches triompha et il fut écarté du pouvoir pendant deux ans. Il revint à la tête du gouvernement de 1926 à 1929 et parvint à former un cabinet d'union nationale (excepté les socialistes) et réussit à stabiliser le franc.

Mais, après le congrès d'Angers (1928) et le départ des radicaux du gouvernement, il dut démissionner.

POITIERS (BATAILLES DE)

❐ Eudes, duc d'Aquitaine, fit appel aux armées de Charles Martel pour réprimer les troupes d'Abd al-Rahman qui venaient de le battre à Bordeaux. La rencontre eut lieu près de Poitiers en 732. La cavalerie musulmane se heurta au « mur de fer » des guerriers francs en armures. Abd al-Rahman y perdit la vie. Le lendemain, Charles entreprit de donner l'assaut au camp ennemi mais il le trouva vide : le reste des forces ennemies avait fui pendant la nuit. Les soldats de l'Islam ne revinrent plus en Gaule.
❐ Le 17 septembre 1356, vingt mille Français, sous les ordres du roi Jean II le Bon, affrontent dix mille Anglo-Gascons sous les ordres du Prince Noir, fils du roi d'Angleterre. Les archers anglais repoussent un premier assaut de la chevalerie française. Puis les Anglais entraînent les Français dans un vignoble où les chevaux s'empêtrent entre les pieds de vigne. Les charges de cavalerie s'en trouvent ralenties, et les archers anglais continuent à ajuster des tirs meurtriers. La bataille devient d'autant plus confuse que les Écossais, alliés des Français, s'enfuient. Jean le Bon, qui ne veut pas être comparé à son père Philippe VI de Valois, le vaincu de Crécy, résiste ; son fils, à ses côtés, l'aide à parer les coups : « Père, gardez-vous à droite, père gardez-vous à gauche… » Il doit finalement céder sous les assaillants, et partir en Angleterre pour une longue captivité.

POMPADOUR (JEANNE ANTOINETTE POISSON, MARQUISE DE)

Née à Paris en 1721, elle fut l'une des maîtresses de Louis XV. Son influence sur le roi lui permit de protéger artistes et écrivains (Van Loo, Bouchardon, Fontenelle, Crébillon, Helvétius et les Encyclopédistes). Voltaire lui dédia son *Tancrède*. Elle fit aménager plusieurs châteaux (Choisy, Bellevue, La Celle, l'Ermitage de Versailles, l'hôtel d'Évreux) dont elle assura la décoration et l'ameublement (l'*art Pompadour*). Arbitre du goût et de la mode, elle sut aussi intéresser le roi à la manufacture de Sèvres. On l'a accusée d'avoir dilapidé l'argent du Trésor et entouré Louis XV de ses créatures. À sa décharge, elle protégea le duc de Choiseul et Bernis. Ce fut un véritable règne. Elle mourut à Versailles à 43 ans (1764), détestée de la cour mais regrettée du roi.

POMPIDOU (GEORGES)

Homme d'État français né à Montboudif (Cantal) en 1911, mort à Paris en 1974. Chargé de mission dans le cabinet du général de Gaulle (1945-1946), puis maître des requêtes au Conseil d'État, il fut ensuite nommé à la direction de la banque Rothschild (1956-1962). Puis il succéda à Michel Debré au poste de Premier ministre en avril 1962. C'est son cabinet qui signa les accords de Grenelle au moment de la crise de mai 1968. Élu Président de la République le 15 juin 1969, il vit l'entrée de la Grande-Bretagne dans la Communauté européenne (avril 1972). Il est l'auteur d'une *Anthologie de la poésie française* (1961).

POUSSIN (NICOLAS)

Peintre français né aux Andelys en 1594, mort à Rome en 1665. Sans doute en relation avec Philippe de Champaigne, il travailla à la galerie du Luxembourg (1622). Vers l'âge de 30 ans, il se rendit à Rome où il passa désormais la plupart de son temps.
Personnalité puissante, on peut le considérer comme un des plus grands artistes français. Sa réputation grandit au point qu'il reçut une invitation de Richelieu accompagnée d'une lettre du roi. Pour le Cardinal, il composa ses *Bacchanales* et *Saint Jean baptisant le peuple*. Louis XIII le reçut à Saint-Germain (1640). En 1642, de retour à Rome, il entama une série de sujets mythologiques, dont *Les Bergers d'Arcadie*. Surnommé le « peintre des gens d'esprit », il inspira Le Brun, Mignard, Le Sueur…

PRESBOURG (TRAITÉ DE)

Signé par Napoléon et François II le 26 décembre 1805, quelques semaines après la bataille d'Austerlitz, ce traité mit fin à la quatrième coalition. Il rattachait au royaume d'Italie le Frioul, la Dalmatie, l'Istrie et Trieste. L'Autriche renonçait aux États vénitiens et reconnaissait le titre de roi aux électeurs de Wurtemberg et de Bavière ; en outre, elle leur cédait des territoires. Dans une clause secrète, François II abandonnait son titre d'empereur d'Allemagne.

PROUST (MARCEL)

Écrivain français né et mort à Paris (1871-1922). Personnalité complexe, il lui revient d'avoir su rénover l'analyse psychologique au travers des quelque quinze volumes qui composent sa *Recherche du temps perdu* (1913-1927). Il a tenté d'y surprendre, derrière les états d'âmes, les passions, les souvenirs et les rêves. Cette œuvre présente parallèlement une peinture satirique de la vie mondaine de son époque. Travailleur acharné, il eut à composer tout au long de son existence avec une santé précaire (asthme) qui le retint de plus en plus dans l'atmosphère calfeutrée de son appartement parisien.

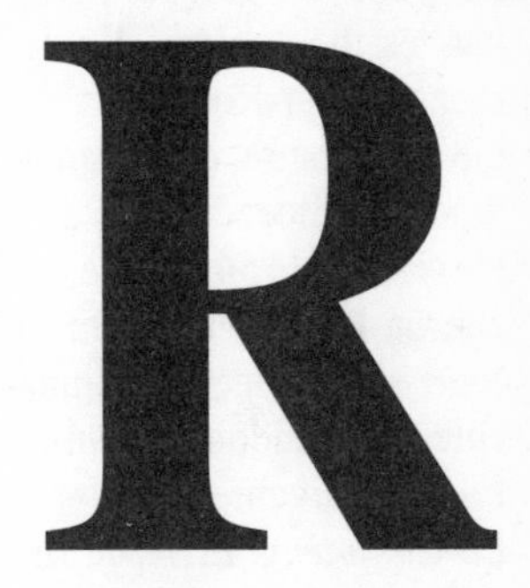

RABELAIS (FRANÇOIS)

Né à Chinon vers 1494, François Rabelais fit ses études à l'abbaye bénédictine de Seuilly, puis au couvent franciscain de la Baumette, près d'Angers. En 1520, il prononça ses vœux monastiques chez les franciscains de Fontenay-le-Comte où il étudia le grec. Quatre ans plus tard, avec une autorisation papale, il quitta cet ordre pour entrer chez les bénédictins de Maillezais (Poitou). Il sillonna le Poitou qui devait servir de décor à ses futurs héros. De 1528 à 1530, il séjourna à Paris où il fréquenta les professeurs de l'université. Quittant alors la robe monacale, il prit l'habit de prêtre séculier. En 1532, il s'inscrivit à la faculté de médecine de Montpellier et fut l'élève de Rondelet. Il y acquit son diplôme de bachelier l'année suivante.

Gagnant Lyon, il y exerça son art au grand hôpital où il traita plus particulièrement les goutteux. C'est à cette époque que parurent les *Horribles et épouvantables faits et prouesses du très renommé Pantagruel, roi des Dipsodes*, signé de l'anagramme *Alcofribas Nasier* (1532), suivis de la *Pantagruéline pronostication*. L'année suivante, accompagnant le cardinal Jean du Bellay en tant que médecin personnel, il se rendit à Rome où il s'occupa d'archéologie. De retour à Lyon, il fit publier la *Vie inestimable*

du grand Gargantua, père de Pantagruel, ouvrage mal accueilli par les théologiens. En 1535, toujours avec Jean du Bellay, il repartit pour Rome. Il y resta un an, encore occupé d'archéologie et, en outre, de botanique. À Montpellier en 1537, il reçut ses grades de licencié puis de docteur en médecine.
De 1539 à 1541, il séjourna à Turin. Entre 1542 et 1551, il alterna les séjours entre la France et l'Italie, après une fuite à Metz suite à une condamnation du *Tiers Livre* (1545). Il obtint la cure de Meudon, fit publier son *Quart Livre* (1552) et mourut l'année suivante.
Le *Cinquième Livre* ne fut édité que dix ans plus tard. Le *Prologue du Gargantua* est la meilleure introduction à son œuvre. On y apprend qu'il faut « ouvrir ce livre et peser soigneusement ce qui s'y trouve exposé », que « les matières traitées ne sont pas aussi frivoles que le titre le laissait prévoir » et qu'il est indispensable par une approche attentive de « rompre l'os et de sucer la substantifique moelle ».
Rabelais se protégea de l'Inquisition derrière la farce et la gaudriole, mais il écrit à grands traits l'histoire de son époque.

RACINE (JEAN)

Poète tragique français, né à La Ferté-Milon en 1635. Orphelin de bonne heure (1643), il fut éduqué au collège janséniste de Beauvais, puis au collège d'Harcourt à Paris. Après un séjour dans le Midi, il regagna la capitale où il donna, jouée par la troupe de Molière, sa première pièce : *La Thébaïde ou les Frères ennemis* (1664). L'année suivante, il donna *Alexandre*, qui eut un franc succès mais lui valut sa rupture avec Molière auquel il avait retiré la pièce.
À cette époque, il rompit aussi avec Port-Royal. Avec *Andromaque* (1667), sa notoriété fut totale. Il produisit alors une série de chefs-d'œuvre qui firent de lui le rival du vieux Corneille : *Les Plaideurs* (1668), *Britannicus* (1669), *Bérénice* (1670),

Mithridate (1673), *Iphigénie* (1674) et *Phèdre* qui fut pourtant sifflée. S'éloignant de la scène, il se maria et se consacra désormais à l'éducation de ses sept enfants.

Il connut en même temps une crise de conscience qui le fit se rapprocher des jansénistes vis-à-vis desquels, depuis dix ans, il avait manifesté une cruelle ingratitude. Le reste de sa vie, marqué par un retour sincère à la religion, s'écoula entre sa famille et son souverain dont il était devenu l'historiographe et à qui il vouait une admiration réelle.

Il écrivit encore *Esther* (1689) à la demande de Mme de Maintenon, puis *Athalie* (1691). Il mourut à Paris en 1699 et fut enseveli, selon sa volonté, au cimetière de Port-Royal-des-Champs. On a de lui, en outre, un fragment de l'*Histoire du règne de Louis XIV* et l'*Abrégé de l'histoire de Port-Royal*. Peintre du sublime et des grandes passions, il réalisa l'idéal de la tragédie classique.

RAMADIER (PAUL)

Homme politique français né à La Rochelle en 1888, mort à Rodez en 1961. Député socialiste (1928), il participa au Front populaire et fut chargé du ministère des Travaux publics. En juillet 1940, il fut un des quatre-vingts parlementaires qui refusèrent de voter les pleins pouvoirs à Pétain.

Il entra alors dans la Résistance. En 1944-1945, il fut nommé au Ravitaillement. En 1946, il occupa le poste de garde des Sceaux. En 1947, il écarta les communistes du gouvernement, approuva le plan Marshall et fit voter le statut de l'Algérie.

RAMBOUILLET (CATHERINE DE VIVONNE DE SAVELLI, MARQUISE DE)

Née à Rome en 1588, morte à Paris en 1665. Elle avait épousé en 1600 Charles d'Agennes, marquis de Rambouillet. Dès 1620, elle ouvrit son hôtel parisien (construit et décoré en partie sur ses plans) à tout ce que le XVIIe siècle comptait d'illustre, recevant soit sous son anagramme d'Arthénice, soit sous son nom de précieuse, Rozalinde. L'influence de ce salon fut considérable. Il finit cependant par tomber dans la pruderie et l'affectation et devint la risée de certains.
Les femmes qui en faisaient partie se donnaient le nom de «précieuses» et n'usaient entre elles que d'un langage conventionnel. Molière s'en est moqué dans *Les Précieuses ridicules*.

RAMBUTEAU (CLAUDE PHILIBERT BARTHELOT, COMTE DE)

Administrateur et homme politique né et mort à Mâcon (1781-1869). Napoléon Ier le nomma chambellan et lui confia une mission en Westphalie (1811). Préfet en 1814 et député de la Loire pendant les Cent-Jours, il fut chargé de réprimer des troubles royalistes à Montauban. Éloigné sous la Restauration, il se rallia à la nouvelle monarchie en 1830. Préfet de la Seine (1833), il fit entreprendre des travaux d'embellissement et d'assainissement de Paris (percements de rues, constructions d'égouts, achèvement de l'Arc de triomphe, etc.) et remplaça le système d'éclairage à l'huile par l'éclairage au gaz.

RAMEAU (JEAN-PHILIPPE)

Compositeur français né à Dijon en 1683, mort à Paris en 1764. Fils d'un organiste, il fut d'abord musicien dans une troupe d'ambulants en Italie. Organiste à Lyon, puis à Clermont-Ferrand (1702), il s'installa à Paris en 1706, époque à laquelle il publia ses premières œuvres pour le clavecin. Il occupa alors divers postes, repartit pour la province et ne revint dans la capitale qu'en 1723. En 1733 seulement, il aborda l'opéra avec *Hippolyte et Aricie*. Engagé chez le riche financier La Pouplinière comme chef d'orchestre, il rencontra chez lui Voltaire, qui lui donna le livret de *Samson*. Il ne composa pas moins de trente-deux opéras dont *Les Indes galantes*. Sa comédie-ballet, *La Princesse de Navarre* (1745), représentée à l'occasion du mariage du Dauphin, fut un triomphe à Versailles. Elle lui valut une pension et le titre de compositeur de musique de la chambre. Ses nombreux traités techniques bouleversèrent la musique de l'époque et le désignent comme un précurseur. Saint-Saëns disait qu'il était « le plus grand génie musical que la France ait porté ».

RAVAILLAC (FRANÇOIS)

L'assassin d'Henri IV est né à Touvre (Dordogne) en 1578. Influencé par une campagne menée contre la politique du roi, il pensait, par son acte, sauvegarder la foi de son pays. Armé d'un couteau, il frappa le monarque par deux fois le 14 mai 1610, en plein Paris, rue de la Ferronnerie. Arrêté aussitôt, il fut tenaillé et écartelé le 27 mai suivant.

RAVEL (MAURICE)

Compositeur français né à Ciboure (Pyrénées-Atlantiques) en 1875, mort à Paris en 1937. Admis au Conservatoire de Paris à 14 ans, il eut pour maître, entre autres, Gabriel Fauré. Malgré l'originalité de ses premières œuvres, *Habanera* (1895), *Schéhérazade, Pavane pour une infante défunte* (1899)..., il n'obtint cependant qu'un second prix de Rome suivi de deux échecs et de son élimination du concours. Cette exclusion fit scandale mais ne trompa pas ses amis (Erik Satie, Léon-Paul Fargue, Valéry

Larbaud, Stravinski, Diaghilev...). Dès lors, il ne songea plus qu'à la création. Les *Ballets russes* de Diaghilev lui confièrent néanmoins, en 1909, la partition de *Daphnis et Chloé*.
L'année suivante, il fonda la Société musicale indépendante, rivale de la Société nationale de musique, et entreprit plusieurs tournées à l'étranger. Il écrivit entre deux voyages *L'Enfant et les sortilèges*, fantaisie lyrique dont Colette avait rédigé le livret et qui fut montée à Monte-Carlo. C'est au retour d'une tournée aux États-Unis qu'il composa, en deux semaines, son célèbre *Boléro* pour la danseuse Ida Rubinstein, et son *Concerto pour la main gauche*. À partir de 1933 apparut cette affection cérébrale qui devait l'emporter quelques années plus tard.

RÉAUMUR (RENÉ ANTOINE FERCHAULT DE)

Physicien et naturaliste français né à La Rochelle en 1683, mort à Saint-Julien-du-Terroux (Mayenne) en 1757. Ses travaux sur la cémentation et l'adoucissement des fers fondus, sur la fabrication du fer-blanc et sur la porcelaine lui valurent la protection de l'État. Mais sa renommée reste surtout attachée à l'invention du thermomètre qui porte son nom. Il a aussi étudié les invertébrés et rédigé des *Mémoires pour servir l'histoire des insectes* (1734-1742).

RÉFORME (OU RÉFORMATION)

C'est ainsi qu'on nomme le mouvement religieux qui, dans la première moitié du XVIe siècle, provoqua la rupture de l'unité de l'église catholique. La Réforme fut, avant tout, l'expression d'un retour à la pureté évangélique. Déjà, le début du second millénaire avait manifesté cette volonté par le truchement des vaudois, des cathares et des bogomiles. Elle reparut au XIVe siècle en Grande-Bretagne avec Wyclif, puis en Bohême avec Jean Hus. Mais elle ne connut son véritable épanouissement qu'avec Luther, Calvin et Zwingli.

D'autres causes, d'ordres divers, en avaient préparé la venue. Ainsi la réaction populaire contre les impôts pontificaux; la vie luxueuse à laquelle s'adonnait le haut clergé et les frais parfois très lourds occasionnés par l'embellissement des églises; la misère, à l'inverse, du bas clergé, dont le mécontentement ne pouvait que préparer l'adhésion d'un bon nombre de ses membres à l'appel des réformateurs; le souvenir du Grand Schisme d'Occident dont la gravité avait ébranlé l'autorité de Rome, introduit le doute et miné le concept même d'une organisation hiérarchique; l'influence grandissante des humanistes enfin qui, par leur étude des textes sacrés, enlevaient peu à peu à l'Église le monopole de l'exégèse.

On peut y ajouter le calcul de certains princes que la tentation de s'emparer des terres et des richesses du clergé conduisit à appuyer le mouvement déjà en cours.

La Renaissance elle-même n'y fut pas étrangère, inspiratrice d'un certain individualisme dont on peut retrouver la trace dans la définition protestante de l'homme et du salut. La Réforme s'étendit rapidement à toute l'Europe du Nord et à l'Angleterre, gagna le Nouveau Monde et éclata, avec le temps, en multiples ramifications.

RENAISSANCE

Ensemble des mouvements qui touchèrent les arts, les lettres, la philosophie et les sciences dans l'Italie du XIVe siècle et gagnèrent progressivement les autres pays d'Europe, consacrant la rupture définitive avec les conceptions du Moyen Âge.

Ils se traduisirent à la fois par un retour aux formes et aux idées de l'Antiquité grecque et romaine, et par l'instauration de nouvelles méthodes d'observation et de calcul qui allaient déboucher, un peu plus tard, sur les *Temps modernes*.

La découverte de l'imprimerie contribua à ce bouleversement qui triompha avec l'humanisme, au détriment de la vieille sco-

lastique : études critiques des textes anciens et même de la Bible ; développement des cultures nationales ; apparition enfin, dans la littérature et les sciences, des langues vernaculaires. L'exploration du globe, entreprise au même moment, ne fut pas sans répercussions sur l'effondrement des valeurs traditionnelles. De très nombreux artistes, philosophes et savants illustrèrent cette période qui fut une révolution dans tous les domaines et où les spéculations les plus audacieuses virent le jour.
En France, la Renaissance fit son apparition à la suite des guerres d'Italie entreprises par Charles VIII, Louis XII et François Ier.

RENAUDOT (THÉOPHRASTE)

Médecin et journaliste français né à Loudun en 1586, mort à Paris en 1653. Nommé par Richelieu « commissaire royal des pauvres du royaume », il fonda une « Consultation charitable pour les indigents ». On lui doit d'autre part la création de *La Gazette de France* (1631), premier périodique français destiné à appuyer les vues de Louis XIII, et celle du mont-de-piété (1637).
Le prix Renaudot, institué en 1925, récompense chaque année un romancier.

RENOIR (AUGUSTE)

Peintre français né à Limoges en 1841, mort à Cagnes-sur-Mer en 1919. On retrouve, dans ses premières toiles, l'influence des artistes du XVIIIe siècle qu'il admirait. Il copia ensuite, pêle-mêle, Delacroix et Courbet. Avec Monet, dès 1866, il élabora les techniques de l'impressionnisme. C'est alors qu'il prit pleinement possession de son talent, maniant une couleur brillante où les tons frais côtoient les noirs veloutés.
De sa production particulièrement intense, on retiendra : *Parisiennes costumées en Algériennes* (1872), *La Loge* (1874), *Le Moulin de la Galette* (1876), *Madame Charpentier et ses enfants*

(1878), *Chemin montant dans les hautes herbes* (1880). Désormais connu, il entreprit de fréquents voyages en Europe et en Afrique du Nord. Puis il découvrit Ingres qui amena chez lui une sévérité linéaire dont se ressentent ses *Grandes Baigneuses* (1884-1887).

Vers la fin de sa vie, perclus de rhumatismes, il ne travaillait plus qu'avec deux doigts, peignant des nus alourdis d'un panthéisme puissant. Il acheva son existence dans la sculpture.

RÉPUBLIQUE (Ire)

Elle débuta le 21 septembre 1792, quelques semaines après la proclamation de la déchéance du roi (10 août) et s'acheva avec le sacre de Napoléon Ier en 1804. Faits saillants :

❒ début du procès de Louis XVI (décembre 1792) ;
❒ exécution de Louis XVI (21 janvier 1793) suivie de la première coalition européenne contre la France ;
❒ soulèvement de la Vendée (mars 1793) ;
❒ établissement de la Terreur (septembre 1793) ;
❒ exécution de la reine Marie-Antoinette (16 octobre 1793) ;
❒ premières victoires des armées de la Révolution (fin 1793) ;
❒ chute de Robespierre et fin de la Terreur (9 thermidor, 27 juillet 1794) ;
❒ institution du Directoire (Constitution an III, août 1795) ;
❒ premières formulations des théories communistes par Gracchus Babeuf (1796) ;
❒ campagne d'Italie (1796-1797) ;
❒ campagne d'Égypte (1798-1799) ;
❒ formation de la deuxième coalition et retour de Bonaparte en France (octobre 1799) ;
❒ coup d'État du 18 brumaire (9 novembre 1799) et instauration du Consulat ;
❒ fondation de la Banque de France (février 1800) ;
❒ traité de Lunéville (9 février 1801) et Concordat ;

❒ traité d'Amiens (25 mars 1802) ; mise en vigueur du Code civil (21 mars 1804) ; ❒ Napoléon sacré Empereur des Français (2 décembre 1804).

RÉPUBLIQUE (IIe)

Elle fut proclamée le 25 février, au lendemain des trois journées révolutionnaires de 1848, et fut marquée par l'entrée du prolétariat sur la scène politique. Dans ses débuts, elle refléta l'expression d'un authentique élan humanitaire. Faits nouveaux :

❒ le suffrage universel ; ❒ le droit au travail ;
❒ l'abolition de la peine de mort pour des raisons politiques ;
❒ la condamnation de l'esclavage ;
❒ l'élection de Louis-Napoléon Bonaparte (10 décembre 1848) ;
❒ le triomphe du parti de l'Ordre (mai 1849) ;
❒ les lois Falloux (mars 1850) ;
❒ les lois sur la liberté de la presse (juillet 1850).

Cette IIe République fut de courte durée et s'effondra avec le coup d'État du 2 décembre 1851 et le rétablissement de l'Empire proclamé le 2 décembre 1852 au profit de Napoléon III.

RÉPUBLIQUE (IIIe)

Régime sous lequel vécut la France après la capitulation de Sedan et la chute du second Empire (1870) jusqu'à la proclamation de l'État français par le maréchal Pétain (11 juillet 1940). Éléments dominants :

❒ insurrection de la Commune de Paris (18-28 mai 1871) ;
❒ adoption de l'amendement Wallon, principe fondamental de la République (30 janvier 1875) ;
❒ colonisation de l'Afrique équatoriale (commencée en 1872), de l'Afrique occidentale (entreprise en 1879), du Tonkin (1885) et de Madagascar (1896) ;
❒ scandale de Panama et affaire Dreyfus (1894-1899) ;

❐ création du syndicalisme (CGT, 1895) ;
❐ Entente cordiale (1904) ;
❐ séparation de l'Église et de l'État (1905) ;
❐ montée des nationalismes et formation des groupements d'extrême-droite (Action française, 1908) ;
❐ Première Guerre mondiale (1914-1918) ;
❐ traité de Versailles (1919) ;
❐ création de la SDN (1920) ;
❐ Cartel des gauches (1924) ;
❐ grande crise financière (krach de Wall Street, 1929) ;
❐ nouvelle flambée de l'extrême-droite (Action française, Croix de feu, Jeunesses patriotes, 1934) ;
❐ rupture avec l'Italie (invasion de l'Éthiopie par Mussolini, 1935) ;
❐ Front populaire, semaine des 40 heures, congés payés (1936) ;
❐ réarmement de la Rhénanie (1936) ;
❐ *Anschluß* (15 mars 1938) ;
❐ accords de Munich (30 septembre 1938) ;
❐ pacte germano-soviétique (23 août 1939) ;
❐ déclaration de la Seconde Guerre mondiale (3 septembre 1939) ;
❐ signature de l'armistice entre la France et l'Allemagne (22 juin 1940).

RÉPUBLIQUE (IVe)

Cette période englobe les années comprises entre juin 1944 et octobre 1958. On peut la fragmenter ainsi :
❐ gouvernement provisoire du général de Gaulle qui mit fin à l'État français du maréchal Pétain (juin 1944-janvier 1947) ;
❐ prise de Strasbourg par l'armée Leclerc (novembre 1944) ;
❐ franchissement du Rhin par les troupes de De Lattre (mars 1945) ;
❐ reddition de l'Allemagne (8 mai 1945) ;
❐ constitution de la IVe République (13 octobre 1946) ;
❐ vote des femmes (1946) ;
❐ début de la guerre froide et renvoi des communistes du gou-

vernement (avril 1947) ;
❐ plan Marshall et reconstruction européenne (1948) ;
❐ Alliance atlantique ;
❐ essor de l'industrie française (création de l'avion *Caravelle*, du paquebot *France*, des locomotives électriques les plus rapides du monde, construction du pont de Tancarville, centrales électriques de Génissiat et de Donzère-Mondragon, usine marémotrice sur la Rance, usines atomiques de Saclay et de Marcoule, gaz de Lacq, etc, 1952-1956) ;
❐ rapprochement de l'Allemagne et première ébauche du Marché commun (1957) ;
❐ guerre du Viêt-Nam (1946-1954) ;
❐ guerre d'Algérie (1954-1962) ;
❐ expédition de Suez (1956) ;
❐ putsch d'Alger (13 mai 1958).

RÉPUBLIQUE (Ve)

Le 28 mai 1958, en pleine crise algérienne, le président René Coty, s'adressant au général de Gaulle, lui demanda de former un nouveau gouvernement. Le régime sous lequel la France entra cinq mois plus tard n'a pas changé à ce jour. Voici quelques dates importantes jusqu'à l'élection de Jacques Chirac :
❐ apparition du nouveau parti gaulliste, l'Union pour la nouvelle République (UNR, novembre 1958) ;
❐ déclaration de l'autodétermination de l'Algérie (16 sept. 1959) ;
❐ barricades d'Alger (janvier 1960) ;
❐ explosion de la première bombe atomique française (fév. 1960) ;
❐ putsch des généraux 21-26 avril 1961 et Organisation de l'armée secrète (OAS) ;
❐ accords d'Évian (18 mars 1962) ;
❐ de Gaulle s'oppose à l'entrée de la Grande-Bretagne dans l'Europe des Six (janvier 1963) ;
❐ rapprochement avec l'Allemagne (22 janvier 1963) ;

- réélection de De Gaulle (décembre 1965) ;
- la France se retire définitivement de l'OTAN (1966) ;
- crise de mai 1968 ;
- élection de Georges Pompidou à la présidence de la République (1969) ;
- élection de Valéry Giscard d'Estaing à la présidence de la République (1974) ;
- élection de François Mitterrand à la présidence de la République en 1981 et en 1988 ;
- élection de Jacques Chirac à la présidence de la République en 1995.

RÉSISTANCE

On appelle ainsi les regroupements clandestins qui se formèrent, durant la Seconde Guerre mondiale, spontanément dans tous les pays occupés par les puissances de l'Axe.
D'abord désorganisés et sans moyens d'action, ils furent peu à peu pris en charge par les Alliés, et plus particulièrement par la Grande-Bretagne que sa proximité mettait en position plus favorable. Ils jouèrent un rôle non négligeable, tant dans le sabotage et la subversion que dans le renseignement.
Préparées et encadrées par des agents envoyés à leur intention, fournies en armes légères et en explosifs (par parachutages ou par vedettes spéciales), ces formations se répandirent dans toute l'Europe. Certaines se constituèrent en filières d'évasion ou en cellules de sauvetage (récupération des pilotes abattus en territoires occupés, par exemple). En ce qui concerne la France, la Résistance prit naissance le 18 juin 1940, en réponse à l'appel lancé ce même jour à la BBC par Charles de Gaulle.
Ce fut l'origine des Forces françaises libres (FFL) qui, à cette date, commencèrent à agir à l'extérieur.
À l'intérieur, en zone libre comme en zone occupée, se développèrent un grand nombre d'organisations à dominante politique

dont les principales sont : Libération, Combat, l'Organisation civile et militaire (OCM), l'Organisation de résistance de l'armée (ORA), Francs-Tireurs et Partisans (FTP). À l'instigation de général de Gaulle, Jean Moulin en fut nommé le délégué général afin de coordonner leurs efforts et d'aider plus efficacement à la libération du pays. Le Conseil national de la Résistance (CNR) fut alors créé (1943) afin d'unifier cet ensemble jusqu'alors politiquement divisé.

À côté de ces groupes, mais sous commandement britannique, furent implantés les éléments de la Section française du SOE (*Special Operations executive*). Quelque 95 réseaux fonctionnèrent jusqu'au débarquement de Normandie, leur raison d'être. Le SOE, fondé par Churchill en 1940, vit son activité s'étendre sur toute l'Europe et au-delà. Rattaché aux *Special Means* (Moyens spéciaux), il fut, en dehors de ses fonctions apparentes de harcèlement et de sabotage, un instrument lié à la grande stratégie d'intoxication mise au point par les services secrets durant toute la durée du conflit.

RETZ (JEAN-FRANÇOIS PAUL DE GONDI, CARDINAL DE)

Homme politique et écrivain français né à Montmirail en 1613, mort à Paris en 1679. Saint Vincent de Paul fut son précepteur. Entré dans les ordres sans vocation, il complota contre Richelieu. Anne d'Autriche le fit nommer coadjuteur de l'archevêque de Paris. Sous Mazarin, il organisa la journée des Barricades (1648) et prit une part active à la Fronde.

Sous le nom de Retz, il obtint le titre de cardinal et devint à son tour archevêque de Paris (1654). À la mort de Mazarin, il se rapprocha de Louis XIV dont il reçut l'abbaye de Saint-Denis. Il a laissé d'intéressants *Mémoires*.

RIBBENTROP (JOACHIM VON)

Homme politique allemand, né à Wesel en 1893. Il fut de ceux qui, dès 1931, facilitèrent l'avènement d'Hitler. En 1938, il remplaça von Neurath aux Affaires étrangères. Il inaugura alors une politique agressive et, se rapprochant de l'Italie, signa avec cette nation le pacte d'Acier. L'année suivante, le 3 août, il signait le pacte germano-soviétique. Pendant la guerre, ses fonctions diplomatiques ayant pratiquement cessé, il participa avec Himmler au contrôle des territoires occupés. Ensemble, ils organisèrent la déportation. Condamné à mort par le tribunal de Nuremberg, il fut pendu en octobre 1946.

RICHARD CŒUR DE LION

Roi d'Angleterre, né à Oxford en 1157. Fils d'Aliénor d'Aquitaine et d'Henri II, il succéda à son père en 1189. Il prit la croix en 1190 et fut, avec Philippe Auguste, l'âme de la troisième croisade. Il s'empara de Chypre où il épousa la fille du roi de Castille, Bérengère. Il prit ensuite Saint-Jean-d'Acre (1191), marcha sur Jaffa mais ne put réduire Jérusalem. Il traita alors avec le sultan Saladin. Mais, tandis qu'il rentrait en Angleterre, victime d'un naufrage, il fut pris par le duc d'Autriche Léopold Ier qui le livra à l'empereur d'Allemagne. Il dut payer une rançon exorbitante pour recouvrer sa liberté.

Revenu dans son royaume, il y trouva son frère Jean sans Terre qui tentait de le supplanter, appuyé en cela par Philippe Auguste. Ce dernier ayant essayé de s'emparer de la Normandie, Richard s'arma contre lui et le battit à Fréteval (1194) mais trouva la mort pendant le siège du château de Châlus contre le vicomte de Limoges (1199). Jean sans Terre lui succéda après avoir fait assassiner l'héritier désigné, Arthur de Bretagne.

RICHELIEU (ARNAUD DU PLESSIS, CARDINAL, DUC DE)

Prélat et homme politique français né et mort à Paris (1585-1642). Son père, François du Plessis, était capitaine des gardes d'Henri IV. Évêque de Luçon (1607), orateur du clergé aux États généraux (1614), en faveur auprès de Marie de Médicis et de Concini, il obtint le poste de secrétaire d'État (1616).

Chargé de réconcilier la reine mère avec son fils Louis XIII, il s'acquitta de cette tâche, entra au Conseil du roi(1624) et devint son Premier ministre, poste qu'il occupa jusqu'à sa mort. Il poursuivit alors deux objectifs : restaurer la puissance royale et assurer la prépondérance française en Europe.

Pour cela, il fut conduit d'une part à abattre la puissance des grands et à réduire le pouvoir des protestants, et de l'autre à abaisser la maison d'Autriche. Il brisa les grands en déjouant leurs innombrables complots et en les châtiant en retour : exécution de Cinq-Mars, de De Thou, de Chalais, de Montmorency ; embastillement de Bassompierre, exécution de Marillac, exil de la reine mère…

Contre les protestants, il entreprit le siège de La Rochelle (1628) et contraignit, malgré le soutien des Anglais, la ville à se rendre. Par la paix d'Alès, il leur reprit les places fortes consenties par l'édit de Nantes, leur laissant toutefois la liberté de culte.

À l'extérieur, envahissant la Valteline que l'Espagne convoitait, il la replaça sous la domination suisse. Puis il acquit Pignerol pour la France tandis que la maison de Nevers, son alliée, s'emparait du duché de Mantoue. Enfin, s'unissant au roi de Suède Gustave Adolphe alors à la tête du parti protestant d'Allemagne, il prit part à la guerre de Trente Ans contre l'Autriche (1635).

Richelieu contribua à la formation d'une marine et développa le commerce. Il fonda l'Académie française et fit élever le Palais-Cardinal (futur Palais-Royal).

RICHELIEU (ARMAND EMMANUEL DU PLESSIS DE CHINON, DUC DE)

Homme politique français né et mort à Paris (1766-1822). Il émigra à la Révolution et s'établit en Russie où il servit le général Souvarov contre les Turcs.
Ayant obtenu la faveur de Catherine II, puis d'Alexandre Ier, il fut nommé gouverneur d'Odessa (1803). De retour en France à la Restauration, il fut ministre aux Affaires étrangères puis Premier ministre. En novembre 1815, il signa le deuxième traité de Paris et, grâce à l'amitié que lui portait le tsar, fit alléger les charges qui pesaient contre la France.
Il obtint ensuite la dissolution de la Chambre introuvable, qui mit un terme à la Terreur blanche (sept. 1816). Après le congrès d'Aix-la-Chapelle (1818), qui marquait le départ anticipé des troupes d'occupation, il se retira du pouvoir. Rappelé deux ans plus tard, à la suite de l'assassinat du duc de Berry, il se heurta aux ultras et aux libéraux qui le jugèrent, les uns trop modéré, les autres autoritaire. Il démissionna en 1821.

RIMBAUD (ARTHUR)

Poète français, né à Charleville en 1854. Son œuvre, brève et fulgurante, fut écrite pendant une adolescence vagabonde et publiée par Verlaine (1884-1886), alors qu'il avait depuis longtemps renoncé à toute littérature. Il s'était révélé vers 1870, n'ayant pas encore 17 ans, et « disparut » en 1873 après un temps de vie commune avec Verlaine, à Paris, à Londres et en Belgique.
Il visita alors l'Europe, Chypre, l'Égypte, les îles de la Sonde pour finir à Harrar, en Abyssinie, où, s'occupant d'un comptoir de commerce, il se livra au trafic d'armes et d'ivoire.
À la suite d'une blessure, il dut rentrer en France où, après l'amputation de la jambe droite, il mourut de la gangrène à l'hôpital de Marseille en 1891.

L'œuvre qu'il a laissée reste unique par sa violence et la quête d'un absolu qu'il chercha plus tard dans l'aventure ; elle a profondément marqué le mouvement surréaliste et est à l'origine de la mutation poétique moderne : *Poésie*, *Une saison en enfer*, *Illuminations* et quelques fragments.

RIQUET (PIERRE PAUL DE)

Ingénieur français né à Béziers en 1604, mort à Toulouse en 1680. Il conçut le projet de creuser une voie d'eau qui réunirait l'Atlantique à la Méditerranée. Approuvé par Colbert, il commença les travaux à partir de 1666. Ils durèrent quatorze ans. Les crédits débloqués étant insuffisants, Riquet eut recours à sa propre fortune qu'il y dépensa presque entièrement. Il mourut six mois avant l'achèvement de son œuvre, que terminèrent ses deux fils et qui porte aujourd'hui le nom de canal du Midi.

ROBERT LE FORT

D'une origine incertaine, il est reconnu comme le premier des Capétiens. En 852, il était l'un des *missi dominici* de Charles le Chauve. Révolté contre son souverain, il se fit l'allié de Louis le Germanique. Réconcilié avec Charles, il reçut de lui les comtés de Paris, d'Anjou et de Blois (861). Dès lors, il guerroya contre les envahisseurs normands et mourut au cours d'une bataille, à Brissarthe, en 866. Il eut pour fils Eudes et Robert, qui furent tour à tour rois de France.

ROBERT II LE PIEUX

Roi de France né à Orléans vers 970, mort à Melun en 1031. Fils d'Hugues Capet, il partagea la couronne avec son père dès 996. Excommunié pour avoir répudié Rosala, veuve du comte de Flandre, et épousé sa parente, Berthe de Bourgogne, il répudia celle-ci à son tour (1003) pour s'unir à Constance de Provence,

fille du comte de Toulouse, qui ne lui apporta que des ennuis. Son règne fut marqué par la conquête du duché de Bourgogne (1002-1016). En 1024, il refusa la couronne impériale que lui offraient les Italiens. Ses efforts se portèrent dès lors contre les féodaux à qui il tenta d'imposer son autorité, et contre l'hérésie bogomile et cathare qui commençait à se développer.
Désireux de s'attirer les faveurs du Saint-Siège, il participa à l'entreprise des moines de Cluny dans leur réforme de l'Église de France. Son fils Henri lui succéda.

ROBESPIERRE (MAXIMILIEN)

Homme politique français né à Arras en 1758, mort à Paris en 1794. Élève au lycée Louis-le-Grand, il eut pour condisciple Camille Desmoulins (1770). Jean-Jacques Rousseau – qu'il rencontra à Ermenonville – l'inspira.
Député du Tiers en 1789, membre du club des Jacobins, il proposa, après la fuite de Louis XVI à Varennes (1791) et l'affaire du Champ-de-Mars, le remplacement du monarque par des moyens constitutionnels. Après l'insurrection du 20 juin 1792, il affirma des idées républicaines, siégea avec les Montagnards et exigea la destitution du roi. Au procès de Louis XVI, il vota la mort sans appel ni sursis. Ennemi implacable des Girondins, il fut à l'origine de leur perte. Tout-puissant au Comité de salut public (juillet 1793), soutenu par Saint-Just, il établit le régime de la Terreur, attaqua, condamna et fit exécuter les hébertistes qu'il jugeait démagogues, et les modérés qui réclamaient un comité de clémence.
Il ordonna la fête de l'Être suprême, se posant en rénovateur des valeurs morales et religieuses. Imposant à la Convention une loi qui supprimait toute forme de procédure et soumettait à la loi commune les conventionnels eux-mêmes, *l'Incorruptible* – ainsi que l'avait nommé Marat – multiplia les exécutions. Menacés, les conventionnels s'unirent alors pour l'abattre.

La séance du 9 thermidor, durant laquelle ni lui ni Saint-Just ne purent prononcer un mot, s'acheva par un décret d'arrestation lancé contre eux. Comme Robespierre se rendait à l'Hôtel de Ville pour y proclamer un appel aux armes, il fut grièvement blessé à la mâchoire par le gendarme Merda, et arrêté. Le lendemain, il fut transporté mourant à l'échafaud et guillotiné. La Terreur prit fin avec sa disparition.

ROCHEFORT (HENRI, MARQUIS DE ROCHEFORT-LUÇAY, DIT HENRI DE)

Écrivain et homme politique né à Paris en 1830, mort à Aix-les-Bains en 1913. Auteur de comédies, de vaudevilles, critique d'art au *Charivari*, il obtint le poste d'inspecteur des Beaux-Arts. Mais, délaissant cette fonction, il se consacra au journalisme (*Le Figaro*, *Le Nain jaune*, etc.). Ses articles virulents le firent exclure des grands quotidiens. Il créa alors son propre hebdomadaire, *La Lanterne* (1868), hostile à l'Empire, au point qu'il dut fuir en Belgique. De retour en France, député, il fonda *La Marseillaise* (1869). Favorable à la Commune de Paris (1871), il fut condamné à l'exil en Nouvelle-Calédonie (1872).

Évadé peu après, il se réfugia à Genève et ne revint en France qu'en 1880. Il fit alors paraître *L'Intransigeant* où il soutint les revendications radicales et socialistes. Député de Paris en 1885, il prit le parti du général Boulanger mais dut fuir à nouveau en Belgique (1889), puis à Londres. Revenu en 1895, il révéla le scandale de Panama, s'attaqua à Dreyfus et milita en faveur du nationalisme. Il est l'auteur d'un grand nombre d'ouvrages, dont *Les Aventures de ma vie* (1895).

ROCHELLE (SIÈGE DE LA)

Il fut envisagé par Richelieu dont l'un des objectifs était d'abattre la résistance politique des protestants. Le blocus de la ville, préparé dès la fin de 1627 avec l'érection de treize forts et l'appui d'une nombreuse artillerie, prit la forme d'un siège régulier à partir du printemps 1628 et dura jusqu'au 28 octobre. Le Cardinal avait fait construire, en outre, une formidable digue qui obturait le port et contre laquelle se heurtèrent vainement, par deux fois, les Anglais venus prêter main forte aux assiégés qui durent se rendre, poussés par la faim. Richelieu et Louis XIII se montrèrent magnanimes avec les survivants.

RODIN (AUGUSTE)

Sculpteur français né à Paris en 1840, mort à Meudon en 1917. Il renouvela la sculpture, comme les impressionnistes avaient renouvelé la peinture. Ses débuts furent difficiles et ce n'est que vers 34 ans, avec *L'Âge d'airain* (1874), qu'il entra dans l'histoire de son art, après un voyage en Italie, à la découverte de Donatello et de Michel-Ange. En 1875, il s'imposa avec son *Saint-Jean Baptiste*. Il entreprit ensuite mais n'acheva point la *Porte de l'Enfer* pour le musée des Arts décoratifs, chaos de formes humaines inspiré des portes de bronze du baptistère de Florence.

Le Penseur, *Le Baiser*, *Les Océanides* qui devaient s'y rattacher, furent exécutés à part et forment autant de chefs-d'œuvre particuliers. En 1884, il réalisa le groupe des *Bourgeois de Calais* et, plus tard, le monument à *Balzac*. Moins connus sont les nombreux nus féminins volontairement laissés à l'état d'ébauches. Il eut pour élève – et pour maîtresse – Camille Claudel. Il est l'auteur du livre *Les Cathédrales de France*.

ROLAND (LE PALADIN)

On sait peu de chose de ce personnage si ce n'est qu'il était comte des Marches de Bretagne en 778 et qu'il mourut au col de Roncevaux, cette même année, avec l'arrière-garde de Charlemagne assaillie par les Basques révoltés.
La légende en a fait le neveu de l'empereur, son conseiller et le champion de la chrétienté contre l'invasion maure. Une des plus belles chansons de geste, *La Chanson de Roland*, a exalté les hauts faits et la mort de ce chevalier.

ROLLON

Chef scandinave né vers 860, mort vers 933 (dit aussi Roll le marcheur, car à cause de sa grande taille, il avait du mal à tenir sur un cheval). Banni de son pays natal, la Norvège, à la suite de rapines, il vécut de piraterie. C'est à partir de 890 qu'il apparut sur les côtes normandes et à l'embouchure de la Seine.
Par la paix de Saint-Clair-sur-Epte (911) que lui offrit Charles le Simple, il obtint la partie de la Neustrie appelée depuis Normandie, à condition de reconnaître le roi de France comme son suzerain. Ce dernier lui donna aussi la main de sa fille, Gisèle.
Rollon reçut le baptême et se fit l'allié des Carolingiens. Il eut pour successeur son fils, Guillaume Longue-Épée.

ROME

Ancienne capitale de l'Empire romain fondée vers 750 avant Jésus-Christ. Les Étrusques en tracèrent la première enceinte et la divisèrent en quatre quartiers, selon les règles des cités traditionnelles. Sept rois s'y succédèrent jusqu'en – 509, époque à laquelle la République fut proclamée. Rome fut marquée dès son origine par la lutte entre patriciens (grandes familles aristocratiques) et plébéiens (castes populaires), les seconds étendant peu à peu leur pouvoir grâce à leur présence importante dans l'armée.

À l'extérieur, Rome eut à combattre les Étrusques, les Latins et les Samnites, les Volsques et les Gaulois. En – 272, la péninsule était presque entièrement sous sa domination. En – 264 commença la conquête du bassin méditerranéen. Elle se déroula en trois étapes durant lesquelles l'hégémonie fut âprement disputée entre Romains et Carthaginois.

Ces conflits prirent le nom de guerres puniques. La première s'étendit de – 264 à – 241 ; la seconde de – 218 à – 201 ; la troisième de – 149 à – 146. Carthage vaincue fut alors rasée et ses territoires devinrent la province romaine d'Afrique. Puis l'Espagne fut conquise ainsi que les terres bordant la mer entre les Alpes et les Pyrénées qui formèrent la Narbonnaise. En – 133, le roi Attale III fit don de la province d'Asie.

Une ère nouvelle commençait. Elle vit s'achever la conquête des Gaules et apparaître les premières guerres civiles qui devaient aboutir à la dictature de César (– 46). À partir de – 27, le souverain en place prit le titre d'Auguste et inaugura une longue série d'empereurs qui s'efforcèrent d'unifier l'immense Eempire, ne menant plus de guerres que sur sa périphérie.

Ce fut l'époque de la *pax romana* : administration des régions, développement des arts et de la littérature, expansion de la civilisation proprement latine, extension de la citoyenneté romaine à la plupart des provinces. L'Empire atteignit son apogée entre 161 et 180 (règne de Marc Aurèle), comprenant le pourtour de la Méditerranée, une partie du Pont, la Belgique, la Dacie, les régions nordiques et la majeure partie de l'Angleterre. Mais avec le temps, la menace des Barbares et les divisions intérieures (193-305) vinrent déchirer l'ordre établi.

Ce fut ensuite la christianisation de l'Empire (305-395) et son éclatement en empire d'Orient et empire d'Occident, donnant prise aux Grandes Invasions, inaugurées par le sac de Rome en 410 par les Wisigoths.

RONSARD (PIERRE DE)

Poète français, né près de Vendôme en 1524. Au service du futur Henri II, puis de Jacques V d'Écosse, il fut tout d'abord attaché d'ambassade en Allemagne et en Italie. Devenu sourd (1542) il s'éloigna de ses fonctions de cour. Il occupa alors ses loisirs à l'étude des auteurs grecs et latins qu'il traduisit.

En 1549 naissait la célèbre Pléiade dont il fut l'instigateur et le chef. Favori d'Henri II, de Charles IX, puis d'Henri III, il fut recherché par tous les grands personnages de son temps. Vieillissant, il se retira dans l'un des prieurés que lui avaient donnés ses protecteurs et y mourut en 1585. Ses œuvres principales sont les *Odes* (1550-1555), les *Amours* (1552), les *Hymnes* (1555-1556), les *Élégies* (1560) et les *Discours* (1560-1564).

ROUGET DE LISLE (CLAUDE)

Compositeur et officier français né à Lons-le-Saunier en 1760, mort à Choisy-le-Roi en 1836. Il est l'auteur des paroles et de la musique du *Chant de guerre pour l'armée du Rhin* (1792) qui devint l'hymne national français sous le nom de *Marseillaise.*

On lui doit un certain nombre d'autres chants militaires et de livrets d'opéra. Il fut emprisonné sous la Terreur, puis libéré pendant la réaction thermidorienne.

ROUSSEAU (JEAN-JACQUES)

Écrivain et philosophe français, né à Genève en 1712, mort à Ermenonville en 1778. Il perdit très tôt sa mère et n'eut d'autre formation que l'éducation fantasque et décousue que son père lui prodigua. Adolescent, il s'essaya à divers apprentissages et mena une existence vagabonde jusqu'à sa rencontre avec Mme de Warens (1732) chez qui il demeura dix ans, « goûtant les charmes de la nature » et se livrant avec transport à la lecture et à la musique. Il y constitua ce qu'il nomma plus tard son « magasin d'idées ». Installé à Paris en 1742, il s'y lia d'amitié avec Grimm et Diderot, auquel il offrit de collaborer à l'*Encyclopédie*. À cette époque, l'académie de Dijon ayant mis en concours un sujet, il décida de s'y essayer. Il en obtint le prix mais surtout la gloire car, sitôt publié, ce *Discours sur les sciences et sur les arts* dans lequel il attaquait passionnément la civilisation, provoqua un enthousiasme général. Il présenta alors un second sujet : *Discours sur l'origine de l'inégalité parmi les hommes* (1753) qui, s'il ne fut pas primé, obtint le même prodigieux succès.

Les propos qu'il contient allaient plus tard influencer les doctrinaires de la Révolution, puis ceux du socialisme et du communisme. Entre-temps, il avait composé un opéra, *Le Devin du village*, qui fut joué à Fontainebleau devant la cour (1752), puis à l'Opéra où il reçut les plus vives louanges. En 1756, il s'établit à l'Ermitage, pavillon situé en forêt de Montmorency que lui avait offert Mme d'Épinay.

Il y commença l'*Émile* où il présente ses idées sur l'éducation, et *La Nouvelle Héloïse*, roman sentimental dont s'inspireront, entre autres, Chateaubriand, Lamartine, Mme de Staël et George Sand. Cependant, d'une sensibilité maladive et se croyant persécuté, il commença à s'éloigner de la plupart de ses amis.

De cette période date sa passion pour Mme d'Houdetot, belle-sœur de Mme d'Épinay, avec laquelle, en contrepartie, il se brouilla (1757). Installé à Montmorency, il y composa sa *Lettre à d'Alembert sur les spectacles* (1758) qui scella l'hostilité qu'il nourrissait à l'encontre des philosophes. Reçu chez le maréchal de Luxembourg, il se mit alors à la rédaction du *Contrat social*, complément de l'*Émile*. Les deux ouvrages parurent en 1762. Le second, condamné par le Parlement, l'obligea à s'enfuir en Suisse où il resta cinq ans. En 1766, il embarqua pour l'Angleterre où le philosophe Hume l'invitait. Mais, voyant bientôt en lui un persécuteur, il regagna la France où il erra quelque temps avant de revenir se fixer à Paris (1770). Installé dans la rue qui porte actuellement son nom, il termina ses *Confessions* (commencées en 1765) et entreprit les *Rêveries du promeneur solitaire* (1776-1778).

Cette dernière œuvre resta inachevée : terrassé par une attaque d'apoplexie, il mourut à Ermenonville (1778) chez le marquis de Girardin chez qui il séjournait. « Avec Rousseau, a dit Gœthe, c'est un monde nouveau qui commence. »

RUDE (FRANÇOIS)

Sculpteur français né à Dijon en 1784, mort à Paris en 1855. Le monde entier connaît le haut-relief de sa *Marseillaise* qui figure sur l'Arc de triomphe de l'Étoile. Cet ensemble intitulé en réalité *Le Départ des volontaires* lui fut commandé par Thiers en 1835. Mais il réalisa bien d'autres travaux, comme le *Retour de l'armée d'Égypte* (frise de l'Arc de triomphe, 1830-1835), le buste de Louis David (1831), son *Napoléon s'éveillant à l'immortalité* (1847) ou la statue du maréchal Ney (1852)…

Lui qui avait dû concourir quatre fois avant d'obtenir le prix de Rome fut l'un des plus grands maîtres de l'école française. Pendant les Cent-Jours, à Dijon, il fut mêlé au mouvement bonapartiste et dut s'exiler à Bruxelles sous la Restauration. Il rentra à Paris en 1827.

RUTEBEUF

Poète français né dans la seconde moitié du XIIIe siècle. On sait peu de chose sur sa vie, si ce n'est la date de son second mariage (1261) et celle de sa mort (1380). Auteur de quelques fabliaux, d'un monologue (le *Dit de l'herberie*), du *Miracle de Théophile* et de nombreuses pièces satiriques dirigées contre les femmes, l'Université, les moines (le *Dit des règles*), etc.
Cent ans avant Villon, il chanta avec une sincérité poignante sa misère morale et physique, sa passion du jeu, sa triste situation de poète à gages, ses remords, sa pénitence enfin. On connaît aussi un roman de lui : *Renart le bestourné*, ainsi que sa *Dispute du croisé et du décroisé* où il se fait le prédicateur de la croisade de Saint Louis.

S

SAINT-ARNAUD (ARMAND JACQUES LEROY DE)

Maréchal de France né à Paris en 1801. Il fut garde du corps de Louis XVIII (1817), servit en Corse, mais se retira de l'armée pour cause de dettes et vécut d'aventures jusqu'à sa nouvelle incorporation en 1831. Il s'illustra en Algérie lors de la conquête, sous Bugeaud. Général en 1847, il obtint quatre ans plus tard le portefeuille de la Guerre et contribua à la réussite du coup d'État du 2 décembre. Maréchal l'année suivante, il quitta le ministère en 1854. À la tête des forces françaises en Crimée, il remporta alors la victoire de l'Alma avec les Anglais (septembre 1854). Malade, il passa le commandement à Canrobert, rembarqua et mourut quelques jours après.

SAINT-BARTHÉLEMY (MASSACRE DE LA)

Il fut ordonné par Charles IX, sur les conseils et sous le contrôle de Catherine de Médicis et des Guise, et se déroula à Paris pendant la nuit du 23 au 24 août 1572. Il y avait alors affluence de protestants dans la capitale, tant pour le mariage du jeune Henri de Navarre, leur chef, que pour les préparatifs de guerre contre l'Espagne que dirigeait l'amiral de Coligny et qui avaient l'ac-

cord massif des huguenots. Le signal du massacre fut donné dans l'après-midi du 23 par les cloches de l'horloge du Palais répondant au bourdon de Saint-Germain-l'Auxerrois. Pour se reconnaître, les catholiques portaient un mouchoir blanc au bras gauche et une croix blanche au chapeau. Le nombre des victimes de cette nuit terrible est incertain : les chiffres oscillent entre deux mille et soixante mille. La tuerie s'étendit ensuite en province où, toutefois, certains gouverneurs prirent sur eux de désobéir. Les protestants organisèrent alors leur résistance.
L'amiral de Coligny, dont le cadavre fut piétiné par le duc de Guise, fut parmi les premières victimes (il avait été blessé lors d'un précédent attentat, et la reine mère craignait des représailles). Mais les seules décisions de Catherine de Médicis n'expliquent pas l'ampleur du massacre. Des causes plus profondes y concoururent : le mécontentement des catholiques dû à la paix de Saint-Germain signée en 1570 à l'avantage des calvinistes ; les alliances avec l'Angleterre et les Pays-Bas contre l'Espagne catholique ; enfin, le rôle de plus en plus important joué par Coligny, sans parler des pressions exercées par le pape Pie V.

SAINTE-BEUVE (CHARLES AUGUSTIN)

Écrivain français né à Boulogne-sur-Mer en 1804, mort à Paris en 1869. À partir de 1824, il collabora au journal *Le Globe*. Admis dans le Cénacle de Victor Hugo, il publia quelques poésies mais revint à la critique avec son *Tableau de la poésie française au XVIe siècle*. En 1834 parut son roman *Volupté*, autobiographie désenchantée qui n'eut pas de succès. Bibliothécaire à la Mazarine en 1840, il fut reçu à l'Académie française quatre ans plus tard. Il occupa une chaire au Collège de France puis à l'École normale supérieure. Dans ses *Cahiers*, son « armoire aux poisons », il laissa libre cours à sa malveillance. Après avoir fréquenté tous les milieux, éprouvé tous les sentiments, sympathisé avec toutes les croyances, il se disait revenu de tout et définitivement établi dans le scepticisme moral et philosophique. Il inaugura la critique biographique, et rassembla en livres ses articles littéraires : *Portraits de femmes* (1844), *Portraits contemporains* (1846), *Causeries du lundi* (1851-1862)…

SAINT-JUST (LOUIS)

Homme politique français né à Decize (Nièvre) en 1767, mort à Paris en 1794. Séduit par la Révolution qui offrait à son ambition des horizons nouveaux, il se lança dans la politique. Député de l'Aisne en 1792, il devint l'ami de Robespierre et réclama la tête du roi. Membre du Comité de salut public, il contribua à la chute des Girondins. Fanatique, il poussa Robespierre aux mesures les plus extrêmes et établit avec lui le régime de la Terreur.
Envoyé en octobre 1793 à l'armée du Rhin, il y déploya des qualités d'organisateur et de meneur d'hommes peu ordinaires et contribua à la victoire de Fleurus. Le 26 février 1794, il fit voter la loi qui confisquait les biens des émigrés et des suspects. Opposé aux hébertistes et aux dantonistes, il les fit condamner (avril 1794). Après le 9 thermidor il fut, avec Robespierre, envoyé à l'échafaud.

SAINT-SAËNS (CAMILLE)

Compositeur français né à Paris en 1835, mort à Alger en 1921. Pianiste virtuose, il joua pour la première fois en public à l'âge de 5 ans et donna son premier récital à 10 ans. Sa *Première Symphonie* fut jouée en 1853. Il faut noter, parmi ses très nombreuses productions, l'opéra *Samson et Dalila* (1868), *La Danse macabre* (1877), la *Troisième Symphonie pour orgue et piano* (1886), *Le Carnaval des animaux* (1886), des oratorios… Avec Fauré, Bizet, Franck, Lalo, Massenet et Duparc, il fonda la Société nationale de musique (1871). Il eut pour élèves Fauré et Messager.

SAINT-SIMON (CLAUDE HENRI DE ROUVROY, COMTE DE)

Philosophe et économiste français né et mort à Paris (1760-1825). Passé en Amérique en 1779, il y combattit pendant quatre ans pour l'indépendance des États-Unis. Revenu en France, il écrivit alors une série d'ouvrages dans lesquels il s'affirme comme le précurseur du positivisme et des sciences sociales.
Il y développa ses idées sur la nécessité d'étudier scientifiquement la société et y exprime sa foi en l'avenir de l'industrie.
Il y pose également les bases de l'école socialiste saint-simonienne instituée par ses disciples : *Introduction aux travaux scientifiques du XIXe siècle* (1808), *Esquisse d'une nouvelle Encyclopédie* (1809), *Histoire de l'Homme* (1811), *Le Nouveau Christianisme* (1825)… En 1816, il avait fondé la revue *L'Industrie* qui fut l'organe propagateur de ses conceptions.

SAINT-SIMON (LOUIS DE ROUVROY, DUC DE)

Mémorialiste français né et mort à Paris (1675-1755). Engagé aux mousquetaires en 1691, il quitta ce service avec le grade de maître de camp. Entré à la cour à la fin du règne de Louis XIV, il s'attacha au duc de Bourgogne, puis au duc d'Orléans. Appelé au Conseil de la Régence (1715), il se fit l'adversaire des parlements. Il fut alors nommé ambassadeur en Espagne (1721).
Mais la mort du Régent mit fin à sa carrière diplomatique et il consacra le reste de sa longue vie à rédiger ses *Mémoires*.
Cette œuvre, imprégnée de passion, de colère et d'orgueil, est toutefois aussi vivante dans ses descriptions que profonde dans ses réflexions sur la mort ou le néant des grandeurs humaines. Elle témoigne magistralement, et non sans émotion, du crépuscule du règne du Roi-Soleil.

SAND (AURORE DUPIN, BARONNE DUDEVANT, DITE GEORGE)

Romancière française née à Paris en 1804, morte à Nohant en 1876. Elle passa son enfance dans la propriété de sa grand-mère, à Nohant, dans le Berry. Mariée en 1822 au baron Dudevant, elle s'en sépara en 1831. Dans l'abondante production qu'elle a laissée (plus de cent volumes), on distingue communément quatre périodes.

- De 1831 à 1840, une époque romantique : *Indiana* (1831), *Lélia* (1834), *Mauprat* (1837)
- De 1840 à 1844, une phase socialiste : *Le Compagnon du Tour de France* (1840), *Consuelo* (1842)…
- Puis la série champêtre : *François le Champy* (1844), *La Mare au diable* (1848), *Les Maîtres sonneurs* (1852)…
- Une dernière période où elle revint aux formes écrites de ses débuts : *Les Beaux Messieurs de Bois-Doré* (1858), *La Confession d'une jeune fille* (1865)…

Nohant fut un lieu fréquenté par les artistes et gens de lettres les plus connus de l'époque (Musset, Chopin, Sainte-Beuve, Delacroix, Flaubert, Balzac…). Pendant la révolution de 1848, George Sand s'enticha quelque temps de politique, puis revint à la littérature. Elle ne cessa d'écrire jusqu'à sa mort, laissant aussi une *Histoire de ma vie* et une vaste correspondance.

SARAJEVO (ATTENTAT DE)

C'est dans cette ville de Yougoslavie (Bosnie-Herzégovine) qu'eut lieu l'assassinat de l'archiduc d'Autriche François-Ferdinand, héritier présomptif de l'empereur François-Joseph, le 28 juin 1914. Le meurtrier, Gavrilo Princip, était un terroriste membre d'une organisation secrète armée par des nationalistes serbes. Son acte fut le détonateur qui déclencha la Première Guerre mondiale.

SARRASINS

Nom sous lequel les populations occidentales du Moyen Âge désignaient les musulmans d'Afrique ou du Moyen-Orient.

SARTRE (JEAN-PAUL)

Philosophe et écrivain français né et mort à Paris (1905-1980). Il a développé sa conception de l'existentialisme dans *L'Être et le Néant*. Selon lui, les choses sont fondamentalement déterminées par leur nature, et deviendront ce qu'elles doivent devenir. Mais en ce qui concerne l'homme, l'existence précède l'essence. L'être ne vient qu'après : « L'homme fait, et en faisant se fait. » Mais il se fait en choisissant, car il est libre. Et s'il ne se choisit pas dans son être, il se choisit dans sa manière d'être. Dès lors, il est pleinement responsable de ses actes. La liberté devient l'unique fondement des valeurs ; une liberté absolue à laquelle l'humanité est condamnée et qui va la contraindre à inventer sa route et la mener à l'engagement.

Sartre a étudié les rapports de l'individu et de la société, du « moi » et de « l'autre ». Par ses prises de positions politiques, il s'est montré proche de l'idéologie communiste (direction du journal *Libération*, déclarations pendant la crise de mai 1968, etc.). Il est l'auteur de romans et d'essais philosophiques (*La Nausée*, *Le Mur*), de pièces de théâtre (*Les Mouches*, *Huis-Clos*, *La Putain respectueuse*, *Les Mains sales*, *Le Diable et le bon Dieu*, *Les Séquestrés d'Altona...*) et d'une biographie de Flaubert (*L'Idiot de la famille*). En 1964, il a refusé le prix Nobel.

SAXE (MAURICE, COMTE DE SAXE, DIT LE MARÉCHAL DE)

Maréchal de France né à Goslar (Saxe) en 1696, mort à Chambord en 1750. Fils naturel de l'électeur de Saxe, Auguste II, et de la comtesse Aurore de Königsmarck. D'abord ennemi de la France, il se mit à son service en 1720. Il combattit alors avec l'armée du Rhin (1733-1734) où il fut nommé lieutenant-général. Il se couvrit de gloire pendant la guerre de Succession d'Autriche durant laquelle il s'empara de Prague (1741) et d'Eger (1742). Maréchal de France l'année suivante, il remporta sur les Anglais la brillante victoire de Fontenoy (1745), haut fait pour lequel il reçut de Louis XV le domaine de Chambord.
Il triompha encore, contre les Impériaux, aux batailles de Rocourt (1746) et de Lawfeld (1747) qui débouchèrent sur la paix d'Aix-la-Chapelle (1748). Sa force herculéenne est restée légendaire. Joyeux compagnon et grand séducteur, il eut de nombreuses maîtresses, dont la comédienne Adrienne Lecouvreur.

SCHUMAN (ROBERT)

Homme politique français né à Luxembourg en 1886, mort à Scy-Chazelles (Moselle) en 1963. Député en 1919, il siégea dans le groupe chrétien-démocrate. Nommé sous-secrétaire d'État aux Réfugiés sous Pétain, il quitta ce poste le 10 juillet 1940. Emprisonné et déporté par les Allemands, il réussit à s'évader en 1942. À la présidence du Conseil en 1947, il fit adopter le *plan Marshall* (avril 1948) déjà approuvé par son prédécesseur Paul Ramadier. Avec l'abandon du contrôle de la Ruhr, il amorça une politique de rapprochement avec l'Allemagne. En 1950, il lança le projet de la Communauté européenne du charbon et de l'acier (CECA), plan adopté en avril 1951 par l'Europe des Six (Allemagne fédérale, Italie, Belgique, Luxembourg et Pays-bas — la Grande-Bretagne refusa de s'y joindre).

En 1952, visant une fédération des nations européennes, il signa à Paris un traité prévoyant l'organisation d'une armée européenne mais se heurta aux communistes et aux gaullistes du RPF Président du Mouvement européen en 1955, puis président de l'Assemblée parlementaire européenne à Strasbourg en 1958, il quitta la vie politique en 1962.

SERFS

De *servus*: esclave. Nom que l'on donnait, à l'époque féodale, à la majeure partie de la population agricole et même ouvrière. Les serfs n'étaient pas attachés à la terre mais plutôt au territoire d'une seigneurie. À la différence des esclaves, ils avaient la personnalité juridique et pouvaient, en conséquence, avoir une famille et un patrimoine.
Ils payaient à leur maître prestations et redevances (chevage, taille, corvée). Le servage pouvait disparaître par affranchissement individuel ou collectif, ou par l'exercice de certaines fonctions. Il ne fut aboli définitivement qu'à la Révolution.

SERRES (OLIVIER DE)

Agronome français né à Villeneuve-de-Berg (Ardèche) en 1539, mort au Pradel en 1619. Il avait fait de son domaine un véritable champ d'expériences et fut un des modernisateurs de l'agriculture. Appelé au service d'Henri IV en 1600, il introduisit la culture du houblon, de la garance, du maïs et du mûrier blanc dont il planta vingt mille pieds dans le jardin des Tuileries, inaugurant l'industrie de la soie en France.
Dans les campagnes, il fit disparaître les jachères, qu'il remplaça par des prairies artificielles.

SÉVIGNÉ (MARIE DE RABUTIN-CHANTAL, MARQUISE DE)

Femme de lettres française née à Paris en 1626, morte à Grignan en 1696. Orpheline à 7 ans, veuve à 26, elle partagea sa vie entre l'éducation de ses deux enfants et la fréquentation des salons littéraires et de la cour. En 1669, elle maria sa fille qu'elle idolâtrait au comte de Grignan.
On doit à cette séparation douloureuse pour elle la célèbre *Correspondance* qu'elle entretint désormais. Ces lettres, de grande fraîcheur mais aussi de grande culture, au style direct et primesautier, ont un triple intérêt : elles représentent un morceau d'histoire de France, une peinture détaillée, et sans fiel, de la société de cette époque, et le portrait sans complaisance de leur auteur.

SFIO (SECTION FRANÇAISE DE L'INTERNATIONALE OUVRIÈRE)

Après le parti radical, ce groupe politique est le plus ancien de France, ancré à ses débuts dans un électorat à dominante ouvrière. Passé au second plan au début de la Ve République, il s'est recomposé et élargi en 1971, époque à laquelle François Mitterrand en devint le premier secrétaire. Il prit alors le nom de Parti socialiste. Avec l'apport du Parti socialiste unifié (PSU) de Michel Rocard, du Mouvement républicain de gauche et du Parti communiste, il devint le courant dominant qui porta François Mitterrand à la présidence de la République en 1981.

SIEYÈS (EMMANUEL JOSEPH, DIT L'ABBÉ)

Religieux et homme politique français né à Fréjus en 1748, mort à Paris en 1836. Il était vicaire général de Chartres en 1787. Élu par le tiers état en 1789, c'est lui qui rédigea le *serment du Jeu de paume*. Il participa à la formation du club des Jacobins. Puis il fit adopter la division du royaume en départements. Élu à la Convention (1792), il vota la mort du roi mais se tint à l'écart pendant la Terreur. En Hollande, il signa le traité de paix de La Haye (1795).

Il siégea alors aux Cinq-Cents et prépara le coup d'État du 18 Brumaire. Nommé consul provisoire, il fut de ceux qui rédigèrent la Constitution de l'An VIII. Fait comte d'Empire en 1809, pair pendant les Cent-Jours, il fut proscrit après la chute de Napoléon en tant que régicide. Il ne revint en France qu'après la révolution de Juillet.

SIGEBERT Ier

Troisième fils de Clotaire, né en 535, mort à Vitry (Artois) en 575. Roi d'Austrasie en 561, il épousa Brunehaut (566). Il repoussa l'invasion du roi de Neustrie – Chilpéric Ier, son frère – et s'empara d'une grande partie de ses États. Il était sur le point de lui ravir Soissons lorsque la femme de ce Chilpéric, Frédégonde, le fit assassiner.

SOCIÉTÉ DES NATIONS (SDN)

Cette organisation internationale vit le jour en 1920. Elle avait pour raison d'être le maintien de la paix dans le monde et l'extension de la coopération entre les différents pays. L'idée, présentée par le président des États-Unis Thomas W. Wilson et développée dans ses *Quatorze Points*, fut approuvée par les Alliés et incorporée au traité de Versailles. Aux trente-deux nations fondatrices s'en joignirent treize autres et le siège de la

Société fut établi à Genève. Bien que Wilson en eût été l'instigateur, les États-Unis n'y furent pas représentés, le Sénat américain ayant refusé de signer le traité de Versailles.
Directement rattachés à la SDN, furent créés le *Bureau international du travail* et la *Cour permanente de justice internationale.*
L'espérance qui accompagna la mise en place de cette organisation n'eut d'égale que son inefficacité devant les graves problèmes qui se présentèrent dès les années trente : l'agression du Japon en Mandchourie, le réarmement allemand, l'invasion de l'Éthiopie par Mussolini, la guerre sino-japonaise, les diverses annexions d'Hitler et le déclenchement de la Sseconde Guerre mondiale.
La SDN fut dissoute en 1946 et fit place à l'Organisation des Nations unies (ONU).

SOLIMAN II LE MAGNIFIQUE

Né vers 1494, associé au gouvernement de l'empire ottoman par son père, il lui succéda en 1520. Profitant de la rivalité de François Ier et de Charles Quint, il s'empara des provinces orientales de l'empire germanique. Il prit Belgrade, enleva l'île de Rhodes aux chevaliers de Saint-Jean de Jérusalem (1522), triompha contre la Hongrie (Mohacs, 1526) mais assiégea vainement Vienne (1538). Après des tentatives par mer contre Venise et Charles Quint, il finit par faire la paix avec l'Empire.
Se retournant alors contre la Perse, il conquit Bagdad et la Mésopotamie jusqu'au golfe persique. Puis la guerre contre la Hongrie reprit (1541-1543). Entre-temps, aidé par le corsaire Khayr al-Din (Barberousse), il avait occupé Alger, Tunis, Aden, dépouillé Venise des îles de l'Archipel et fait alliance avec François Ier dans son conflit contre Charles Quint. Son règne fut attristé par des querelles de famille et les intrigues de sa favorite, Roxelane, qui eurent pour conséquence l'exécution du prince héritier Mustapha (1553) et d'un autre de ses fils.

En 1561, il envoya une flotte immense assiéger Malte mais ne parvint pas à prendre cette île tenue par l'ordre des Hospitaliers. Il mourut l'année suivante devant Szeged, alors qu'il entreprenait une nouvelle campagne contre la Hongrie.

SOREL (AGNÈS)

Née en 1409 en Touraine, Agnès Sorel, dame d'honneur de la duchesse d'Anjou, fut la maîtresse de Charles VII (qui lui offrit le château de Beauté-sur-Marne, d'où son surnom de Dame de Beauté), qu'elle encouragea dans sa lutte contre les Anglais et auquel elle donna quatre filles. Elle mourut subitement le 9 février 1449. La rumeur prétendit qu'elle avait été empoisonnée par le Dauphin (Louis XI), qui la détestait.

SOULT (NICOLAS JEAN DE DIEU)

Maréchal de France né à Saint-Amans-la-Bastide (actuellement Saint-Amans-Soult) dans le Tarn en 1769, mort dans le même lieu en 1851. Officier dans l'armée du Rhin en 1792, il fut promu chef de brigade en 1794 et contribua, deux ans plus tard, à la victoire d'Altenkirchen. Nommé général de division, il fit les campagnes de Suisse et d'Italie. Fait maréchal en 1804, il participa brillamment à la bataille d'Austerlitz l'année suivante, puis à celles d'Eylau et de Friedland. Duc de Dalmatie en 1807, il affronta les Anglo-Espagnols durant la campagne d'Espagne.
Rappelé en France à la suite de différends avec Joseph Bonaparte, éphémère roi d'Espage, il combattit ensuite en Prusse (Lutzen et Bautzen, 1813), revint en Espagne après la victoire de Wellington sur Jourdan à Vitoria (juin 1813), puis livra vainement la bataille de Toulouse contre le même Wellington.
Après la première abdication de Napoléon, il se rallia aux Bourbons et fut nommé ministre de la Guerre. Revenu vers l'Empereur pendant les Cents-Jours, il fut banni sous la seconde Res-

tauration. Durant la monarchie de Juillet, il obtint à nouveau le portefeuille de la Guerre, réprima l'insurrection de Lyon (1831), organisa l'expédition d'Anvers (1832) et représenta la France à Londres lors du couronnement de la reine Victoria (1838).

STAËL (GERMAINE NECKER, BARONNE DE STAËL-HOLSTEIN, DITE Mme DE)

Femme de lettres française née et morte à Paris (1766-1817), fille de Necker. Son intelligence précoce se développa dans le salon de sa mère, que fréquentaient Grimm, Buffon, La Harpe… En 1796, elle publia *De l'influence des passions sur le bonheur*. Elle ouvrit elle aussi, l'année suivante, un salon. Elle fit encore paraître en 1801 *De la Littérature*, puis son premier roman, *Delphine* (1802). Le 3 octobre 1803, elle recevait de Bonaparte, qui la suspectait de comploter dans son salon, l'ordre de se tenir « à 40 lieues de Paris ». Elle visita alors l'Allemagne où elle rencontra Gœthe, Schiller… À la mort de son père, rentrée en France, elle rédigea *Du caractère de Monsieur Necker et de sa vie privée* (1804). Toujours tenue éloignée de Paris, elle réunit dans sa propriété de Coppet les adversaires de Napoléon. Repartie en Allemagne en 1807, elle en ramena les matériaux de son ouvrage *De l'Allemagne* qui, imprimé en 1810, fut saisi par la police impériale et détruit. Remariée en 1811, elle quitta à nouveau la France, fit paraître le livre interdit en Angleterre et ne revint qu'en 1814. Virent alors le jour *Dix années d'exil* et ses *Considérations sur la Révolution française*.

L'influence de Mme de Staël fut profonde et durable. En s'attaquant aux dogmes classiques, elle prépara la voie au romantisme pour lequel son existence passionnée fut un vivant exemple.

STALINE (JOSEPH VISSARIONOVITCH DJOUGATCHVILI, DIT)

Homme d'État soviétique, né à Gori (Géorgie) en 1879. Militant socialiste dès l'âge de 20 ans, Staline en avait 26 lorsqu'éclata la révolution de 1905. C'est à cette époque qu'il rencontra Lénine dont il avait attiré l'attention par ses actions avec les bolcheviks du Caucase. En 1912, appelé au Comité central du parti, il dirigea le journal la *Pravda* avec Molotov. À partir de 1917 et bien que n'ayant aucun rôle décisif, il s'insinua parmi les membres de l'équipe dirigeante. Commissaire aux Nationalités, il se consacra à la guerre civile, accaparant sans bruit de multiples fonctions.
En 1921, il contrôlait tous les cadres communistes de la nation. À la différence des autres révolutionnaires, il s'était préparé à l'exercice du pouvoir. En conséquence, il était prêt pour forger les rouages du nouvel appareil destiné à diriger le pays. Secrétaire général du parti en 1922, il inquiéta Lénine qui, en guise de testament, donna pour conseil à ses successeurs « d'ôter Staline du poste de secrétaire général car il détient des pouvoirs considérables que sa brutalité rend inquiétants ».
Lénine mort (1924), Staline s'imposa. En 1930, ayant écarté ses concurrents, il entreprit la révolution intérieure : collectivisme total et industrialisation à outrance, sans tenir compte des masses humaines utilisées et broyées à cette fin. Il brisa toute résistance, d'où qu'elle vînt, couvrant le pays de camps de concentration et envoyant à la mort, pêle-mêle, des millions d'individus.
En 1934, il était à la tête du nouvel État « démocratique » où se développa un appareil répressif sans précédent. Ce fut l'époque des grandes « purges » au sein du parti comme dans l'armée (exécution de 35 000 officiers). À la veille de la Seconde Guerre mondiale, menacée par le Japon, épuisée par les réformes internes et par les déportations, l'URSS (Union des Républiques Socialistes Soviétiques) multiplia ses avances à l'Allemagne. Le

23 août 1939, elle signait avec ce pays le pacte de non-agression, jetant le trouble dans les partis communistes des autres pays. Quand le 22 juin 1941, les troupes nazies envahirent la Russie, Staline prit le commandement suprême. Plus tard, avec les premiers succès de l'Armée rouge, il commença à montrer des exigences sur l'organisation du monde de l'après-guerre et les manifesta aux conférences de Téhéran (novembre 1943) et de Yalta (février 1945). En 1945, malgré les efforts des Alliés de l'Ouest pour contenir ses désirs expansionnistes, il imposa sa volonté en établissant le communisme jusqu'au cœur de l'Europe par le système des pays « satellites » modelés à l'image de l'URSS. Opposé au plan Marshall (1947), il rétablit la IIIe Internationale (*Komintern*) qu'il avait dissoute pour tromper ses alliés de l'Ouest sur ses véritables intentions.

Après quoi, il isola son pays derrière un « rideau de fer », selon l'expression de Churchill, engendrant ainsi ce qui prit le nom de « guerre froide ».

Dans les derniers temps de son existence, le culte rendu à sa personne atteignit à des proportions inouïes. Quant à lui, atteint d'une méfiance pathologique, il multiplia à nouveau poursuites et persécutions et s'apprêtait à de nouvelles purges quand il mourut d'une hémorragie cérébrale, le 5 mars 1953.

STENDHAL (HENRI BEYLE, DIT)

Écrivain français né à Grenoble en 1783, mort à Paris en 1842. Officier pendant la campagne d'Italie (1800), il fut enthousiasmé par le pays qu'il venait de découvrir. Il commença par un *Journal* qu'il tint jusqu'en 1823. Il participa, sans éclat, à l'épopée militaire impériale. De 1816 à 1821, il se fixa à Milan et fut ensuite consul de France à Civitavecchia. D'abord auteur d'impressions de voyages et de critiques (*Rome, Naples et Florence*, 1817 ; *Histoire de la peinture en Italie*), il s'affirma comme écrivain dans *De l'amour* (1822). Il fit paraître deux romans, *Armance* (1827), et *Le Rouge et le Noir* (1830), que la critique qualifia de cynique. Neuf ans plus tard, il achevait son second chef-d'œuvre, *La Chartreuse de Parme*, qui enthousiasma Balzac. Sa renommée, désormais, ne cessa de grandir. « Nul n'a mieux enseigné à ouvrir les yeux et à regarder », en disait Taine. On lui doit encore *Souvenirs d'égotisme* (1832), *Les Mémoires d'un touriste* (1838), *Lucien Leuwen* (1834-1835), dont il n'existe que la première partie,, et sa *Correspondance*.

SUCCESSION D'ESPAGNE (GUERRE DE « DÉVOLUTION » OU DE)

Ce conflit européen fut provoqué, d'une part, par les prétentions de Léopold Ier, empereur d'Allemagne et archiduc d'Autriche, à la couronne d'Espagne pour son fils l'archiduc Charles, d'autre part, par le testament de Charles II, roi d'Espagne, qui désignait Philippe d'Anjou, petit-fils de Louis XIV, comme son héritier. Or Léopold Ier et Louis XIV ayant tous deux épousé les sœurs de Charles II et étant tous deux petits-fils de Philippe III d'Espagne, se trouvaient par ce côté, sur un pied d'égalité.

La guerre éclata donc en 1701, opposant la France et son unique alliée, la Bavière, à la « grande alliance » de La Haye qui réunit successivement l'Angleterre, l'Empire, la Hollande, la plupart des principautés allemandes, puis le Portugal et la Savoie.

Après le succès du duc de Vendôme contre le prince Eugène dans le Milanais, et celui du maréchal de Villars sur le Rhin (Friedlingen, 1702), les Français accumulèrent les défaites dont les plus désastreuses eurent lieu à Höchstädt (1704), Ramillies (1706) et Audenarde (1708). Dans un ultime sursaut, Villars parvint, bien que vaincu par Marlborough et le prince Eugène, à arrêter l'avance des Alliés dans le Nord (Malplaquet, 1709). En Espagne, par contre, avec le duc d'Anjou, il triompha à Villaviciosa (1710). C'est alors que survint la mort de Léopold laissant à l'archiduc Charles le trône impérial et transformant les données du conflit. Et l'Angleterre, craignant de voir se reconstituer l'empire de Charles Quint, se retira de la coalition.

La guerre se poursuivit encore quelque temps, marquée par la victoire française de Denain (1712) que suivit une série de traités : Utrecht (11 avril 1713) ; Rastadt (7 mars 1714) ; et Baden (7 septembre 1714).

Le duc d'Anjou nommé par le testament de Charles II restait roi d'Espagne sous le nom de Philippe V, mais le rêve de domination européenne de Louis XIV s'effondrait : la plupart des possessions espagnoles en Europe passaient à l'empereur et l'Angleterre, par son acquisition de Gibraltar, de Minorque, de Terre-Neuve et de l'Acadie, établissait les fondements de sa future puissance maritime et coloniale.

SUGER

Religieux et homme politique né à Saint-Omer vers 1081, mort à Saint-Denis en 1151. Il fut conseiller du roi Louis VI avec qui il avait été élevé. Supérieur de l'abbaye de Saint-Denis (1122), il devint ensuite l'homme de confiance de Louis VII et assura la régence lorsque celui-ci partit pour la croisade (1147-1149). N'hésitant pas à puiser dans le trésor de son monastère ou dans sa fortune personnelle, il parvint à couvrir les dépenses du royaume et celles de la croisade.

Créant de nouvelles communes libérées du pouvoir des seigneurs, il affaiblit le pouvoir de ces derniers à l'avantage de celui du roi. Il veilla aussi à faire respecter la justice et mérita le nom de *Père de la patrie*. Il mourut alors qu'il s'apprêtait, à ses frais, à mettre sur pied une nouvelle croisade. On lui doit une *Vie de Louis VI* et une *Vie de Louis VII*.

SULLY (MAXIMILIEN DE BÉTHUNE, BARON DE ROSNY, DUC DE)

Homme politique français né à Rosny en 1560, mort à Villebon en 1641. Compagnon d'armes d'Henri IV et son conseiller militaire (batailles d'Arques et d'Ivry), il devint secrétaire d'État (1594), puis surintendant des Finances (1596), poste où il put donner toute sa mesure. Par une comptabilité rigoureuse, il restaura le Trésor royal, punissant les concussionnaires et surveillant la répartition des tailles.
En agriculture, il encouragea les nouvelles méthodes que préconisait Olivier de Serres, protégea les paysans par des ordonnances en leur faveur, fit combler des marais et défricher des terres. Pour faciliter le commerce, il entreprit la construction de routes et fit creuser des canaux (canal de Briare, entre autres). Sur le plan militaire, il rétablit les fortifications sur les frontières et dota le pays d'une artillerie nouvelle. Il démissionna en 1611, peu après la mort d'Henri IV. Sous Louis XIII, il fut l'un des négociateurs de la paix de Loudun, signée entre le roi et des nobles révoltés.

SULLY PRUDHOMME (RENÉ FRANÇOIS ARMAND PRUDHOMME, DIT)

Poète français né à Paris en 1839, mort à Château-Malabry en 1907. Il vint à la poésie par la science (il fut ingénieur au Creusot), composa les *Stances et Poèmes* (1865), traduisit Lucrèce et réalisa une étude sur Pascal. On le compte parmi les parnassiens.

SYAGRIUS

Patrice romain né en 430, mort en 486. Il était le fils du comte Aegidius qui avait détrôné le roi franc Childéric Ier. Il retint sous la domination romaine le territoire de ce dernier, mais Clovis le vainquit à Soissons (486). Il chercha refuge auprès du roi Wisigoth Alaric, mais celui-ci le livra à Clovis qui le fit mettre à mort, faisant ainsi disparaître le dernier représentant de l'autorité romaine en Gaule.

TALLEYRAND (CHARLES MAURICE DE TALLEYRAND-PÉRIGORD, PRINCE DE BÉNÉVENT)

Homme politique français né et mort à Paris (1754-1838). Évêque d'Autun à l'âge de 25 ans, il n'en adopta pas moins les principes révolutionnaires, se lia avec Mirabeau et fut élu président de l'Assemblée nationale en 1790. Célébrant la messe au Champ-de-Mars sur l'autel de la patrie le jour de la Fédération (14 juillet 1790), il reconnut la nouvelle Constitution du clergé, sacra des évêques assermentés, ce qui lui valut d'être excommunié. Membre du directoire de la Seine (1791), il rédigea un rapport sur l'instruction publique. Ambassadeur à Londres l'année suivante afin d'y négocier l'alliance, sinon la neutralité anglaise, il échoua dans cette mission. Il quitta alors la France pour les États-Unis et ne rentra qu'après le 9 thermidor.

Barras le nomma ministre des Affaires étrangères (1797), fonction qu'il conserva après le coup d'État du 18 brumaire. Négociateur des traités de Lunéville (1801), d'Amiens (1802), de Presbourg (1805), de Tilsit (1807), il fut fait grand chambellan et reçu la principauté de Bénévent. Ayant désapprouvé la guerre d'Espagne et conseillé à Napoléon l'alliance anglaise, il fut dépossédé de son portefeuille des Affaires étrangères et rem-

placé par Champigny (1807). Il intrigua dès lors dans le but de renverser l'Empereur et de restaurer les Bourbons.
Chef du gouvernement provisoire en 1814, il fit voter par le Sénat la déchéance de Napoléon. À nouveau nommé aux Affaires étrangères par Louis XVIII, il négocia le premier traité de Paris et participa au congrès de Vienne en tant que plénipotentiaire. Ce fut là l'une des plus grandes pages de sa vie : il réussit à diviser les Alliés en s'appuyant sur la Russie et l'Autriche et obtint pour la France les meilleures conditions de paix possibles.
Ses efforts, cependant, furent ruinés par le retour de Napoléon et les Cent-Jours. Écarté du pouvoir lors de la seconde Restauration, il y revint sous Louis-Philippe qui le nomma ambassadeur à Londres (1830-1834). Il y négocia l'Entente cordiale qui avait été l'idée dominante de sa vie et participa aux conférences qui liquidèrent les hostilités entre la Belgique et la Hollande.

TARDIEU (ANDRÉ)

Homme politique français né à Paris en 1876, mort à Menton en 1945. Chef de cabinet du gouvernement Waldeck-Rousseau (1902), il fut élu député en 1914 et nommé par Clemenceau commissaire spécial aux États-Unis (1917-1918). Il représenta la France à la conférence de la paix (1919) et occupa la fonction de ministre des Régions libérées (Alsace-Lorraine) de 1919 à 1920. Avec Mandel, il créa *L'Écho national* (1922). Poincaré lui confia le portefeuille des Travaux publics (1926) puis de l'Intérieur. En 1929, il le remplaça à la présidence du Conseil et se déclara, en dépit du krach de Wall Street, en faveur d'une politique de relance économique. Sous son ministère fut entreprise la construction de la ligne Maginot et votées les lois sur les assurances sociales, la gratuité de l'enseignement et la retraite du combattant. Ces mesures inquiétèrent la droite et il fut écarté. Il revint brièvement en 1932 et quitta la politique en 1935.

TEMPLE (ORDRE DES CHEVALIERS DE LA MILICE DU)

Ordre militaire et religieux fondé en 1118 à Jérusalem par Hugues de Payns et huit autres chevaliers français qui avaient participé à la croisade de Godefroy de Bouillon. Leur but était de protéger les pèlerins qui se rendaient en Terre sainte. À l'instar des moines, ils étaient tenus d'observer le triple vœu d'obéissance, de pauvreté et de chasteté. Saint Bernard codifia leur règle. L'ordre fut réparti en quatre classes: les chevaliers (tous nobles), les écuyers, les frères lais et les soldats. Chapelains et prêtres formaient le clergé. Après la chute du royaume de Jérusalem (1187), ils se répandirent par toute l'Europe et l'on put compter jusqu'à neuf mille commanderies et prieurés.
En Orient, ils formèrent l'avant-garde des armées chrétiennes. En récompense, ils obtinrent de nombreuses donations. Banquiers du pape, des rois et des particuliers, ils accumulèrent d'immenses richesses qui éveillèrent envie et malveillance. C'est ainsi que Philippe le Bel, confronté à de graves difficultés financières, conçut le projet de s'emparer de leurs biens. Avec l'aide de Guillaume de Nogaret, le 13 octobre 1307, il fit arrêter tous les Templiers de France. Après un simulacre de procès qui déboucha sur la condamnation, l'emprisonnement d'un grand nombre d'entre eux et la mort par le feu de certains, le pape Clément V prononça la dissolution de l'ordre le 3 avril 1312.
Philippe le Bel se saisit alors de tout le numéraire accumulé dans les commanderies et s'empara de leurs possessions foncières qui ne furent remises aux Hospitaliers (ordre de Saint-Jean de Jérusalem) que sur paiement de fortes indemnités. L'étendard des Templiers, le *Bauséant*, portait cette devise: *Non nobis domine, non nobis, sed nomini tuo da gloriam* (« Ce n'est pas nous, Seigneur, ce n'est pas nous, mais ton nom qu'il faut couvrir de gloire! »).

TERREUR (LA)

On a donné ce nom au régime qui pesa sur la France du 5 septembre 1793 au 27 juillet 1794 (9-Thermidor). Plusieurs faits expliquent sa mise en place : menaces étrangères aux frontières Est et Nord du pays et premiers revers militaires ; trahison de Dumouriez et crainte de complots aristocratiques ; livraison de Toulon aux Anglais ; guerre de Vendée et insurrection fédéralistes ; assassinat de Marat ; crise financière enfin, entretenue par les spéculateurs. Il en naquit un climat de suspicion qui engendra une véritable psychose de la trahison. Un vaste système de délation fut mis en place. Plus de vingt mille comités de surveillance, aux pouvoirs illimités, furent créés.

En mars 1793 fut institué à Paris le Tribunal révolutionnaire. Ses sentences pouvaient être appliquées dans les 24 heures, sans appel ni cassation. Une loi des suspects fut votée (17 septembre 1793) visant non seulement les nobles et les prêtres réfractaires, mais aussi tous ceux qui, de près ou de loin, pouvaient soutenir la monarchie et le fédéralisme. Elle s'étendit même l'année suivante à tout individu classé ennemi de la nation pour des raisons parfois totalement extravagantes : tous ceux, par exemple, qui « n'ayant rien fait contre la liberté, n'avaient cependant rien fait pour elle ». Ces gens-là couraient le risque d'une arrestation.

Pas d'instruction, pas de procès, pas de témoins et donc pas de défense : l'acquittement ou la mort. On estime que 17000 personnes furent exécutées après procès, 25000 sur simple constat d'identité ! Les excès inouïs de la Terreur contribuèrent à la chute de ses instigateurs (Robespierre, Saint-Just, Couthon, etc.) qui furent condamnés à mort, à la déportation ou à l'emprisonnement.

TERREUR BLANCHE (LA)

C'est ainsi que sont désignés les massacres perpétrés par les royalistes et des religieux fanatisés contre les révolutionnaires. Une première Terreur blanche se manifesta après l'échec des insurrections jacobines en avril et mai 1795 dans le sud-est de la France. Après la chute de Napoléon (18 juin 1815), dans l'Ouest et le Sud-Est, une nouvelle Terreur blanche apparut sous l'impulsion du comte d'Artois. Elle ne visait plus seulement les anciens révolutionnaires mais les protestants et les bonapartistes. C'est ainsi que périrent les généraux Brune (en Avignon), Lagarde (à Nîmes), Ramel (à Toulouse). Les arrêts de la Chambre introuvable favorisèrent ces excès. Louis XVIII y mit fin en renvoyant cette Chambre et en enlevant au comte d'Artois – futur Charles X – le commandement de la Garde nationale.

THÉODEBERT Ier

Roi d'Austrasie né en 504, mort en 548, fils de Thierry Ier. Il combattit Ostrogoths et Wisigoths lors de la reconquête des Byzantins. Établi en Italie, où Grecs et Goths qui s'affrontaient l'appelaient chacun à leur aide, il attaqua l'une et l'autre armée et s'appropria un immense butin, une partie de la Provence et Marseille (540). Il se préparait à porter la guerre à Constantinople, contre Justinien, lorsqu'une maladie l'emporta.

THERMIDORIENS

Membres du parti qui, le 9-Thermidor (27 juillet 1794) renversa la dictature de Robespierre et mit fin à la Terreur. Les chefs de file en furent Billaud-Varenne, Collot d'Herbois et Tallien. Robespierre et son frère Augustin, Couthon, Saint-Just et plus de soixante-dix de leurs partisans furent guillotinés le lendemain et les jours suivants. La réaction thermidorienne entraîna la fermeture du club des Jacobins et la suppression du Tribunal révolutionnaire.

THIERS (LOUIS ADOLPHE)

Homme d'État et historien français né à Marseille en 1797, mort à Saint-Germain-en-Laye en 1877. Après des études de droit à Aix-en-Provence, il vint à Paris en 1821. Il collabora au *Constitutionnel* et travailla à son *Histoire de la Révolution*, qui parut entre 1823 et 1827. Puis il fonda *Le National* (1830). Il y défendit les principes d'une monarchie parlementaire et soutint le parti du duc d'Orléans. Louis-Philippe en fit un ministre.

Il se signala par l'arrestation de la duchesse de Berry (1832), l'intervention de la France en Belgique, l'entreprise de grands travaux publics et la répression de l'insurrection d'avril 1834 à Paris et à Lyon. En 1840, il défendit la cause du pacha d'Égypte Méhémet-Ali contre la Turquie, ce qui le conduisit au bord d'une guerre avec l'Angleterre. Écarté du pouvoir au profit de Guizot, il reprit ses travaux historiques et rédigea son *Histoire du Consulat et de l'Empire* (1845-1862), tout en siégeant à la Chambre dans l'opposition centre-gauche.

Rallié au gouvernement provisoire en 1848, il s'opposa, avec la droite conservatrice, aux socialistes. D'abord favorable à Louis-Napoléon, il lui manifesta son hostilité dès la formation du second Empire. Exilé en Suisse au lendemain du 2 décembre 1851, il revint l'année suivante mais ne reparut à la Chambre qu'en 1863, et siégea à nouveau dans l'opposition. Après la capitulation de Sedan, il fut désigné pour négocier avec Bismarck dont il obtint la réduction de l'indemnité de guerre et la conservation de la ville de Belfort.

En 1871, l'Assemblée nationale le nomma chef du pouvoir exécutif de la République française. Il eut alors à conclure le traité de Francfort, puis à réprimer l'insurrection de la Commune. Il travailla ensuite à la reconstruction économique et militaire du pays. Partisan d'une République conservatrice, il fut abattu par une coalition monarchiste (1873) et remplacé par Mac-Mahon.

THOREZ (MAURICE)

Homme politique français né à Noyelles-Godault (Pas-de-Calais) en 1900, mort en rade d'Odessa en 1964. D'une famille de mineurs, il entra à la SFIO en 1920 et fut de ceux qui organisèrent le Parti communiste français. Il en devint secrétaire général en 1930. Député de la Seine en 1932, il contribua à la formation du Front populaire (1936). Mobilisé en 1939, il déserta en raison du pacte germano-soviétique et séjouna en URSS jusqu'en 1944. Condamné à mort par contumace, il fut gracié par de Gaulle à la Libération et entra dans son gouvernement à la Fonction publique (1945). Il dut quitter ce poste l'année suivante, lorsque Ramadier écarta les communistes. Il resta dès lors à la tête du Parti communiste. Waldeck-Rochet lui succéda en 1950 quand, à la suite d'un accident cérébral, il dut cesser toute activité.

TILSIT (ENTREVUE DE)

Dans cette ville fut conclu, le 8 juillet 1807, après la victoire de Friedland, un traité entre la France, d'une part, la Russie et la Prusse, d'autre part, qui mettait fin à la quatrième coalition. Il fut précédé d'une rencontre entre Napoléon et Alexandre sur un radeau, au milieu du Niémen (25 juin), puis dans la ville de Tilsit en la présence du roi de Prusse. Par ce traité, la Prusse cédait la Westphalie qui devenait royaume et Varsovie qui devenait grand-duché. La Russie adhérait au Blocus continental si l'Angleterre ne faisait pas la paix avant le 1er novembre. En échange de quoi Napoléon offrait à l'empereur Alexandre son alliance contre les Turcs.

TOULOUSE-LAUTREC (HENRI DE)

Dessinateur, peintre et affichiste français né à Albi en 1864, mort au château de Malromé (Gironde) en 1901. Issu d'une illustre famille apparentée aux comtes de Toulouse, il resta nain après s'être brisé les deux jambes.
Venu à Paris, il fréquentait, pour son inspiration (et son plaisir), les théâtres, les cirques, les music-halls et les mauvais lieux [*La Femme qui retire son bas* (1894), *Au Bal du Moulin de la Galette* (1889), *Jeanne Avril sortant du Moulin-Rouge* (1892), *La Goulue*...]. Il pratiqua l'affiche et en renouvela le style. Dans la gravure, il adopta les coloris de l'estampe japonaise. Il sombra dans l'alcoolisme dont il mourut.

TRENTE ANS (GUERRE DE)

On nomme ainsi l'ensemble des combats qui se déroulèrent entre 1618 et 1648 durant lesquels les princes protestants d'Allemagne luttèrent contre les catholiques.

❒ Période palatine (1618-1624) qui vit s'opposer l'empereur Ferdinand II à l'électeur Frédéric V et qui s'acheva par la défaite du second.

❒ Période danoise (1625-1629) marquée par l'intervention à la tête des réformés de Christian IV, roi de Danemark.

❒ Période suédoise (1630-1635) qu'illustrèrent les victoires du roi de Suède Gustave Adolphe sur les Impériaux.

❒ Période française enfin (1635-1648), durant laquelle Richelieu porta secours aux protestants afin d'abaisser la maison d'Autriche et qui prit fin par les traités de Westphalie.

TROTSKI (LEV DAVIDOVITCH BRONSTEIN, DIT LÉON)

Doctrinaire et homme politique russe né à Ianovka en 1879. Militant révolutionnaire alors qu'il étudiait le droit à Odessa, il fut arrêté et déporté en Sibérie (1898). S'évadant trois ans plus tard, il gagna l'Angleterre muni de faux papiers au nom de Léon Trotski. Il y rencontra Lénine. En 1905, de retour en Russie, il fut nommé chef du soviet de Saint-Pétersbourg. À nouveau arrêté et déporté, il s'évada encore et s'installa à Vienne où il collabora à la *Pravda*. Rentré à Saint-Pétersbourg en 1917, il se joignit aux bolcheviks et devint membre du Comité central. Comme Lénine, il dut accepter le désastreux traité de Brest-Litovsk (3 mars 1918) pour obtenir une paix immédiate avec l'Allemagne et pouvoir se consacrer à la révolution. Commissaire de la Guerre, il organisa l'Armée rouge. Partisan de la révolution permanente, il commença à s'éloigner des idées de Lénine qui s'engageait dans un socialisme national.

À la mort de Lénine (1924) il entra en conflit avec Staline et forma contre lui un parti d'opposition. Il fut alors écarté du Politburo (1926), puis exclu du Parti communiste et exilé (1929). De Constantinople où il s'établit, il alimenta contre son adversaire une violente campagne, créa la IVe Internationale, prônant la révolution permanente et mondiale. Son action ne manqua pas de provoquer des fractures dans le communisme international.

Passé en France en 1933, il en fut expulsé deux ans plus tard. Il séjourna alors en Norvège, puis gagna Coyoacan (Mexique) où Staline le fit assassiner le 21 août 1940.

TURENNE (HENRI DE LA TOUR D'AUVERGNE, VICOMTE DE)

Maréchal de France né à Sedan en 1611, mort à Sasbach en 1675. Il fit ses armes sous la conduite de ses oncles Maurice et Henri de Nassau. Puis il servit sous le maréchal de La Force et fut fait maréchal de camp en 1635. Commandant de l'armée d'Allemagne pendant la guerre de Trente Ans, il prit Turin en 1640.

Promu maréchal à la mort de Louis XIII, il remporta avec Condé la victoire de Nördlingen (1645). Puis, avec les troupes suédoises, il força le duc de Bavière à traiter avec la France.

Entraîné par son frère, le duc de Bouillon, et par Mme de Longueville dont il était épris, il se jeta dans le parti de la Fronde. En 1651 cependant, abandonnant le camp des révoltés, il prit le commandement des troupes royales contre Condé qu'il défit à Bléneau (1652) mais qui lui tint tête à Paris, au faubourg Saint-Antoine, grâce aux canons de la Bastille. Il le battit alors à Arras (1654) et aux Dunes (1658), réduisant du même coup les forces espagnoles (paix des Pyrénées). En 1667, il fit la campagne de Flandre. En Alsace, en 1674, il triompha du duc de Lorraine et dévasta le Palatinat.

Rappelé par Louis XIV sur la rive gauche du Rhin, il franchit les Vosges au cœur de l'hiver et surprit les Impériaux à Mulhouse, à Turckheim, et les repoussa au-delà du fleuve. Il fut tué par un boulet de canon alors qu'il reconnaissait la position d'une batterie ennemie. Son corps repose aux Invalides depuis 1800.

TURGOT (ANNE ROBERT JACQUES, BARON DE L'AULNE)

Economiste et homme politique français né et mort à Paris (1721-1781). Sa famille l'avait destiné à la religion mais il préféra la magistrature. Il fréquenta les milieux littéraires et philosophiques. Collaborateur à l'*Encyclopédie*, il s'attaqua au fanatisme religieux (*Lettre sur la tolérance*, 1754). Intendant de la généralité de Limoges (1761-1774), il y obtint de si bons résultats qu'on le nomma contrôleur général des Finances (1774).
Il fut, avant Adam Smith, le principal fondateur de l'économie politique. Le plan qu'il conçut se résume dans les quelques mots qu'il adressa à Louis XV : « Point de banqueroute, point d'augmentation d'impôts, point d'emprunt. » Ayant établi la libre circulation des grains, il se heurta à la colère du peuple, les récoltes s'étant révélées mauvaises (guerre des farines).
Il soumit alors au Conseil des édits visant à supprimer d'une part, la corvée, et d'autre part les jurandes et maîtrises, établissant ainsi la liberté du travail. Les édits furent ratifiés mais non appliqués car les classes privilégiées (clergé, noblesse et corporations) se dressèrent contre lui. Le roi n'eut pas la fermeté de le soutenir et il dut démissionner en 1776.

ULTRAS

Sous la Restauration, on a donné ce nom aux partisans intransigeants de l'Ancien Régime, adversaires de la Charte de 1814. Pendant les Cent-Jours, regroupés en sociétés secrètes, ils se firent les instigateurs de la Terreur blanche. Imbus des idées de Joseph de Maistre et de l'ultramontanisme de Lamennais, ils diffusèrent leurs conceptions dans des journaux comme *La Gazette de France* ou *Le Drapeau blanc*. À leur tête se trouvaient le comte d'Artois, futur Charles X, et le duc de Berry.

URBAIN II (EUDES, OU ODON, DE CHÂTILLON)

Pape d'origine française né à Châtillon-sur-Marne vers 1042, mort à Rome en 1099. Il entama son pontificat en 1088. Au préalable, il avait étudié à Reims sous la tutelle de saint Bruno. Prieur de l'abbaye de Cluny, il avait été appelé par le pape Grégoire VII qui l'avait fait évêque d'Ostie (1078). Pape, il eut à combattre l'empereur Henri IV et l'antipape Clément III. Soutenu par les prédications de Pierre l'Ermite, il proclama la première croisade aux conciles de Plaisance et de Clermont (1095). Il mourut peu après la prise de Jérusalem. Il a été béatifié en 1881.

UTRECHT (TRAITÉ D')

Ensemble des négociations qui mirent un terme à la guerre de Succession d'Espagne (1713). Elles réunirent la France, la Hollande, l'Angleterre et l'Espagne. Il faut y ajouter les traités de Rastadt et de Bade (1714) signés avec l'Autriche et les puissances continentales.

Philippe V conservait la couronne d'Espagne, mais cédait à l'Autriche ses possessions aux Pays-Bas ainsi que Parme et Plaisance. L'Espagne gardait la totalité de ses colonies. La France restait dans ses frontières. L'Angleterre, par contre, s'appropriant Minorque et Gibraltar, occupant Terre-Neuve et l'Acadie et dominant l'estuaire du Saint-Laurent, jetait les fondations de son futur empire d'outremer.

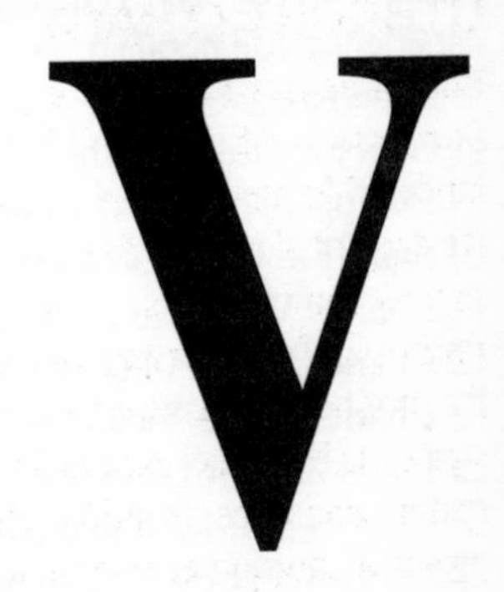

VALMY (BATAILLE DE)

Le 20 septembre 1792, à Paris, l'Assemblée législative se sépare. À partir de Verdun, les troupes prussiennes du maréchal de Brunswick traversent la Champagne pour attaquer Paris et délivrer la famille royale, emprisonnée depuis le 10 août. Elles se heurtent à Valmy à l'armée des sans-culottes commandée par Kellermann et Dumouriez. Après une longue canonnade, les Prussiens attaquent les Français. Les Prussiens sont réputés invincibles, et croient mettre aisément en fuite cette « armée de tailleurs et de savetiers ». Mais les volontaires de Kellermann résistent, et contre-attaquent. Et ce sont les Prussiens, épuisés par plusieurs semaines de marches forcées, qui doivent reculer, sous une violente canonnade. Un mois plus tard, Brunswick a repassé la frontière.

VALOIS

La lignée des Valois fut fondée par Charles de France, fils du roi Philippe III le Hardi, et frère cadet de Philippe le Bel, qui avait reçu le Valois en apanage. À la mort de Charles IV le Bel, dernier Capétien direct puisque n'ayant pas eu de fils pour lui succéder, les barons choisirent pour le trône de France son cousin

Philippe de Valois, fils de Charles. La lignée des Valois, branche capétienne collatérale, régna alors sur la France de 1328 à 1589, le trône passant ensuite aux Bourbons. Valois qui ont régné sur la France (entre parenthèses, dates de leur règne) :

- Philippe VI (1328-1350) ;
- Jean II le Bon (1350-1364), fils du précédent ;
- Charles V le Sage (1364-1380), fils du précédent ;
- Charles VI le Fol (1380-1422), fils du précédent ;
- Charles VII le Victorieux (1422-1461), fils du précédent ;
- Louis XI (1461-1483), fils du précédent ;
- Charles VIII l'Affable (1483-1498), fils du précédent ;
- Louis XII (1498-1515), cousin germain du précédent ;
- François Ier (1515-1547), cousin germain et gendre du précédent ;
- Henri II (1547-1559), fils du précédent ;
- François II (159-1560), fils du précédent ;
- Charles IX (1560-1574), frère du précédent ;
- Henri III (1574-1589) frère du précédent.

VANDALES

Peuplades germaniques primitivement installées entre la Vistule et l'Oder. Pendant la première moitié du IIe siècle après Jésus-Christ, elles effectuèrent une double migration vers le sud et l'ouest. Vaincues par Marc Aurèle (170), puis par Aurélien (270), elles parvinrent à s'établir en Dacie jusqu'à la mort de Constantin (377). En 406, elles envahirent et pillèrent la Gaule, puis gagnèrent l'Espagne ; mais, attaquées par les Wisigoths, elles durent passer en Afrique du Nord qu'elles conquirent en partie. Elles s'emparèrent alors de plusieurs îles en Méditerranée (Corse, Baléares, Sicile, Sardaigne), dévastèrent Rome (455), la Grèce et la Dalmatie. Convertis à l'arianisme, les Vandales persécutèrent les catholiques vers la fin du Ve siècle.
Sous Justinien Ier, le général Bélisaire mit fin à leur empire.

VARENNES (FUITE DE)

C'est dans la nuit du 20 au 21 juin 1791 que le roi Louis XVI, en compagnie de sa famille et de la gouvernante de ses enfants, s'enfuit de Paris pour rejoindre, à Metz, le camp du marquis de Bouillé et y attendre les secours de l'empereur Léopold. Plusieurs fois reconnue malgré les déguisements, la famille royale fut parfois acclamée, parfois conspuée. Mais le fils du maître de poste de Sainte-Menehould, Drouet, devançant les voyageurs, prévint les municipaux de Varennes où il fit arrêter la berline. Rejoint quelques temps plus tard par les lieutenants de Bouillé, Louis XVI refusa de faire couler le sang et se laissa arrêter.

VAUBAN (SÉBASTIEN LE PRESTRE, MARQUIS DE)

Maréchal de France né à Saint-Léger-Vauban (Yonne) en 1633, mort à Paris en 1707. Enrôlé volontaire dans les armées de Condé pendant la Fronde, il fut fait prisonnier par les troupes royales et conduit à Mazarin qui sut reconnaître sa valeur et l'engagea. Il travailla dès lors aux fortifications.
Ingénieur du roi en 1655, il dirigea les sièges d'Ypres, de Gravelines et d'Audenarde ; puis accompagna Louis XIV dans la majorité de ses campagnes. Les travaux qu'il réalisa à Lille consacrèrent sa réputation. Il collabora dès lors avec Louvois et Colbert. En 1678 commissaire général des fortifications, en 1703 maréchal de France, il entoura la France d'un impressionnant réseau de forteresses, restaurant plus de trois cents places anciennes, en construisant trente-trois nouvelles et dirigeant cinquante-trois sièges. Désintéressé et franc, il ne craignait pas de contredire le roi, ce qui finit par entraîner sa disgrâce.

VENDÉE (GUERRE DE)

On désigne sous ce nom les révoltes anti-révolutionnaires qui éclatèrent dans les provinces de l'ouest de la France. Elles eurent pour point de départ le décret de la Convention sur la levée de trois cent mille hommes voté le 24 février 1793. Ces mouvements paysans, conduits par la noblesse et les prêtres hostiles à la Constitution civile du clergé, eurent aussi pour cause les difficultés économiques et politiques de l'époque.

Des troubles locaux apparurent d'abord, organisés par Jean Cottereau et le marquis de la Rouërie (chouannerie). Puis, dès mars 1793, sous le commandement de François de Charette, du marquis de Lescure, d'Henri de La Rochejaquelein, de Cathelineau, de Stofflet, se constitua la grande armée vendéenne (les « Blancs »), qui compta quarante mille hommes et marcha de victoire en victoire jusqu'en juillet 1793.

C'est alors que le Comité de salut public mit sur pied l'armée de l'Ouest (les « Bleus »), menée par Kléber, Marceau et Canclaux. Elle écrasa la révolte à Savenay, le 23 décembre. Certains généraux vendéens poursuivirent les combats dans le marais poitevin, aidés par les émigrés débarqués à Quiberon et par des troupes anglaises (1795). Hoche les soumit cette même année et la pacification de la Vendée fut proclamée le 15 juillet 1796.

Un soulèvement conduit par Cadoudal sous le Consulat échoua. Pendant les Cent-Jours, quelques troubles furent rapidement réprimés par le général Lamarque. Enfin, en 1832, la duchesse de Berry tenta vainement de réveiller l'insurrection.

VENDÔME (CÉSAR DE BOURBON, DUC DE)

Fils naturel d'Henri IV et de Gabrielle d'Estrée, né en 1594 au château de Coucy, mort à Paris en 1665. Reconnu par son père en 1695, il reçut le duché de Vendôme et le gouvernement de la Bretagne. Il se distingua dans la guerre contre les huguenots (1621) mais, impliqué dans le complot de Chalais contre Richelieu (1626), fut privé de ses droits et incarcéré pendant quatre ans. Libéré, il gagna la Hollande, puis l'Angleterre d'où il ne revint qu'à la mort du Cardinal (1643).
Un moment opposé à Mazarin (cabale des Importants), il ne tarda pas à se rallier à lui et lui resta fidèle pendant la Fronde. Mazarin lui confia alors le gouvernement de la Bourgogne et le nomma surintendant de la Navigation (1651).

VERCINGÉTORIX

Chef gaulois né dans le pays des Arvernes aux environs de 72 avant Jésus-Christ. En 53, il souleva la Gaule centrale et se fit proclamer chef suprême des régions confédérées. César, revenu précipitamment, le vainquit en plusieurs rencontres, prit Avaricum (Bourges), mais échoua devant Gergovie. La Gaule tout entière se rassembla alors derrière Vercingétorix, menaçant la puissance romaine. Mais César le défit aux environs de Dijon et le força à se réfugier dans Alésia. Battu, Vercingétorix s'offrit lui-même à ses vainqueurs pour sauver son peuple (52). Emmené à Rome, il y passa six ans en captivité avant de paraître, enchaîné, derrière le char de triomphe de son vainqueur, et de mourir étranglé dans sa prison.

VERDUN (BATAILLE DE)

En 1916, les Allemands, qui viennent de vaincre les Russes et les Serbes, tentent de vaincre les Français. En février, ils attaquent Verdun avec des troupes nombreuses et une artillerie formidable. Les troupes françaises, d'abord forcées de reculer, résistent avec acharnement sous le commandement des généraux Pétain, puis Nivelle. Pendant près de cinq mois, attaques et contre-attaques se succèdent.

Les fantassins s'enterrent dans des tranchées pour la possession desquelles on se bat au corps à corps à la baïonnette. Le duel d'artillerie prend des proportions inconnues jusqu'alors : les bois et les champs, les villages deviennent un lugubre paysage pierreux, labouré par des millions d'obus, d'où jaillit la fumée des explosions… Français et Anglais contre-attaquent en déclenchant la bataille de la Somme (juillet-novembre), qui oblige l'état-major allemand à réduire son effort sur Verdun.

Fin 1916, les « poilus » français ont reconquis le terrain et les forts perdus (Vaux, Douaumont…). La lutte a été atroce : les Français laissent 360 000 morts, les Allemands 335 000.

VERGENNES (CHARLES GRAVIER, COMTE DE)

Homme politique et diplomate français né à Dijon en 1719, mort à Versailles en 1787. Ambassadeur en Turquie (1755-1768), puis en Suède (1771-1774), il révéla un grand talent de négociateur au congrès de Hanovre. Ministre des Affaires étrangères en 1774, ses convictions bellicistes envers l'Angleterre l'opposèrent à Turgot dont il provoqua la chute (1776). Il conclut alors une alliance avec les colonies anglo-américaines insurgées (guerre d'Indépendance, 1778) dont le traité de Versailles (1783) fut la conclusion. Conscient que ce succès militaire avait épuisé la France, il travailla désormais à un rapprochement avec les Anglais, leur accordant un traité de commerce avantageux.

VERLAINE (PAUL)

Poète français né à Metz en 1844, mort à Paris en 1896. D'abord rattaché au groupe des parnassiens, il eut peu à peu recours à une expression plus libre et à une poésie vécue, obéissant aux impulsions les plus contradictoires, tantôt mystique, tantôt cynique, tantôt sensuel : des *Poèmes saturniens* (1866), *Les Fêtes galantes* (1869), *La Bonne Chanson* (1870), recueil composé au moment de son mariage. C'est alors qu'il connut Rimbaud « l'époux infernal » ; la fréquentation tourna au drame ; il le blessa d'un coup de pistolet, ce qui lui valut deux ans de détention, pendant lesquels il écrivit *Romances sans paroles* et *Sagesse* (1874). Séparé de sa femme après sa libération, il vécut chichement de petits emplois de fonctionnaire, avec le secours de ses disciples et de ses amis, s'adonnant à l'absinthe, riche de son seul titre de « Prince des poètes » et d'un début de notoriété.

VERSAILLES (CHÂTEAU DE)

Modèle par excellence du classicisme architectural français. Les premières constructions, modestes, dataient de 1634. Trente ans plus tard, le Roi-Soleil, à partir de ce pavillon de chasse, dota la France d'un palais que copièrent toutes les cours d'Europe. C'est lui qui orchestra ce miracle d'ordre, de mesure et de lumière.

Le Vau et Hardouin-Mansart furent les principaux architectes de ce monument qui s'étend sur plus de 400 mètres de largeur ; le second édifia la chapelle, toute de marbre et de porphyre, et, en collaboration avec Robert de Cotte, réalisa le Grand Trianon (1687). J.A. Gabriel, sous Louis XV, se chargea du Petit Trianon (1762) ; Mique et Hubert Robert du Hameau. André Le Nôtre conçut le parc, son labyrinthe, l'orangerie et la ménagerie qui concourent à l'harmonie générale.

Le Brun enfin, dirigea à l'extérieur les quelque cent sculpteurs à qui il fournit sujets et esquisses, et fut, à l'intérieur, le maître d'œuvre auquel obéissaient peintres, ébénistes, menuisiers et bronziers. Le Grand Canal, où évoluait une flottille, fut creusé à partir de 1671. La région était alors sans eau. Rennequin, mécanicien de génie, construisit sa fameuse machine de Marly qui conduit l'eau de la Seine jusqu'au château, après l'avoir élevée de 162 mètres.

À Versailles sont morts le roi Louis XIV (1715), la marquise de Pompadour (1764) et Louis XV (1774). En 1837, Louis-Philippe y ouvrit un musée consacré « à toutes les gloires de la France ». Après la défaite française de Sedan (1870), Guillaume Ier s'y fit couronner empereur d'Allemagne. En 1896 enfin y furent reçus le tsar Nicolas II et l'impératrice.

VERSAILLES (TRAITÉS DE)

Ils mirent fin, le 28 juin 1919, à la Première Guerre mondiale. Signés dans la galerie des Glaces (puis à Saint-Germain-en-Laye, Neuilly, Trianon et Sèvres) par la France (Clemenceau), les États-Unis (Wilson), la Grande-Bretagne (Lloyd George) et l'Italie (Orlando), ils faisaient suite à la Conférence de la paix qui siégeait à Paris depuis le 18 janvier 1919. Ils aboutirent à une suite de clauses territoriales, militaires et financières.

À l'Ouest, l'Allemagne restituait à la France l'Alsace et la Lorraine, cédait à la Belgique les districts d'Eupen et de Malmédy ; la Sarre passait sous contrôle de la SDN pendant quinze ans, puis déciderait de son sort par référendum. À l'Est, la Pologne, par l'acquisition de la Posnanie et de la Prusse orientale, obtenait un accès à la Baltique. Danzig devenait ville franche. Comme la Sarre, la Haute-Silésie choisirait son destin par plébiscite : rester allemande ou se rattacher à la Pologne. En outre, l'Allemagne renonçait à ses colonies : la SDN en confiait le mandat à la France, au Japon, à la Grande-Bretagne et à l'Union sud-africaine.

Sur le plan militaire étaient prévus : la dissolution de l'état-major ennemi ; l'interdiction de posséder toute arme lourde, tout véhicule cuirassé ainsi que des avions ou navires de guerre ; la réduction du contingent à cent mille hommes pour l'armée de terre, et à seize mille pour la marine ; enfin, l'occupation pendant 15 ans, par les Alliés, de la rive gauche du Rhin.

Financièrement, les vaincus se voyaient imposer le paiement des réparations et la saisie d'une partie de leur flotte de commerce (pour l'Allemagne), de leurs machines industrielles et agricoles.

L'ensemble des traités fut accueilli avec colère par l'Allemagne, exclue des négociations. Les nationalistes allemands exploitèrent ce mécontentement de leurs concitoyens, et facilitèrent l'ascension de Hitler. Loin d'établir la paix, ils provoquèrent la discorde, même chez les Alliés (le Sénat américain refusa de les entériner). En Chine, les exigences japonaises sur les concessions allemandes n'allaient pas tarder à dégénérer en affrontement. L'Italie, elle, fut mécontente de se voir refuser l'annexion de Fiume et de la Dalmatie…

Paradoxalement, au lieu de mettre le monde à l'abri d'une nouvelle guerre, les traités de Versailles en répandirent les germes qui devaient éclore vingt ans plus tard.

VICHY (GOUVERNEMENT DE)

Le 10 juillet 1940, le maréchal Pétain reçut des parlementaires les pleins pouvoirs pour élaborer la Constitution de l'État français qui allait consacrer l'abolition de la IIIe République. Approuvée par 569 voix contre 80 et 17 abstentions, elle fondait ce qu'on est convenu d'appeler le gouvernement de Vichy.

Avec Laval comme vice-président du Conseil et successeur désigné, Pétain mit en place sa campagne pour la « Révolution nationale » qui, sous la devise *Travail, Famille, Patrie*, établissait un régime de type monarchique nationaliste et conservateur. Il interdit les sociétés secrètes et les syndicats, instaura un statut spécial pour les Juifs. Des poursuites furent lancées contre les présumés responsables civils et militaires de la défaite (procès de

Riom) et, après la signature des accords Darlan-Warlimont, une politique de collaboration avec l'Allemagne s'installa.
Après l'invasion de la zone sud, cette tendance s'amplifia avec l'instauration du Service du travail obligatoire (STO), la création de la Légion des volontaires français contre le bolchevisme (LVF) et celle de la Milice sous l'autorité de Joseph Darnand. Ce gouvernement, qui prit la responsabilité de déporter massivement les Juifs dans les camps de concentration allemands, réduit à un semblant d'activité depuis l'occupation intégrale du pays, fut contraint de se retirer en Allemagne lors de l'avance des troupes alliées après le débarquement de Normandie. Il s'établit alors dans l'ancien château des Hohenzollern à Sigmaringen (Bade-Wurtemberg).

VICTOR-EMMANUEL II

Roi de Sardaigne, puis d'Italie, né à Turin en 1820, mort à Rome en 1878. Il succéda à son père Charles-Albert en 1849, après la défaite de Novare. Il négocia alors la paix avec les Autrichiens, rentra à Turin et annonça le maintien de la Constitution libérale de son père. Il réorganisa l'armée, entreprit une série de réformes avec Cavour et prépara l'unification de l'Italie, dont il fut proclamé roi en 1861. Ce royaume comprenait alors la Lombardie (acquise en 1859) ; la Toscane, Parme, Modène et Bologne, à la suite d'un soulèvement des régions centrales ; les Deux-Siciles, la Marche et l'Ombrie, soumises après l'expédition de Garibaldi ; Rome enfin, où il fit son entrée avec ses troupes en septembre 1870. Il fut à l'origine de la Triple Alliance. Il avait épousé Adélaïde d'Autriche dont il eut cinq enfants. Son fils aîné, Humbert, lui succéda.

VICTORIA

Reine de Grande-Bretagne et d'Irlande née à Kensington Palace (Londres) en 1819. Fille d'Édouard, duc de Kent, et de Louise-Victoria, princesse de Saxe-Cobourg, elle succéda à son oncle Guillaume IV (1837) qui avait occupé le trône après la mort d'Édouard. Elle épousa le prince Albert de Saxe-Cobourg en 1840.
Elle reçut Louis-Philippe exilé en 1848. Trois ans plus tard, elle présida l'inauguration de la première Exposition universelle. Avec l'aide de la France, elle entreprit la campagne de Crimée (1855). Après la mort de son mari (1861), elle vécut retirée. Le cabinet Disraeli la fit impératrice des Indes (1876).
En 1897, son jubilé donna lieu à des réjouissances extraordinaires. Elle ne vit pas la fin de la guerre des Boers commencée en 1899 ; elle mourut en 1901, à Osborne (île de Wight). Son règne coïncida avec l'apogée de la domination britannique dans le monde.

VIENNE (TRAITÉ DE)

Il fut signé le 14 octobre 1809, au lendemain de la victoire de Wagram, entre l'Autriche et la France, qui prenait à l'Autriche les Provinces Illyriennes et une partie de la vallée de l'Inn. Salzbourg revenait à la Bavière.
La Russie se voyait contrainte à limiter son armée et à adhérer au Blocus continental mais recevait Tarnopol, en Galicie. Lublin et Cracovie, enfin, revenaient au grand-duché de Varsovie.

VIENNE (CONGRÈS DE)

Il s'ouvrit dans la capitale autrichienne en novembre 1814 et s'acheva le 9 juin 1815. Il réunit l'Autriche (Metternich), la France (Talleyrand), la Russie (Nesselrode), l'Angleterre (Castlereagh), la Prusse (prince von Hardenberg et Guillaume von Humboldt) et le Saint-Siège (cardinal Consalvi). L'Angleterre et l'Autriche, recherchant l'équilibre européen, s'entendirent secrètement pour s'opposer aux ambitions de la Russie et de la Prusse qui eussent démantelé la France. Talleyrand fit adopter le principe de légitimité et obtint que Louis XVIII rentrât en possession de tous les territoires acquis par Louis XVI avant sa chute. L'Angleterre obtint la Guyane, Le Cap, Ceylan, Malte, quelques îles des Antilles, les Seychelles.
La Russie conserva ses conquêtes orientales et reçut la Finlande et une partie de la Pologne. Le Saint-Siège récupéra ses biens et son indépendance. L'Autriche se vit restituer ses anciennes possessions et présida les trente-huit États de la Confédération germanique. La Prusse acquit la Poméranie suédoise, la Ruhr, la rive gauche du Rhin et réoccupa ses anciennes possessions polonaises. La Suède, qui avait perdu la Finlande, s'enrichit de la Norvège. Le Piémont reçut la Savoie, Nice et Gênes. Ce découpage qui se fit entre princes, au mépris des populations, allait engendrer bien des troubles dans l'avenir.

VIGNY (ALFRED, COMTE DE)

Écrivain français né à Loches en 1797, mort à Paris en 1863. Il débuta, selon la tradition familiale, dans la carrière des armes en 1814. Mais l'épopée impériale étant close, il fut déçu par la vie de garnison et donna sa démission en 1828. Il fut alors un des habitués du Cénacle romantique. Dès 1822, il s'était tourné vers la poésie et avait attiré l'attention par son épopée *Éloa ou la sœur des anges*. En 1826, il avait réuni quelques morceaux dont le

célèbre *Cor*, sous le titre de *Poèmes antiques et modernes*.
Il avait, la même année, donné son roman historique *Cinq-Mars*.
Parurent, entre autres ouvrages, *Servitude et Grandeur militaires* (1835), puis un drame, *Chatterton*, qui connut un très grand succès. Ses poèmes *Les Destinées* ne furent publiés qu'après sa mort, ainsi que le *Journal d'un poète* (1867), confession émouvante dans laquelle l'artiste expose l'isolement douloureux et humiliant où est jeté tout homme supérieur, dans une société dont il est pourtant le guide.

VILLARS (CLAUDE LOUIS HECTOR, DUC DE)

Maréchal de France né à Moulins en 1653, mort à Turin en 1734.
Il se distingua pendant la guerre de Hollande (1672) et notamment à la bataille de Sénef (1674). Nommé ambassadeur à Munich (1683), puis à Vienne (1699), il participa aux négociations relatives à la succession d'Espagne.
Quand la guerre éclata à ce propos, il commanda en chef l'armée du Rhin et vainquit le prince de Bade à Friedlingen (1702). Fait maréchal de France et chef de toutes les armées de Louis XIV, il défit les Impériaux à Höchstädt (1703). Envoyé dans les Cévennes en 1704 pour réduire l'insurrection des camisards, il y gagna son titre de duc. Il fit ensuite avec gloire les campagnes de 1705, 1706 et 1707, fut battu par Marlborough et le prince Eugène à Malplaquet (1709), mais les pertes qu'il leur infligea arrêtèrent l'invasion. À la tête de la dernière armée dont disposait la France, il prit sa revanche contre le prince Eugène et les Impériaux qu'il battit à Denain (1712), sauvant le pays et permettant au roi d'obtenir de meilleures conditions de paix (traités d'Utrecht et de Rastadt). Nommé ministre d'État en 1723, il prit, bien qu'octogénaire, le commandement de l'armée d'Italie au moment du conflit de la Succession de Pologne (1733), s'empara du Milanais et de Mantoue, mais mourut à Turin.

VILLEROI (FRANÇOIS DE NEUFVILLE, DUC DE)

Maréchal de France né à Lyon en 1644, mort à Paris en 1730. Il reçut son éducation en même temps que Louis XIV, qui lui conserva toujours une vive amitié. Il succéda au maréchal de Luxembourg à la tête des armées (1695) mais, médiocre stratège, n'accumula que des désastres : Chiari (1701), Crémone (1702) où il fut gardé prisonnier, Ramillies (1706). Louis XIV lui retira alors tout commandement et le nomma, dans son testament, gouverneur du Dauphin.

VILLON (FRANÇOIS)

Poète français né à Paris vers 1431, mort après 1463. Licencié et maître ès arts (1452), il s'inscrivit alors à la faculté de théologie. Il se lança ensuite dans une existence aventureuse où on le vit côtoyer étudiants et voyous. Il fallut parfois l'intervention de grands personnages (Charles d'Orléans et même Louis XI) pour le sauver du gibet. *Le Lais* ou *Petit Testament* fut écrit en 1446 ; *Le Grand Testament* en 1462, poèmes au sens souvent déconcertant, mélange lyrique et réaliste, mystérieux, à l'image de la vie de leur auteur qui a aussi laissé *Le Débat du corps et du cœur* (1461), ainsi que sa célèbre *Ballade des pendus* (1463).

VINCENT DE PAUL (SAINT)

Ecclésiastique français né à Pouy (Landes) en 1576, mort à Paris en 1660. Lors d'un voyage en bateau de Marseille à Narbonne (1605), il fut pris par des pirates barbaresques et vendu comme esclave à Tunis. Au bout de deux ans, ayant converti son maître, il rentra en France.

Fixé à Paris, aumônier de Marguerite de Valois (1610), curé de Clichy, il fonda en 1617 ce qui allait devenir les *Filles de la Cha-*

rité. En 1625, ce fut la *Congrégation des prêtres de la mission* et, deux ans plus tard, l'*Établissement des Enfants trouvés*. Enfin, en 1655, l'*Hospice général des pauvres*. On dit que visitant le bagne de Marseille, il prit la place d'un forçat dont le désespoir l'avait ému.
Louis XIII le nomma aumônier général des galères (1619). Béatifié en 1729, il fut canonisé par Clément XII en 1737.

VINCI (LÉONARD DE)

Peintre, sculpteur, architecte, ingénieur et savant italien né à Vinci en 1452, mort au Clos-Lucé, près d'Amboise, en 1519. Cet artiste hors du commun approfondit en outre la physique, l'architecture, la mécanique et émit sur toutes sortes de problèmes des idées de génie. Il travailla en Italie pour divers mécènes jusqu'à ce que François Ier l'attire en France (1515) où il demeura jusqu'à sa mort.
Il s'occupa d'anatomie et de botanique, comme en témoignent ses remarquables dessins ; mais aussi de travaux urbains (travaux pour la canalisation de l'Arno), de stratégie, d'architecture (études pour l'achèvement de la cathédrale de Milan) et même de musique. En peinture, on lui doit des portraits, dont la célèbre *Joconde* (1503), et des tableaux (*La Cène*).

VOLTAIRE (FRANÇOIS MARIE AROUET, DIT)

Écrivain français né et mort à Paris (1694-1778). Après des études au lycée des Jésuites de Louis-le-Grand, il fut de bonne heure introduit dans la société libertine de l'époque. Ses débuts dans l'existence furent passablement dissipés.
Ses impertinences, dont une satire contre Louis XIV, lui valurent un an à la Bastille (1717-1718). Il en profita pour y écrire sa première tragédie, *Œdipe*, qui lui conféra d'emblée la notoriété, et y ébaucher sa *Henriade*. À la mort de son père, qui était notaire,

il se lança dans les affaires où, peu scrupuleux, il plaça une partie de ses capitaux dans la traite des Noirs.
En 1723, la publication de *La Henriade* fut un prodigieux succès ; le Régent, puis le roi lui offrirent une pension. Âpre au gain, mondain, brillant, vaniteux à l'excès, il se fût alors peut-être laissé aller à une vie facile quand un incident vint orienter différemment son existence : le chevalier de Rohan, vis-à-vis duquel il s'était montré insolent en public, le fit bâtonner par ses gens et poussa la hauteur jusqu'à refuser de se battre avec le roturier qu'il était. Voltaire se retrouva encore une fois embastillé, puis, à sa demande, obtint l'exil en Angleterre (1726).
Hôte et ami de grands personnages, il y apprécia, durant trois ans, l'indépendance politique, littéraire, civique, morale, la tolérance… et devint le citoyen-philosophe qu'il allait rester toute sa vie. Rentré à Paris (1729), il fit représenter *Brutus* et publia l'*Histoire de Charles XII*. En 1734, ses *Lettres philosophiques* le firent condamner par le Parlement et provoquèrent sa fuite en Champagne chez Mme du Châtelet. Il y resta quinze ans, écrivant diverses pièces (*Sémiramis*, 1748), s'occupant de sciences physiques et préparant son *Siècle de Louis XIV*.
À la mort de Mme du Châtelet (1749), sur l'insistance du roi de Prusse Frédéric II, il se rendit à Berlin (1750). L'entente ne dura guère, Voltaire, à qui Frédéric demandait de lui corriger ses poèmes en français, refusant de « laver son linge sale ». Il s'enfuit, emportant les poésies du roi avec lesquelles il comptait bien amuser tout Paris (1753). Rattrapé par un agent de Frédéric, il n'obtint son élargissement qu'en restituant le précieux gage.
Décidé à vivre librement, il s'installa alors en Suisse (1754), mais, ayant eu des difficultés avec son théâtre dans l'austère cité de Calvin, il acheta non loin de là, mais en territoire français, le domaine de Ferney (1758) où il mena grand train, entretenant une correspondance avec l'Europe entière.

De cette époque date sa collaboration avec l'*Encyclopédie* et son différend avec Rousseau sur la Providence. Il écrivit son roman *Candide* (1759) et toutes sortes de pamphlets et de satires, ne ménageant personne. Il fit aussi campagne contre certaines erreurs judiciaires et prit la défense des protestants Callas et Sirven (affaire Calas), de Lally-Tollendal… et composa son *Traité sur la tolérance* (1763), thème qu'il développa toute sa vie, bien que dans son quotidien, il ne cachât point son profond mépris pour le peuple.
En février 1778, quittant Ferney, il se rendit à Paris où son séjour ne fut qu'une suite de visites triomphales et d'ovations. Il y mourut le 30 mai, et son corps, enseveli à l'abbaye de Sallières (en Champagne), fut transporté au Panthéon en 1791.

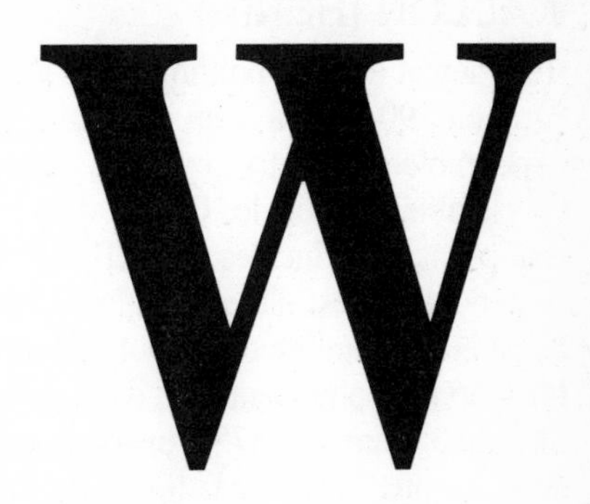

WAGRAM (BATAILLE DE)

Le 6 juillet 1809, Napoléon remporta cette éclatante et sanglante victoire sur les troupes autrichiennes de l'archiduc Charles. Assisté de Davout, de Masséna, d'Oudinot et de Marmont, l'Empereur disloqua les armées ennemies qui laissèrent sur le terrain plus de vingt mille morts et à peu près autant de prisonniers. L'Empire se trouvait alors au faîte de sa puissance.

WALDECK-ROUSSEAU (PIERRE)

Avocat et homme politique français né à Nantes en 1846, mort à Corbeil en 1904. Député de Rennes (1879-1889), ministre de l'Intérieur (1881 et 1883). On lui doit la loi sur les syndicats professionnels. Lors de l'affaire de Panama, il défendit Eiffel.

Sénateur (1894), président du Conseil (1899), il forma un cabinet de coalition républicaine qui contribua à la révision du procès Dreyfus. Il s'opposa aussi aux tendances nationalistes (procès de Déroulède), puis il fit voter la loi sur les associations du 1er juillet 1901, qui visait plus spécialement les congrégations religieuses non autorisées. Ce qui ne l'empêcha pas, l'année suivante, de s'opposer au sectarisme du ministère Combes.

WALLON (HENRI)

Historien et homme politique né à Valenciennes en 1812, mort à Paris en 1904. Professeur d'histoire à la Sorbonne, il fut élu à l'Assemblée législative en 1849, puis en 1871, siégea à droite à l'Assemblée nationale. On lui doit le célèbre amendement où sont posés les principes de la IIIe République : « Le président de la République est élu à la majorité absolue des suffrages par le Sénat et la Chambre des députés réunis en Assemblée nationale. Il est nommé pour sept ans ; il est rééligible. » Cette loi fut entérinée le 30 janvier 1875 à une voix de majorité. Peu après, il fit aussi adopter la loi sur la liberté de l'enseignement supérieur.

WATERLOO (BATAILLE DE)

Dernier combat de l'épopée napoléonienne livré contre les Anglais de Wellington et les armées de Blücher, du 16 au 18 juin 1815. C'est là que la Vieille Garde, au cri de « vive l'empereur », s'illustra à jamais : écrasée sous le nombre, elle termina par le sacrifice suprême une histoire unique en conquêtes comme en désastres. Le retard du maréchal de Grouchy fut sans doute la cause de la défaite dans cet ultime affrontement où la victoire de Wellington, dont les troupes furent enfoncées, ne tint qu'à un fil.

WATTEAU (ANTOINE)

Peintre français né à Valenciennes en 1684, mort à Nogent-sur-Marne en 1721. Watteau est surtout connu comme exécuteur des *Fêtes galantes* et autres *Embarquement pour Cythère* qui firent sa gloire. Mais il est aussi l'auteur de dessins où la sanguine se mêle au fusain pour célébrer le nu féminin avec une rare élégance. Malgré la phtisie dont il mourut, jeune encore, il laissa une œuvre considérable. Le grand Frédéric II eut une passion pour ce peintre dont il acquit de nombreuses toiles.

WELLINGTON (ARTHUR WELLESLEY, DUC DE)

Général et homme politique anglais né à Dublin en 1769, mort à Walmer Castle (Kent) en 1852. En 1808, il commandait l'expédition au Portugal où il vainquit les Français conduits par Junot à Talavera (juillet 1809). Après avoir battu Masséna (1811), il s'empara de Salamanque (juin 1812), défit Marmont à la bataille des Arapides et acheva de chasser les Français d'Espagne par la victoire de Vitoria (21 juin 1813). Il remporta la bataille à Toulouse contre Soult (avril 1814). Nommé ambassadeur de France après le premier traité de Paris, il prit part au congrès de Vienne. Proclamé généralissime des armées alliées pendant les Cent-Jours, il fut, grâce à Blücher, l'artisan de la victoire de Waterloo, et commanda les troupes d'occupation en France jusqu'en 1818. Il avait soutenu le retour des Bourbons et s'était opposé au démantèlement du pays. Nommé Premier ministre par le roi d'Angleterre (1829), il fut aussi investi du commandement de l'armée anglaise (1842).

WESTPHALIE (TRAITÉS DE)

Nom des traités signés à Osnabrück (6 août 1648) et à Münster (8 septembre 1648), qui mirent fin à la guerre de Trente Ans. Ils réglaient les questions politiques et religieuses soulevées entre protestants et catholiques. Les puissances victorieuses (France et Suède) se garantissaient mutuellement leurs acquisitions (l'Alsace pour l'une, les conquêtes de Gustave Adolphe pour l'autre) et assuraient à leurs alliés d'importantes concessions.

Les Provinces-Unies et la Suisse acquéraient leur indépendance. Sur le plan religieux, les protestants obtenaient la reconnaissance officielle de leur religion. Sur le plan politique, ces traités marquaient le déclin de la maison d'Autriche. Quant à l'Allemagne, si elle obtenait la liberté du culte, elle se retrouvait morcelée et prédestinée à devenir le futur champ de bataille de l'Europe.

WILSON (THOMAS WOODROW)

Homme d'État américain né à Staunton (Virginie) en 1856, mort à Washington en 1924. Gouverneur démocrate du New Jersey (1911-1913), partisan des réformes progressistes, il l'emporta à l'élection présidentielle de novembre 1912 sur Théodore Roosevelt et fut réélu en 1916. Il engagea son pays dans la Première Guerre mondiale en avril 1917 après avoir défendu la neutralité. Ce revirement fut causé par la volonté de l'Allemagne de mener une guerre sous-marine totale. Pendant les discussions qui aboutirent au traité de Versailles, il s'opposa à Clemenceau, à Lloyd George et aux Italiens qui souhaitaient des compensations territoriales. Il créa la Société des Nations, dans laquelle son pays refusa d'entrer. Frappé de paralysie, il avait dû abandonner son poste en octobre 1919 (prix Nobel de la paix, décembre 1920).

WISIGOTHS

Nom donné à une tribu des Goths apparue au IVe siècle dans la région du Danube. Théodose le Grand les incorpora aux armées romaines. Un de leurs chefs, Alaric, mécontent du commandement militaire qu'on lui avait confié, se révolta et ravagea la Grèce, puis envahit l'Italie où il fut battu en 403. En 410, il revint et marcha sur Rome qu'il livra au pillage.

Sous l'empereur Honorius, les Wisigoths passèrent en Gaule et entreprirent la conquête de l'Espagne, peuplée à cette époque par les Suèves, les Vandales et les Alains. Théodoric, leur souverain, combattit les Huns aux côtés d'Aetius aux champs Catalauniques (451). Plus tard, défaits par Clovis à Vouillé (507), ils quittèrent la Gaule mais conservèrent la Septimanie et l'Espagne jusqu'à ce qu'au VIIIe siècle les Arabes, après la bataille de Jerez qui mit en présence le roi Rodrigue et les musulmans (711), fassent de l'Espagne une province arabe.

ZOLA (ÉMILE)

Écrivain français né et mort à Paris (1840-1902). Élevé dans la pauvreté, il fit peu d'études et pratiqua tôt divers métiers. Devenu journaliste et critique d'art, il entreprit de raconter, dans une fresque épique et puissante, qui va jusqu'au reportage (c'est en enquêtant en milieu ouvrier qu'il devint proche des socialistes), dans un style parfois trivial, par souci de la réalité, l'histoire « naturelle et sociale » d'une famille au second Empire. Il en résulta les *Rougon-Macquart* (20 volumes, 1871-1893). Chef de file des écrivains naturalistes, l'affaire Dreyfus en 1898 le jeta dans un combat qui lui attira de nombreux ennemis. Son article *J'accuse* dans *L'Aurore*, où il rendait l'état-major responsable de la machination judiciaire ourdie contre Dreyfus, lui valut d'être condamné à deux reprises. Il dut s'exiler en Grande-Bretagne (1898-1899). Il était revenu en France depuis deux ans quand on le retrouva asphyxié dans son appartement par les émanations d'un chauffage défectueux (l'enquête, bâclée – volontairement ? – ne permit pas de conclure à un accident ou à un crime – on aurait bouché la cheminée du poêle).

Une foule immense suivit son cortège funèbre, en scandant « Germinal, Germinal », l'un de ses chefs-d'œuvre.

Imprimé en France sur Presse Offset par

BRODARD & TAUPIN

GROUPE CPI

16006 • La Flèche (Sarthe), le 20-05-2003
- Dépôt légal : mai 2003